# LA VIE AUX AGUETS

Un Anglais sous les tropiques
*roman, 1984, 1995, et « Points » n° 10*

Comme neige au soleil
*roman, 1985, 2003, et « Points » n° 35*

La Croix et la Bannière
*roman, 1986, 2001, et « Points » n° 958*

Les Nouvelles Confessions
*roman, 1988, et « Points » n° 34*

La Chasse au lézard
*nouvelles, 1990, et « Points » n° 381*

Brazzaville Plage
*roman, 1991, et « Points » n° 33*

L'Après-midi bleu
*roman, 1994, et « Points » n° 235*

Le Destin de Nathalie X
*nouvelles, 1996, et « Points » n° 480*

Armadillo
*roman, 1998, et « Points » n° 625*

Visions fugitives
*récits, 2000, et « Points » n° 856*
*et pour le récit intitulé Nat Tate, « Points » n° 1046*

À livre ouvert
*roman, 2002, et « Points » n° 1152*

La femme sur la plage avec un chien
*nouvelles, 2005, et « Points » n° 1456*

WILLIAM BOYD

# LA VIE
# AUX AGUETS

roman

TRADUIT DE L'ANGLAIS
PAR CHRISTIANE BESSE

ÉDITIONS DU SEUIL
27, rue Jacob, Paris VIᵉ

Ce livre est édité par Anne Freyer-Mauthner.

Titre original : *Restless*

Éditeur original : Bloomsbury Publishing, New York & Londres
© original : William Boyd, 2006
ISBN original : 0-679-31478-4

ISBN 978-2-02-087232-4

© Éditions du Seuil, février 2007, pour la traduction française

www.seuil.com

*Pour Susan*

Nous disons bien que l'heure de la mort est incertaine, mais quand nous disons cela, nous nous représentons cette heure comme située dans un espace vague et lointain, nous ne pensons pas qu'elle ait un rapport quelconque avec la journée déjà commencée et puisse signifier que la mort – ou sa première prise de possession partielle de nous, après laquelle elle ne nous lâchera plus – pourra se produire dans cet après-midi même, si peu incertain, cet après-midi où l'emploi de toutes les heures est réglé d'avance. On tient à sa promenade pour avoir dans un mois le total de bon air nécessaire, on a hésité sur le choix d'un manteau à emporter, du cocher à appeler, on est en fiacre, la journée est tout entière devant vous, courte, parce qu'on veut être rentré à temps pour recevoir une amie ; on voudrait qu'il fît aussi beau le lendemain ; et on ne se doute pas que la mort, qui cheminait en vous dans un autre plan, au milieu d'une impénétrable obscurité, a choisi précisément ce jour-là pour entrer en scène, dans quelques minutes…

Marcel Proust, *Le Côté de Guermantes*

# 1

# Au cœur de l'Angleterre

Quand, petite, je me montrais grincheuse, contrariante et dans l'ensemble insupportable, ma mère me réprimandait avec des : « Un beau jour, quelqu'un viendra me tuer et tu le regretteras », ou bien : « Ils arriveront de nulle part et ils m'emporteront – et alors tu diras quoi ? » ou encore : « Un beau matin, tu te réveilleras et je ne serai plus là. Disparue. Attends un peu de voir. »

Curieux, mais enfant on ne prend pas au sérieux ce genre de remarque. En revanche, aujourd'hui – alors que je repense aux événements de cette interminable canicule de 1976, cet été pendant lequel l'Angleterre tituba, suffoquée, terrassée par une vague de chaleur interminable –, je sais ce dont ma mère parlait : je comprends ce sombre courant d'une peur profonde qui circulait sous la calme surface de sa vie ordinaire, et qui ne l'a jamais quittée, même après des années d'une existence paisible, sans rien d'exceptionnel. Je m'en rends compte maintenant : elle a toujours redouté qu'on vienne la tuer. Et elle n'avait pas tort.

Tout a commencé, je me souviens, début juin. Je ne sais plus le jour exact – un samedi, vraisemblablement, puisque Jochen n'était pas à la maternelle –, et comme d'habitude nous sommes partis en voiture pour Middle Ashton. J'ai pris la nationale d'Oxford à Stratford et bifurqué à Chipping Norton en direction d'Evesham, sans cesser ensuite de tourner et de virer comme si on suivait toute une série de routes de moins en moins importantes – nationale, départementale, communale, vicinale –, jusqu'à ce qu'on se retrouve sur le chemin de terre empierré conduisant, à travers un bois dense de hêtres vénérables, dans la vallée étroite où se niche le minuscule village de

11

Middle Ashton. Un trajet que je faisais au moins deux fois par semaine et qui, à chaque coup, me donnait l'impression de me retrouver perdue au fin fond de l'Angleterre – un Shangri-La de verdure, oublié, un Shangri-La à l'envers, où tout devenait plus vieux, plus moisi et plus décrépit.

Des siècles auparavant, Middle Ashton avait poussé autour d'un manoir jacobéen – Ashton House – encore occupé par un lointain descendant du propriétaire-constructeur d'origine, un certain Trefor Parry, marchand gallois enrichi dans la laine, qui, faisant étalage de sa prospérité, avait édifié son imposant domaine ici, au cœur même de l'Angleterre. À présent, après des générations et des générations de Parry désinvoltes et prodigues, et d'une négligence aussi constante qu'insolente, le manoir s'écroulait sur ses dernières fondations vermoulues, abandonnant à l'entropie son fantôme desséché. Des bâches affaissées recouvraient le toit de l'aile est, des échafaudages rouillés parlaient de vaines tentatives de restauration, et la pierre tendre et jaune du Cotswold des murs s'écrasait dans la main comme du toast mouillé. Il y avait dans les parages une petite église humide, étouffée par d'énormes ifs vert foncé qui semblaient absorber la lumière du jour ; un pub sinistre, le Paix et Prospérité, où vos cheveux effleuraient la couche grasse de nicotine du plafond ; un bureau de poste avec une boutique autorisée à vendre des boissons alcoolisées, une poignée de cottages, certains coiffés de chaume, verdis de mousse, et quelques vieilles maisons intéressantes au milieu de grands jardins. Les ruelles du village étaient enfouies à six pieds entre de hauts remblais ourlés de haies rampantes, comme si la circulation des époques passées, telle une rivière, avait enfoncé de plus en plus profondément la route dans sa propre mini-vallée. Les chênes, les hêtres, les marronniers dominaient, vieillards hirsutes, imposant au village une sorte de crépuscule permanent durant le jour et fournissant la nuit une symphonie atonale de craquements, grognements, chuchotements et soupirs, tandis que les brises nocturnes faisaient ployer les branches massives et que la vieille forêt marmonnait et gémissait.

Il me tardait de retrouver l'ombre généreuse de Middle Ashton car nous vivions une autre journée d'une chaleur aveuglante – chaque jour paraissait brûlant cet été-là –, même si nous n'étions pas encore

12

totalement abrutis par la canicule. Derrière moi, Jochen regardait à travers la vitre arrière de la voiture – il aimait bien voir la route « se dérouler », affirmait-il. J'écoutais de la musique à la radio quand je l'ai entendu me poser une question.

« Si tu parles à une fenêtre, je ne peux pas te comprendre, ai-je dit.

– Pardon, Maman. »

Il s'est tourné, a posé ses coudes sur mes épaules et j'ai entendu sa petite voix tranquille dans mon oreille.

« Est-ce que Granny est ta vraie maman ?

– Bien sûr. Pourquoi ?

– Je ne sais pas... Elle est si étrange.

– Tout le monde est étrange quand on y pense. Je suis étrange, tu es étrange...

– C'est vrai, a-t-il répondu. Je sais. » Il a enfoui son petit menton pointu sur mon épaule en le frottant sur le muscle de mon omoplate, et j'ai senti les larmes me piquer les yeux. Il faisait ça de temps en temps, Jochen, mon étrange petit garçon – et ça me donnait envie de pleurer pour d'ennuyeuses raisons que je ne pouvais pas vraiment m'expliquer.


À l'entrée du village, en face du pub sinistre, le Paix et Prospérité, était garé un camion qui livrait de la bière. Il ne me restait qu'un étroit espace pour me faufiler.

« Tu vas égratigner Hippo », m'a prévenue Jochen. Ma voiture était une Renault 5 de dixième main, bleu ciel avec un capot (remplacé) rouge vif. Jochen avait tenu à la baptiser et j'avais décrété que, puisqu'il s'agissait d'une voiture française, il fallait lui donner un nom français ; j'avais suggéré Hippolyte (j'étais en train de lire Taine, sous je ne sais plus quel prétexte universitaire) et c'était devenu Hippo, du moins pour Jochen. Personnellement, je ne peux pas souffrir les gens qui donnent des noms à leur voiture.

« Non, ai-je répliqué. Je vais faire très attention. »

Je finissais de négocier mon passage, centimètre par centimètre, quand le chauffeur du camion, je suppose, est sorti du pub, s'est engouffré dans l'interstice et, à grands gestes, m'a fait signe d'avancer. C'était un jeune type avec un gros ventre qui étirait son sweat-shirt, déformant ainsi le logo de sa marque de bière, et dont la face rougeaude s'ornait de magnifiques favoris qui auraient fait honneur à un soldat de la reine Victoria.

« Vas-y, vas-y, ouais, ouais, ça passe au poil, chérie, ne cessait-il de me répéter, sa voix empreinte d'une exaspération lasse. C'est pas un foutu tank ! »

Arrivée à sa hauteur, j'ai baissé la vitre, et je lui ai souri.

Et j'ai dit : « Si tu tirais ton gros cul du chemin, ça serait drôlement plus facile, espèce de foutu connard. »

J'ai accéléré avant qu'il ait le temps de se remettre, et j'ai remonté la vitre tout en sentant ma colère s'évaporer, délicieusement, en petits picotements exquis, aussi vite qu'elle avait surgi. C'est vrai, je n'étais pas d'une humeur de rêve, parce que ce matin-là, alors que je tentais d'accrocher un poster dans mon bureau, je m'étais, avec une maladresse frôlant la caricature, tapé en plein sur le pouce qui maintenait le crochet X au lieu d'enfoncer le clou lui-même. Charlie Chaplin aurait été fier de moi en me voyant piailler, sautiller et secouer ma main comme si je voulais la détacher de mon poignet. Sous son sparadrap couleur chair, l'ongle avait maintenant viré au prune vif, et une petite alvéole de douleur située dans le pouce battait à l'unisson de mon pouls, comme une sorte d'horloge organique égrenant les secondes de ma mortalité. Mais, tout en appuyant sur le champignon, je sentais dans mes battements de cœur chargés d'adrénaline le plaisir vertigineux de mon audace : à des moments pareils, j'avais le sentiment de connaître toute la colère latente enfouie en moi – en moi et en notre espèce.

« Maman, tu as utilisé des gros mots, m'a reproché Jochen, sévère.

– Désolée, mais cet homme m'a vraiment agacée.

– Il essayait seulement de t'aider.

– Non, pas du tout. Il me traitait avec condescendance. »

Jochen s'est redressé, a considéré ce nouveau mot un instant puis a renoncé.

« Ça y est, on est enfin arrivés », a-t-il dit.

Le cottage de ma mère est situé au milieu d'une végétation épaisse, grouillante, cernée par une haie sauvage et ondulée débordante de roses grimpantes et de clématites. La pelouse touffue tondue à la main était d'un vert vif indécent, une insulte au soleil implacable. Vus des airs, la maison et son jardin devaient avoir l'allure d'une oasis de verdure dont l'abondance échevelée dans cet été chaud aurait presque pu inciter les autorités à imposer une interdiction d'arrosage immédiate. Ma mère pratiquait un jardinage enthousiaste et très particulier : elle plantait fort et taillait dur. Si une plante ou un buisson prospéraient, elle les laissait faire, sans se soucier qu'ils puissent en étouffer d'autres ou les plonger dans une ombre mal venue. Son jardin, proclamait-elle, visait à être une jungle contrôlée – elle ne possédait pas de tondeuse : elle taillait sa pelouse au sécateur –, et elle savait que cela ennuyait certains habitants du village, où ordre et netteté régnaient en vertus visibles et lourdes de sous-entendus. Mais impossible de se plaindre ni de prétendre qu'il y eût là abandon et négligence : personne ne passait plus de temps dans son jardin que Mrs Sally Gilmartin, et le fait que son assiduité eût pour but de créer luxuriance et délire était peut-être critiquable mais pas condamnable.

On disait un cottage, mais en réalité c'était une petite maison à deux niveaux en pierre blonde du Cotswold, avec un toit d'ardoises refait au XVIIIe siècle. Le premier étage avait conservé ses vieilles fenêtres à meneaux, les chambres au plafond bas étaient sombres, tandis que le rez-de-chaussée s'ornait de fenêtres à guillotine et d'un élégant encadrement de porte sculpté avec demi-colonnes cannelées plus fronton à volutes. Ma mère avait réussi à l'acheter à Huw Parry-Jones, le propriétaire dipsomane d'Ashton House, un jour où il était particulièrement fauché, et l'arrière donnait sur les modestes vestiges du parc du manoir – désormais un pré à l'abandon, unique survivant des milliers d'hectares vallonnés que la famille Parry avait autrefois possédés dans cette partie de l'Oxfordshire. Sur un côté se dressait un abri-garage en bois presque totalement couvert de lierre et de vigne vierge. Sa voiture – une Austin Allegro blanche – y était garée, et ainsi j'ai su qu'elle était chez elle.

Jochen et moi avons ouvert la porte, Jochen criant : « Granny, on est là ! » À quoi a répondu un sonore « Hip hip hip ! Hourra ! » venu de l'arrière de la maison. Et puis, elle a surgi, se déplaçant dans un fauteuil roulant le long de l'allée pavée de briques. Elle a fait halte et a tendu les bras comme pour nous envelopper tous deux dans une vaste étreinte, mais nous sommes restés figés sur place, immobiles, stupéfaits.

« Pourquoi diable es-tu dans un fauteuil roulant ? me suis-je écriée. Que t'est-il arrivé ?

– Pousse-moi à l'intérieur, chérie, a-t-elle répliqué. Tout te sera révélé. »

Alors que Jochen et moi obtempérions, j'ai remarqué une petite rampe en bois menant au seuil de la porte.

« Depuis quand es-tu dans cet état, Sal ? ai-je dit. Tu aurais dû m'appeler.

– Oh, deux ou trois jours. Pas de quoi se faire du souci. »

Je n'ai pas éprouvé autant d'inquiétude que j'aurais dû, peut-être parce que ma mère avait manifestement l'air très en forme : visage un peu bronzé, cheveux gris-blond brillants et bien coupés. Et, comme pour confirmer ce diagnostic impromptu, une fois son fauteuil basculé à l'intérieur, elle s'est levée et s'est penchée sans effort pour embrasser Jochen.

« Je suis tombée, a-t-elle expliqué avec un geste en direction de l'escalier. Les deux ou trois dernières marches. J'ai trébuché, je me suis étalée et je me suis esquinté le dos. Le docteur Thorne a suggéré que j'utilise un fauteuil roulant pour m'économiser les va-et-vient. Tu comprends, la douleur augmente avec la marche.

– Qui est le docteur Thorne ? Qu'est-il arrivé au docteur Brotherton ?

– En vacances. Thorne est le remplaçant. Était le remplaçant. » Elle s'est tue un instant. « Il est parti maintenant. »

Elle nous a précédés à la cuisine. J'ai cherché en vain dans sa démarche et son attitude la trace d'un dos mal en point.

« Ça aide vraiment, a-t-elle affirmé, comme si elle sentait mon étonnement grandissant, mon scepticisme. Le fauteuil roulant, vois-tu, pour bricoler ici et là. C'est fou le temps qu'on passe debout dans la journée. »

Jochen a ouvert le frigo. « Y a quoi pour déjeuner, Granny ?

– Une salade. Fait trop chaud pour s'atteler à de la cuisine. Sers-toi un verre de quelque chose, mon chéri.

– J'adore la salade, a répliqué Jochen en s'emparant d'un Coca-Cola. Je préfère la nourriture froide à tout.

– Brave petit.» Ma mère m'a prise à l'écart. «Je crains qu'il ne puisse pas rester cet après-midi. Je n'y arriverai pas avec le fauteuil roulant et le reste.»

J'ai dissimulé ma déception et mon irritation égoïste – mes samedis après-midi à moi, tandis que Jochen passait la demi-journée ici, m'étaient devenus précieux. Ma mère est allée vers la fenêtre et s'est abrité les yeux de la main pour regarder dehors. Sa cuisine-salle à manger donnait sur son jardin, et son jardin sur le pré, fauché parfois seulement à deux ou trois ans d'intervalle, et qui, en conséquence, regorgeait de fleurs sauvages et de myriades d'herbes diverses, bonnes et mauvaises. Et, au-delà du pré, se dressait le bois, baptisé, on ne savait plus pourquoi, le bois de la Sorcière – une ancienne forêt de chênes, de hêtres et de marronniers, tous les ormeaux ayant disparus, ou étant en voie de disparition, évidemment. Il se passe quelque chose de très bizarre ici, me suis-je dit : quelque chose qui va au-delà des habituels caprices de ma mère et de ses excentricités cultivées. Je me suis approchée d'elle et j'ai posé une main rassurante sur son épaule.

«Tout va bien, vieille branche ?

– Mmm. Ce n'était qu'une chute. Ça secoue, comme on dit. Mais je devrais être de nouveau en forme dans une semaine ou deux.

– Rien d'autre, non ? Tu me le dirais… »

Elle a tourné son beau visage vers moi et m'a gratifiée de son fameux sourire innocent, avec ses yeux bleu pâle grands ouverts – je le connaissais par cœur. Mais je pouvais désormais y faire face, après tout ce que j'avais traversé moi-même : il ne m'impressionnait plus autant.

«Qu'est-ce que ça pourrait être d'autre, ma chérie ? Sénilité précoce ? »

Elle m'a tout de même demandé de la pousser jusqu'au village, au bureau de poste, pour acheter un demi-litre de lait superflu et un journal. Elle a parlé longuement de son dos à Mrs Cumber, la dame des postes, et m'a obligée à m'arrêter au retour pour faire la conversation, par-dessus un mur de pierres sèches, avec Percy Fleet, le jeune entrepreneur local, et sa petite amie de longue date (Melinda ? Melissa ?), alors qu'ils attendaient que s'anime leur barbecue – un échafaudage de briques avec une cheminée, installé fièrement sur le dallage devant leur jardin d'hiver tout neuf. Ils ont compati : rien de pire qu'une chute. Melinda s'est rappelé un vieil oncle victime d'attaques à répétition qui avait mis des semaines à se remettre après avoir glissé dans sa salle de bain.

« J'en veux un pareil, Percy, a dit ma mère en désignant le jardin d'hiver. C'est très joli.

– Devis gratuits, Mrs Gilmartin.

– Comment va votre tante ? S'est-elle bien amusée ?

– Ma belle-mère, l'a corrigée Percy.

– Ah, oui, bien sûr. Votre belle-mère. »

Nous avons dit au revoir et j'ai continué à la pousser avec lassitude sur la surface inégale de la ruelle, éprouvant une colère grandissante à l'idée d'être obligée de prendre part à cette comédie. Elle ne cessait de commenter les allées et venues des gens, comme si elle vérifiait leur vie, pointant leurs entrées et sorties à la manière d'un contre-maître obsédé par les horaires de ses ouvriers – elle l'avait toujours fait, du plus loin que je me souvienne. Je me suis ordonné de rester calme : nous déjeunerions, je ramènerais Jochen à l'appart, il jouerait dans le jardin, nous pourrions aller nous promener dans University Park…

« Il ne faut pas être fâchée contre moi, Ruth », a-t-elle dit en me jetant un coup d'œil par-dessus son épaule.

J'ai arrêté de la pousser pour allumer une cigarette. « Je ne suis pas fâchée.

– Oh que si, tu l'es. Donne-moi simplement le temps de voir comment je me débrouille. Peut-être que samedi prochain je serai sur pied. »

Une minute après notre retour, Jochen a annoncé d'un air sombre : « Tu sais, tu peux attraper le cancer avec des cigarettes. » Je l'ai rembarré, et nous avons déjeuné dans une atmosphère plutôt tendue faite de longs silences entrecoupés de remarques d'une brillante banalité émises par ma mère à propos du village. Elle m'a persuadée de prendre un verre de vin et j'ai commencé à me détendre. Je l'ai aidée à faire la vaisselle et j'ai essuyé les assiettes debout à côté d'elle tandis qu'elle rinçait les verres à l'eau chaude. « Fille de l'eau, eau de fille, cherchait sa fille dans l'eau », me suis-je chantonné à moi-même, soudain contente que ce fût la fin de la semaine, sans leçons ni élèves, et songeant que ce n'était peut-être pas si mal de passer un peu de temps en tête à tête avec mon fils. Puis ma mère a dit quelque chose. Elle abritait de nouveau ses yeux de la main et regardait en direction des bois.

« Comment ?

– Est-ce que tu vois quelqu'un ? Y a-t-il quelqu'un dans le bois ? »

J'ai scruté l'horizon. « Pas que je puisse repérer. Pourquoi ?

– J'ai cru apercevoir quelqu'un.

– Des promeneurs, des pique-niqueurs. C'est samedi et le soleil brille.

– Oh oui, c'est ça : le soleil brille et tout va pour le mieux dans le meilleur des mondes ! »

Elle s'est approchée du buffet, y a pris une paire de jumelles et s'est tournée pour les braquer sur les arbres.

Sans relever son sarcasme, je suis allée chercher Jochen pour nous préparer à partir. Ma mère s'est réinstallée dans son fauteuil roulant et l'a délibérément orienté vers la porte. Jochen lui a raconté ma rencontre avec le chauffeur du camion de bière et mon utilisation éhontée de gros mots. Ma mère a pris son visage entre ses mains et lui a adressé un sourire adorateur.

« Ta maman peut se fâcher très fort quand elle le veut, et cet homme était sans aucun doute parfaitement stupide. Ta maman est une jeune femme très en colère.

– Merci pour le compliment, Sal, ai-je lancé en me baissant pour l'embrasser. Je t'appellerai ce soir.

– Veux-tu me rendre un petit service ? » Et elle m'a demandé, désormais, lorsque je téléphonerais, de laisser sonner à deux reprises avant de raccrocher et de rappeler. « Comme ça, a-t-elle expliqué, je saurai que c'est toi. Je suis moins rapide dans la maison avec le fauteuil roulant. »

Là, pour la première fois, j'ai ressenti vraiment de l'inquiétude : cette requête m'a paru le signe avant-coureur d'une forme de dérangement ou de paranoïa – mais elle a croisé mon regard.

« Je sais ce que tu penses, Ruth. Et tu as tort, complètement tort. »
Elle s'est levée de son fauteuil, grande et raide. « Attends une
seconde », a-t-elle dit avant de monter à l'étage.

« Est-ce que tu as encore fâché Granny ? s'est enquis à voix basse
un Jochen accusateur.

– Non. »

Ma mère a redescendu l'escalier, sans effort à mon avis, avec sous
le bras un épais dossier beige qu'elle m'a tendu.

« J'aimerais que tu lises ça », a-t-elle dit.

Je l'ai pris. Il semblait contenir des douzaines de pages, de types
et de tailles de papier différents. Je l'ai ouvert. Il y avait une page
titre : *L'histoire d'Eva Delectorskaya*

« Eva Delectorskaya, ai-je murmuré, mystifiée. Qui est-ce ?

– Moi, a-t-elle répliqué. Je suis Eva Delectorskaya. »

# L'histoire d'Eva Delectorskaya

*Paris, 1939*

C'est à l'enterrement de son frère qu'Eva Delectorskaya vit l'homme pour la première fois. Au cimetière. Il se tenait un peu à l'écart du reste de l'assistance. Il portait un chapeau – un vieux chapeau mou marron – ce qui lui avait paru bizarre, et elle s'était accrochée à ce détail jusqu'à l'obsession : quel genre d'homme portait donc un chapeau mou marron à un enterrement ? Quel signe de respect était-ce là ? Une question qu'elle avait utilisée comme un moyen de garder à distance son immense chagrin, et qui l'avait empêchée de s'effondrer.

Mais de retour à l'appartement, avant l'arrivée des amis, son père se mit à pleurer et Eva fut incapable aussi de retenir ses larmes. Le père tenait des deux mains une photo encadrée de Kolia et s'y agrippait ardemment, comme à un volant rectangulaire. Eva mit une main sur son épaule et de l'autre chassa les larmes de ses joues. Elle ne put rien trouver à lui dire. Puis Irène, sa belle-mère, surgit avec un plateau sur lequel tintaient une collection de verres minuscules, pas plus grands qu'un dé à coudre, et une carafe de cognac. Elle le posa et retourna dans la cuisine chercher une assiette de dragées. Eva s'accroupit devant son père et lui tendit un verre.

« Papa, gémit-elle, dans l'impossibilité de contrôler sa voix, prends-en une petite goutte, regarde, regarde, j'en bois un peu. » Elle avala une gorgée de cognac qui lui brûla les lèvres.

Elle entendit les grosses larmes de son père tomber sur la photo. Il leva la tête, d'un bras attira Eva vers lui et l'embrassa sur le front.

Il murmura : « Il n'avait que vingt-quatre ans… Vingt-quatre ?… » Comme si l'âge de Kolia était littéralement incroyable ou que quelqu'un lui ait dit : « Votre fils s'est volatilisé », ou bien : « Votre fils s'est fait pousser des ailes et puis s'est envolé. »

Irène s'approcha et lui prit gentiment le cadre des mains, en en détachant ses doigts.

« *Mange, Sergueï*, lui dit-elle. *Bois, il faut boire*\*. »

Elle installa la photo sur une table voisine et entreprit de remplir les petits verres sur le plateau. Eva offrit l'assiette de dragées à son père qui en prit quelques-unes distraitement, en laissant tomber deux ou trois par terre. Ils burent leur cognac, grignotèrent leurs dragées et échangèrent des banalités : combien ils étaient contents que le jour eût été nuageux et sans vent, un soleil éclatant eût été inapproprié, comme c'était gentil au vieux monsieur Dieudonné d'être venu d'aussi loin que Neuilly et combien chiches et sans goût étaient les fleurs séchées envoyées par les Loussipov. Franchement ! Des fleurs séchées ! Eva ne cessait de jeter des regards par-dessus son épaule à la photo de Kolia, souriant dans son costume gris – comme si, amusé, le regard taquin, il écoutait le bavardage –, jusqu'à ce qu'elle sente l'incompréhension de sa perte, l'insulte de son absence, monter en elle tel un raz-de-marée. Elle détourna les yeux. Par bonheur, la sonnette retentit et Irène se leva pour aller accueillir les premiers invités. Eva resta à côté de son père, entendant, tandis qu'on se débarrassait des manteaux et des chapeaux, les échos assourdis d'échanges discrets, un petit éclat de rire étouffé même, signalant ce curieux mélange de condoléances et d'un soulagement exubérant qui s'exprime soudain, de manière impromptue, chez les gens après un enterrement.

« Plus que toi et moi, Eva », dit-il, et elle comprit qu'il pensait à sa première femme, Maria – sa Macha à lui, sa mère à elle –, et à sa mort, tant d'années auparavant à l'autre bout du monde. Eva avait quatorze ans, Kolia dix, et tous les trois ils s'étaient tenus par la main dans le cimetière des étrangers à T'ien-tsin, l'air rempli de fleurs soufflées par le vent, des pétales arrachés à la glycine blanche géante qui poussait

---

\* Les mots suivis d'un astérisque sont en français dans le texte original.

sur un des murs – pareils à des flocons de neige, des gros confettis doux. « Plus que nous trois, maintenant », avait-il dit alors, debout devant la tombe de leur mère, en leur serrant la main très fort.

« Qui était l'homme au chapeau mou marron ? demanda Eva, s'en rappelant juste au moment où elle souhaitait changer de sujet.

– Quel homme au chapeau marron ? » dit le père.

À cet instant, les Loussipov s'avancèrent dans la pièce, avec un vague sourire, suivis de leur rondelette cousine Tania et de son petit mari tout neuf, et la question compliquée de l'homme au chapeau mou marron fut momentanément oubliée.


Mais elle le revit, le lundi, trois jours plus tard – le premier de son retour au travail, alors qu'elle quittait son bureau pour aller déjeuner. Il se tenait sous l'auvent de l'*épicerie** d'en face, vêtu d'un long manteau de tweed – vert foncé – et coiffé de son absurde feutre mou. Il croisa son regard, hocha la tête, sourit et traversa la rue pour venir à sa rencontre tout en soulevant son chapeau.

« Mademoiselle Delectorskaya, dit-il dans un français impeccable et sans accent, mes sincères condoléances pour votre frère. Je m'excuse de ne pas vous avoir parlé à l'enterrement, mais cela ne me semblait pas convenable ; d'autant plus que Kolia ne nous a jamais présentés.

– Je n'avais pas compris que vous connaissiez Kolia. » Ce fait la décontenançait : son esprit s'emballa, s'affola un peu – tout ceci n'avait pas de sens.

« Oh, mais oui. Nous n'étions pas exactement des amis intimes mais, dirons-nous, nous avions établi de solides rapports. » Il inclina un peu la tête et poursuivit, cette fois dans un anglais parfait : « Pardonnez-moi, je m'appelle Lucas Romer. »

L'accent était aristocratique, mais Eva pensa immédiatement que ce Mr Lucas Romer n'avait pas l'air très anglais. Il avait des cheveux noirs ondulés, s'éclaircissant devant, rejetés en arrière, un teint presque – elle chercha le mot – basané, des sourcils touffus, droits comme deux tirets noirs horizontaux sous son haut front et au-dessus de ses yeux d'un bleu-gris trouble (elle remarquait toujours la couleur des yeux des gens). Ses mâchoires, bien que rasées de frais, avaient déjà des reflets bleu acier sous l'effet des repousses.

Il sentit qu'elle l'observait et machinalement passa sa main dans sa mince chevelure. « Kolia ne vous a jamais parlé de moi ?

— Non, répliqua Eva, parlant anglais à son tour. Non, il n'a jamais mentionné un Lucas Romer. »

Il sourit, pour une raison quelconque, découvrant des dents régulières et très blanches.

« Parfait », dit-il pensif, avec un hochement de tête pour montrer sa satisfaction, avant d'ajouter : « À propos, c'est mon vrai nom.

— Il ne m'est jamais venu à l'idée que ce ne soit pas le cas, répliqua Eva en lui tendant la main. Enchantée de vous connaître, Mr Romer. Si vous voulez bien m'excuser, je ne dispose que d'une demi-heure pour mon déjeuner.

— Non. Vous avez deux heures. J'ai dit à M. Frellon que je vous emmenais au restaurant. »

M. Frellon, le patron d'Eva, était aussi un maniaque de l'exactitude.

« En quel honneur M. Frellon l'aurait-il permis ?

— Parce qu'il pense que je vais lui louer quatre bateaux et que, comme je ne parle pas un mot de français, j'ai besoin de discuter des détails avec la traductrice. » Il se tourna et pointa avec son chapeau. « Je connais un petit bistro rue du Cherche-Midi. Très bons fruits de mer. Vous aimez les huîtres ?

— Je déteste les huîtres. »

Il lui sourit, d'un air indulgent, comme s'il s'adressait à un enfant boudeur, mais sans exhiber cette fois ses dents blanches.

« Eh bien alors, je vais vous montrer comment rendre une huître mangeable. »

Le restaurant s'appelait Le Tire-Bouchon*, et Lucas Romer démontra vraiment comment rendre une huître mangeable (avec du vinaigre de vin, des échalotes, du poivre, du jus de citron, et une rondelle de pain de seigle beurrée pour suivre). En fait, Eva aimait bien les huîtres de temps à autre, mais elle avait voulu faire pièce à l'immense assurance de cet homme curieux.

Durant le déjeuner (sole bonne femme après les huîtres, fromage, tarte Tatin, une demi-bouteille de chablis et une entière de morgon), ils parlèrent de Kolia. À l'évidence, Romer connaissait tous les détails biographiques importants concernant Kolia – son âge, son éducation, la fuite de Russie de la famille après la Révolution, la mort de sa mère en Chine, l'entière saga du long voyage des Delectorski de Saint-Petersbourg à Vladivostok puis T'ien-tsin, Shanghai, Tokyo et Berlin en 1924 ; enfin Paris en 1928. Il savait qu'en 1932 Sergueï Pavlovitch Delectorski avait épousé Irène Argenton, une veuve sans enfants, et était au courant du modeste tournant financier dans la fortune familiale dû à la dot de Mme Argenton. Il en savait même plus, découvrit Eva, sur les problèmes cardiaques récents de son père et sa santé déclinante. S'il en sait autant au sujet de Kolia, se dit-elle, je me demande tout ce qu'il sait sur moi.

Il avait commandé du café pour eux deux, et une eau-de-vie pour lui. Il offrit à Eva, dans un porte-cigarettes d'argent cabossé, une cigarette qu'elle prit et qu'il lui alluma.

« Vous parlez un excellent anglais, dit-il.

– Je suis à moitié anglaise, répliqua-t-elle comme s'il l'ignorait. Ma mère était anglaise.

– Ainsi donc vous parlez anglais, russe et français. Quoi d'autre ?

– Un peu d'allemand. Très moyen, pas courant.

– Bien... À propos, comment va votre père ? » Il alluma sa propre cigarette, se pencha en arrière et souffla théâtralement la fumée en direction du plafond.

Eva se tut, incertaine de ce qu'elle pouvait raconter à cet homme, ce parfait étranger qui se comportait en familier, en cousin, en oncle attentif avide de nouvelles du clan. « Il ne va pas bien. Il est écrasé, en fait, comme nous le sommes tous. Le choc, vous ne pouvez pas imaginer... Je crois que la mort de Kolia risque de le tuer. Ma belle-mère est très inquiète.

– Ah, oui. Kolia adorait votre belle-mère. »

Eva ne savait que trop bien que les rapports de Kolia avec Irène avaient été au mieux tendus. Mme Argenton voyait en Kolia une sorte de bon à rien, un rêveur très irritant.

« Le fils qu'elle n'a jamais eu, ajouta Romer.

– Kolia vous a dit ça ?

– Non. Je le devine. »

Eva écrasa sa cigarette. « Il faut que je rentre », annonça-t-elle en se levant. Romer lui souriait de manière agaçante. Elle sentit qu'il était content de sa soudaine froideur, de sa brusquerie – comme si elle avait passé une sorte d'épreuve mineure.

« Vous n'avez pas oublié quelque chose ? dit-il.

– Je ne pense pas.

– Je suis censé louer quatre bateaux à Frellon, Gonzales et cie. Prenez un autre café et nous discuterons des détails. »

De retour au bureau, Eva put expliquer à M. Frellon, d'une façon totalement plausible, le tonnage, le calendrier et les escales souhaités par Romer. M. Frellon fut très content du résultat de ce déjeuner prolongé : « Romer est un gros poisson, répétait-il, nous voulons vraiment le ramener dans nos filets. » Eva s'aperçut que Romer ne lui avait pas dit – bien qu'elle eût soulevé le sujet deux ou trois fois – où, quand et comment Kolia et lui s'étaient rencontrés.

Deux jours plus tard, elle se rendait en métro au travail quand, place Clichy, elle vit Romer monter dans son wagon. Il lui sourit et lui fit un signe de la main à travers les autres voyageurs. Eva comprit aussitôt qu'il ne s'agissait pas d'une coïncidence : elle ne pensait pas que les coïncidences jouaient un grand rôle dans la vie de Lucas Romer. Ils sortirent à Sèvres-Babylone et, ensemble, prirent le chemin du bureau – Romer l'ayant informée qu'il avait rendez-vous avec M. Frellon. La journée était grise, le ciel pommelé avec de bizarres traînées de lumière ; une brise soudaine fit voleter la jupe d'Eva et l'écharpe mauve à son cou. Au moment où ils arrivaient à la hauteur du petit café au coin de la rue de Varenne et du boulevard Raspail, Romer suggéra qu'ils s'arrêtent.

« Et votre rendez-vous ?

– J'ai dit que je passerais à un moment quelconque dans la matinée.

– Mais moi, je vais être en retard.

– Peu lui importera, nous discutons affaires. Je l'appelle. » Il alla au bar acheter des *jetons** pour le téléphone. Eva s'assit derrière la vitrine et le regarda sans ressentiment mais avec curiosité, songeant :

à quoi êtes-vous en train de jouer, Mr Lucas Romer ? À me séduire ou à entourlouper Frellon, Gonzales et cie ? Si c'était pour la séduire, il perdait son temps. Elle n'était pas du tout attirée par Lucas Romer. Elle attirait bien trop d'hommes et, en revanche, n'était séduite que par très peu. C'est parfois le prix de la beauté : je te ferai très belle, décident les dieux, mais je te ferai aussi incroyablement difficile à contenter. Elle refusait de penser si tôt le matin à ses quelques histoires d'amour malheureuses et compliquées, aussi décrocha-t-elle un journal. Pour une raison quelconque, elle ne pensait pas qu'il s'agissait d'une manœuvre destinée à la séduire – quelque chose d'autre était en jeu, un autre plan se concoctait là. Les manchettes parlaient toutes de la guerre d'Espagne, de l'Anschluss, de l'exécution de Boukharine en URSS. Le vocabulaire grinçait d'agressivité : réarmement, territoire, réparations, armes, anathèmes, avertissements, guerre et futures guerres. Oui, se dit-elle, Lucas Romer avait un autre objectif, mais elle devrait attendre pour savoir de quoi il retournait.

« Pas le moindre problème. » Il était debout devant elle, revenu à la table avec un sourire aux lèvres. « Je vous ai commandé un café. »

En réponse à sa question sur Frellon, Romer l'assura que celui-ci n'était que trop ravi de cette rencontre propice. Leurs cafés arrivèrent, Romer s'installa confortablement, très à son aise, et sucra abondamment son express avant de le remuer consciencieusement. Eva le regarda tout en raccrochant son journal, s'attardant sur le visage sombre, le col mou un peu sali et froissé, l'étroite cravate rayée. Qu'en aurait-on dit ? Un enseignant du supérieur, un écrivain moyennement reconnu ? Un haut fonctionnaire ? Pas un courtier maritime, sûrement. Pourquoi donc était-elle attablée dans ce café avec cet Anglais insaisissable, alors qu'elle n'en avait pas particulièrement envie ? Elle décida de le mettre à l'épreuve : elle décida de l'interroger sur Kolia.

« Quand avez-vous rencontré Kolia ? demanda-t-elle en tirant une cigarette d'un paquet dans son sac, d'un air aussi dégagé que possible, et sans lui en offrir.

– Il y a environ un an. À une réception – quelqu'un fêtait la publication d'un livre. Nous avons parlé, je l'ai trouvé charmant...

– Quel livre ?

– Je ne m'en souviens pas. »

Elle poursuivit son interrogatoire et vit croître le plaisir de Romer : l'exercice lui plaisait, elle le comprit, et son amusement commença à l'irriter. Il ne s'agissait pas d'un passe-temps, d'un badinage distrait – son frère était mort, et elle soupçonnait Romer d'en savoir bien plus sur cette mort qu'il n'était prêt à l'admettre.

« Que faisait-il à ce meeting ? dit-elle. Une réunion de l'Action française ? Grands dieux, Koli n'était pas un fasciste.

– Bien sûr que non.

– Alors pourquoi se trouvait-il là-bas ?

– Je lui avais demandé d'y aller. »

La réponse la choqua. Pourquoi Lucas Romer aurait-il demandé à Kolia Delectorski d'assister à un meeting de l'Action française ? De plus, pourquoi Kolia aurait-il accepté ? Eva ne put trouver de réponse immédiate ou facile.

« Pourquoi lui avez-vous demandé d'y aller ? insista-t-elle.

– Parce qu'il travaillait pour moi. »


Tout au long de sa journée au bureau, Eva, bien qu'essayant de travailler, pensa à Romer et aux réponses déconcertantes qu'il avait faites à ses questions. Il avait brusquement mis fin à leur conversation après avoir déclaré que Kolia travaillait pour lui. Penché en avant, le regard fixé sur elle, ce qui semblait signifier : oui, Kolia travaillait pour moi, Lucas Romer, avant d'annoncer soudain qu'il devait partir, il avait des réunions, bonté divine, regardez l'heure.

Dans le métro, en rentrant chez elle après la fermeture des bureaux, Eva s'efforça de procéder avec méthode, de mettre un peu d'ordre dans les faits, d'assembler les bouts épars d'information, mais sans succès. Lucas Romer avait rencontré Kolia à une réception ; ils étaient devenus amis – plus que des amis, à l'évidence, des collègues en quelque sorte, Kolia travaillant pour Romer en qualité de… En qualité de quoi ? Quel genre de travail vous conduisait-il à assister à un meeting de l'Action française à Nanterre ? Au cours de ce meeting, selon ce que la police avait pu établir, Kolia Delectorski avait été

28

appelé au téléphone. Des individus se souvenaient de l'avoir vu partir au milieu du principal discours, prononcé par Charles Maurras, pas moins, et se souvenaient aussi que l'un des organisateurs avait descendu l'allée pour venir lui remettre un mot, son départ créant un léger remue-ménage. À quoi succédaient ces quarante-cinq minutes – les dernières quarante-cinq minutes de la vie de Kolia – pour lesquelles il n'y avait pas de témoins. Des participants quittant la salle (un grand cinéma) par les sorties latérales avaient découvert son corps recroquevillé dans la ruelle longeant l'arrière du cinéma, une épaisse mare de sang laqué sur les pavés, une blessure grave – plusieurs coups violents – à la nuque. Que s'était-il passé dans les dernières quarante-cinq minutes de la vie de Kolia Delectorski ? Son portefeuille avait disparu, sa montre avait disparu et son chapeau aussi. Mais quel genre de voleur tue un homme avant de lui prendre son chapeau ?

Eva remonta la rue des Fleurs, songeant à Kolia, se demandant ce qui l'avait conduit à « travailler » pour un homme tel que Romer et pourquoi il ne lui avait jamais parlé de ce prétendu travail. Et qui était Romer pour offrir à Kolia, un professeur de musique, un poste qui mettrait sa vie en danger ? Un travail qui lui avait coûté la vie ? Comment et pour qui, elle voulait le savoir. Pour sa compagnie de navigation ? Ses entreprises internationales ? Elle ne put s'empêcher de sourire ironiquement devant l'absurdité complète de cette idée, alors qu'elle achetait ses deux baguettes habituelles et tentait d'ignorer le sourire empressé que lui adressait Benoît en retour à ce qu'il prenait pour de la gaieté. Elle se fit aussitôt solennelle. Benoît, encore un homme qui la désirait.

« Comment allez-vous, mademoiselle Eva ? s'enquit Benoît en prenant l'argent.

– Pas très bien, répliqua-t-elle. La mort de mon frère... vous comprenez. »

La mine de Benoît s'allongea en marque de sympathie. « Terrible, dit-il. Terrible époque que la nôtre. »

Au moins, il ne pourra pas me demander de sortir avec lui pendant quelque temps, se félicita Eva. Elle partit et pénétra dans la cour de l'immeuble, après avoir franchi l'étroite porte au centre de la grande, et salué Mme Roisansac, la concierge. Elle monta les deux étages, entra dans l'appartement, laissa le pain dans la cuisine et se dirigea vers le salon en songeant : non, je ne peux pas rester enfermée encore ce soir, pas avec Papa et Irène – je vais aller voir un film, celui qui se donne au Rex, *Je suis partout* ; j'ai besoin de changer mes habitudes, d'avoir un peu d'espace, un peu de temps à moi.

Elle entra dans le salon, et Romer se leva pour l'accueillir avec un sourire nonchalant. Son père se mit devant lui, lançant, faussement désapprobateur, dans son mauvais anglais : « Vraiment, Eva, pourquoi toi ne me disant pas que tu connaissais Mr Romer ?

– Je n'ai pas pensé que ce fût important », répliqua-t-elle, sans quitter Romer des yeux, tout en essayant de garder son regard parfaitement neutre, parfaitement serein. Romer ne cessait de sourire, très calme, et plus élégamment vêtu, nota-t-elle : costume bleu marine, chemise blanche et une autre de ses cravates anglaises rayées.

Son père s'agitait, avançait une chaise, faisait la conversation – « Mr Romer lui connaissant Kolia, tu peux croire ça ? » –, mais Eva n'entendait que les questions et les exclamations stridentes dans sa tête : comment osez-vous venir ici ? Qu'avez-vous raconté à Papa ? Quel culot ! Que pensiez-vous que j'allais dire ? Elle avisa les verres et la bouteille de porto sur le plateau d'argent, l'assiette de dragées, et comprit que, confiant en la consolation qu'apporterait sa visite, Romer avait manigancé sans peine cet accueil. Depuis combien de temps était-il là ? Elle vérifia d'un œil le niveau du porto dans la bouteille. L'humeur de son père suggérait que chacun avait vidé plus d'un verre.

Lequel père la força presque à s'asseoir ; mais elle refusa le verre dont elle mourait d'envie. Elle remarqua que Romer s'était renfoncé sur sa chaise, discrètement, une jambe croisée sur l'autre, un petit sourire calculateur aux lèvres. Le sourire d'un homme convaincu de savoir exactement ce qui allait se passer.

Résolue à le frustrer, elle se leva. « Je dois partir, dit-elle. Je vais être en retard pour le film. »

Dieu sait comment, Romer se débrouilla pour être à la porte avant elle, ses doigts emprisonnant son coude gauche pour l'arrêter.

« Monsieur Delectorski, lança Romer au père, y a-t-il un endroit où je pourrais parler en privé à Eva ? »

Le père les fit entrer dans son bureau – une petite chambre au bout du couloir, décorée de portraits photographiques guindés de la famille Delectorski, et meublée d'une table, d'un divan et d'une étagère pleine de ses auteurs russes préférés : Lermontov, Pouchkine, Tourgueniev, Gogol, Tchekhov. La pièce sentait le cigare et la pommade qu'il utilisait pour ses cheveux. En s'approchant de la fenêtre, Eva vit Mme Roisansac étendre son linge. Elle se sentit soudain très mal à l'aise : elle avait cru savoir comment traiter Romer mais maintenant, seule avec lui dans cette pièce – seule dans le bureau paternel –, tout avait brusquement changé.

Comme s'il l'avait deviné, Romer changea aussi : fini l'air d'assurance démesurée, remplacée désormais par une attitude plus directe, plus violemment personnelle. Il pressa Eva de s'asseoir, tira de derrière le bureau une chaise pour lui, s'installa en face d'elle, donnant l'impression qu'une sorte d'interrogatoire allait commencer. Il lui offrit une cigarette de son étui cabossé et elle en prit une avant de dire « Non, merci, je n'en veux pas », et de la lui rendre. Elle le regarda la remettre dans l'étui, visiblement un peu irrité. Elle sentit qu'elle avait remporté une victoire minuscule, dérisoire – tout comptait si cette immense assurance pouvait être, ne fût-ce que momentanément, tenue en échec.

« Kolia travaillait pour moi lorsqu'il a été tué, dit Romer.

– Vous me l'avez déjà dit.

– Il a été assassiné par des fascistes, des nazis.

– Je croyais qu'il s'agissait de voleurs.

– Il faisait… » Romer s'interrompit un instant. « Il faisait un travail dangereux… et il a été découvert. Je pense qu'il a été trahi. »

Eva aurait voulu parler mais décida de ne rien dire. Dans ce silence, Romer prit de nouveau son étui à cigarettes et recommença la comédie consistant à porter la cigarette à ses lèvres, tâter ses poches à la recherche de son briquet, ôter la cigarette de sa bouche pour en tapoter les deux bouts sur son étui, attirer vers lui le cendrier posé sur le bureau, puis allumer la cigarette, inhaler et rejeter très fort la fumée. Eva contemplait le spectacle, essayant de demeurer impassible.

« Je travaille pour le gouvernement britannique, reprit-il. Vous comprenez ce que je veux dire…

– Oui, répliqua Eva, je pense.

– Kolia travaillait aussi pour le gouvernement britannique. Il tentait sur mes instructions d'infiltrer l'Action française. Il avait adhéré au mouvement et me rendait compte de tout ce qu'il croyait pouvoir être d'un certain intérêt pour nous. » Il se tut et, voyant qu'elle ne se proposait pas de commenter, il se pencha en avant et poursuivit, sur un ton raisonnable : « Il y aura la guerre en Europe d'ici six mois à un an – entre l'Allemagne nazie et plusieurs pays européens –, de cela vous pouvez être sûre. Votre frère était engagé dans la bataille contre cette guerre à venir.

– Que voulez-vous dire par là ?

– Qu'il était un homme très courageux. Qu'il n'est pas mort en vain. »

Eva refréna le rire ironique qui lui montait à la gorge et sentit aussitôt les larmes inonder ses yeux.

« Eh bien, j'aurais souhaité qu'il fût un lâche, dit-elle en s'efforçant de réprimer le tremblement de sa voix. Ainsi, il ne serait pas mort du tout. En fait, il aurait pu entrer dans cette pièce d'ici dix minutes. »

Romer se leva et s'approcha de la fenêtre d'où, à son tour, il observa Mme Roisansac étendre sa lessive, avant de se retourner, de s'asseoir sur un coin du bureau et de regarder fixement Eva.

« Je veux vous proposer le poste de Kolia, dit-il. Je veux que vous veniez travailler avec nous.

– J'ai déjà un emploi.

– Vous serez payée 500 livres par an. Vous deviendrez une citoyenne britannique avec un passeport britannique.

– Non, merci.

– Vous serez formée en Angleterre et vous travaillerez pour le gouvernement anglais à divers titres. Exactement comme Kolia.

– Merci, non. Je suis très heureuse dans mon emploi actuel. »

Brusquement, elle souhaita que Kolia surgisse dans la pièce – Kolia et son sourire ironique, son charme languissant – et lui dise quoi faire, quoi répondre à cet homme avec ses demandes et son regard insistants. Que veux-tu que je fasse, Kolia ? La question résonna haut et fort dans sa tête. Dis-moi ce que je dois faire et je le ferai.

Romer quitta son coin de bureau. « J'ai parlé à votre père. Je suggère que vous fassiez de même. » Il alla vers la porte, en touchant son front avec deux doigts, comme s'il avait oublié quelque chose. « Je vous verrai demain, ou le jour d'après. Réfléchissez sérieusement à ce que je vous ai proposé, Eva, et à ce que cela signifie pour vous et les vôtres. » Puis son humeur parut changer subitement, il sembla saisi soudain d'une sorte d'émotion, et son masque tomba un instant. « Pour l'amour du ciel, Eva ! s'écria-t-il. Votre frère a été assassiné par ces voyous, cette sale vermine, vous avez l'occasion de vous venger. De les faire payer.

– Au revoir, Mr Romer. J'ai été ravie de vous rencontrer. »


Par la fenêtre du wagon, Eva regardait défiler la campagne écossaise. C'était l'été et pourtant, sous le lourd ciel blanc, elle devinait dans le paysage les traces de la dureté de nombreux hivers – les petits arbres solides trapus et tordus par les vents dominants, le vert clair des collines brûlé par des étendues sombres de bruyère. C'est peut-être l'été, paraissait dire la terre, mais je ne vais pas baisser la garde pour autant. Elle songea à d'autres paysages qu'elle avait découverts ainsi au cours de sa vie – une vie dont elle avait parfois l'impression qu'elle était faite de voyages en train, par les fenêtres desquels elle avait vu défiler une succession de pays étrangers. De Moscou à Vladivostok, de Vladivostok en Chine. Wagons-lits de luxe, trains de troupes, trains de marchandises, laitiers provinciaux sur des lignes secondaires, des journées passées sans bouger, à attendre une autre locomotive. Parfois des compartiments bondés à la limite du supportable, puant les corps humains compressés ; parfois la mélancolie de compartiments vides, le cliquètement solitaire des roues, nuit après nuit. Parfois voyageant léger avec une seule petite valise, parfois croulant sous le poids de toutes leurs possessions, pareils à des réfugiés désespérés. Tous ces voyages : de Hambourg à Berlin, de Berlin à Paris et maintenant de Paris en Écosse. Repartant encore pour une destination inconnue, se dit-elle, souhaitant vaguement se sentir plus excitée, plus romantique.

Elle consulta sa montre : dix minutes d'ici Édimbourg. Dans son compartiment, un homme d'affaires d'âge mûr somnolait sur son roman, la tête pendante, ses traits au repos, mous et laids. Eva sortit son passeport de son sac et le consulta pour peut-être la centième fois. Il avait été délivré en 1935 et contenait des visas d'entrée dans certains pays européens : Belgique, Portugal, Suisse et, fait intéressant, États-Unis. Tous endroits qu'elle avait apparemment visités. La photo d'identité était floue et surexposée : elle lui ressemblait – une Eva plus sévère, plus têtue (où l'avaient-ils dégotée ?), mais même elle n'aurait su dire si elle était entièrement authentique. Son nom, son nouveau nom, était Eve Dalton. Pourquoi pas Eva ? Eve faisait sans doute plus anglais et, de toute manière, Romer ne lui avait pas laissé la possibilité de se baptiser elle-même.

Ce soir-là, après le départ si péremptoire de Romer, elle était retournée au salon pour parler à son père. Un travail pour le gouvernement britannique, lui dit-elle, 500 livres par an, un passeport anglais. Il avait feint la surprise mais, à l'évidence, Romer l'avait plus ou moins mis au courant.

« Tu seras anglaise, avec un passeport anglais », avait-il dit, le visage empreint d'une incrédulité presque abjecte, comme s'il était impensable qu'une non-entité tel que lui eût pour fille une citoyenne britannique. « Sais-tu ce que je donnerais pour avoir la nationalité anglaise ? » ajouta-t-il tout en mimant de sa main gauche une amputation à hauteur de son coude droit.

« Je n'ai pas confiance en lui, répliqua Eva. Et pourquoi ferait-il tout ça pour moi ?

– Pas pour toi : pour Kolia. Kolia travaillait pour lui. Kolia est mort en travaillant pour lui. »

Elle se versa un petit verre de porto, le but et en conserva la douceur une ou deux secondes dans la bouche avant de l'avaler.

« Travailler pour le gouvernement anglais, tu sais ce que ça veut dire. »

Il vint vers elle et lui prit les mains. « Il y a mille façons de travailler pour le gouvernement anglais.

– Je vais refuser. Je suis heureuse ici à Paris, heureuse de ce que je fais. »

De nouveau, le visage de son père se marqua d'une émotion intense au point d'en sembler caricaturale : un étonnement, une incompréhension si totale qu'il en avait le vertige. Il s'assit pour le prouver.

« Eva, dit-il avec sérieux et gravité, réfléchis-y : tu dois le faire. Mais ne le fais pas pour l'argent, pour le passeport ni pour la possibilité d'aller vivre en Angleterre. C'est simple : il faut que tu le fasses pour Kolia – pour ton frère. » Et il montra du doigt le visage souriant de Kolia sur la photo. « Kolia est mort, reprit-il sur un ton stupéfait, presque débile, à croire qu'il ne faisait face que maintenant à la réalité de son fils disparu. Assassiné. Comment peux-tu ne pas le faire ?

– Très bien, je vais y penser », répondit-elle froidement, résolue à ne pas être affectée par cette émotion. Puis elle avait quitté la pièce.

Mais elle savait, quoi que lui soufflât sa raison – pèse bien tout, ne te précipite pas, c'est de ta vie qu'il s'agit –, que son père avait dit ce qui importait. En fin de compte, ça n'avait rien à voir avec de l'argent, un passeport ni même la sécurité : Kolia était mort. Kolia avait été tué. Elle devait le faire pour Kolia, c'était aussi simple que ça.

Deux jours plus tard, alors qu'elle sortait pour aller déjeuner, elle vit Romer sur le trottoir d'en face, debout sous l'auvent de l'*épicerie** tout comme la première fois. Il attendait qu'elle le rejoigne et, tandis qu'elle traversait la rue, elle éprouva un profond malaise, comme si, très superstitieuse, elle eut perçu avec évidence le signe le plus maléfique qui soit. Elle se demanda, absurdement : est-ce ce que l'on ressent quand on accepte d'épouser quelqu'un ?

Ils se serrèrent la main, et Romer la conduisit dans le café de leur première rencontre. Ils déjeunèrent, commandèrent un verre et Romer lui tendit une enveloppe beige qui contenait un passeport, 50 livres en liquide et un billet de train gare du Nord, Paris-Waverley Station, Édimbourg.

« Et si je refuse ? dit-elle.

– Rendez-moi le tout, simplement. Personne ne veut vous forcer.

– Mais vous aviez préparé le passeport ? »

Romer sourit en montrant ses dents blanches et, pour une fois, elle pensa que ce pouvait être un sourire sincère.

« Vous n'avez pas idée de la facilité avec laquelle on maquille un passeport. Non, j'ai pensé... » Il s'interrompit et fronça les sourcils. « Je ne vous connais pas, Eva, de la manière dont je connaissais Kolia mais j'ai pensé, à cause de lui, et parce que vous me le rappelez, qu'il y avait une chance que vous nous rejoigniez. »

Avec un petit sourire amer au souvenir de cette conversation – son mélange de sincérité et d'incommensurable fausseté –, Eva tendit le cou pour regarder le château perché sur le rocher, presque noir, comme s'il était fait du même charbon que le pic sur lequel il se dressait. Des lambeaux de bleu pointaient parmi les nuages filant en hâte – le temps était meilleur, le ciel avait cessé d'être blanc et neutre –, peut-être était-ce ce qui rendait si noirs le château et son rocher.

Elle descendit de son wagon avec sa valise (« une seule valise », avait précisé Romer avec insistance) et déambula sur le quai. Romer lui avait simplement dit qu'on viendrait la chercher. Autour d'elle, familles et couples s'accueillaient et s'embrassaient. Elle déclina poliment les offres de service d'un porteur et entra dans le grand hall de Waverley Station.

« Miss Dalton ? »

Elle se retourna, songeant combien on s'habituait vite à un nouveau nom – elle n'était Miss Dalton que depuis deux jours –, et découvrit en face d'elle un homme corpulent, engoncé dans un costume gris et un col trop étroits.

« Je suis le sergent-chef Law, dit-il. Suivez-moi, s'il vous plaît. »

Il ne lui offrit pas de porter sa valise.

# 2

# Ludger Kleist

« Oui, pensa Mrs Amberson, c'est *my doing nothing* qui a fait la différence. »

Hugues parut encore plus étonné que d'habitude, à la limite de la panique, en fait. De toute façon, la grammaire anglaise ne cessait de l'étonner : il grimaçait, marmonnait, se parlait à lui-même en français – mais aujourd'hui je l'avais poussé dans ses derniers retranchements.

« *My doing nothing* – quoi ? dit-il, désespéré.

– *My doing nothing* – rien. C'est un gérondif. »

J'essayai de paraître alerte et intéressée mais décidai sur-le-champ de raccourcir la leçon de dix minutes. Je sentais la pression d'une concentration désespérée dans ma tête – j'avais montré une application presque furieuse, afin de garder mon esprit occupé – mais mon attention commençait à dérailler méchamment. « On s'occupera du gérondif demain », décrétai-je en fermant le livre (*La Vie avec les Amberson*, volume III) avant d'ajouter, sur un ton d'excuse, consciente de l'agitation que j'avais soulevée chez Hugues : « *C'est très compliqué**.

– *Ah bon**. »

Comme Hugues, j'en avais plein le dos, moi aussi, de la famille Amberson et de son laborieux périple à travers le dédale de la langue anglaise. J'étais pourtant encore liée à elle, telle une servante sous contrat – liée aux Amberson et à leur abominable style de vie –, et le nouvel élève allait arriver : deux heures encore à tirer en leur compagnie.

Hugues enfila sa veste de sport – vert olive à carreaux gris, du cachemire, je crois. Une veste censée ressembler à celle qu'un

Anglais – dans un univers anglais mythologique – mettrait sans réfléchir pour aller voir ses chiens de chasse ou son intendant, ou prendre
le thé avec sa vieille tante, bien que, je dois l'avouer, je n'aie jamais
rencontré un de mes concitoyens portant un vêtement aussi raffiné et
bien coupé.

Debout dans mon étroit petit bureau, Hugues Corbillard caressait
pensivement sa moustache blonde, l'air encore troublé, continuant de
songer, je suppose, aux variations du gérondif. Jeune cadre d'avenir
chez P'TIT PRIX, une chaîne de supermarchés populaires, il avait été
contraint et forcé par la direction d'améliorer son anglais, de façon à
permettre à P'TIT PRIX d'accéder à de nouveaux marchés. Je l'aimais
bien – d'ailleurs, j'aimais bien la majorité de mes élèves. Hugues était
l'un des rares paresseux : souvent, il me parlait français pendant
toute la leçon tandis que je m'adressais à lui en anglais, mais aujourd'hui le cours avait été du genre attaque frontale. D'habitude, nous
abordions tous les sujets, sauf la grammaire anglaise, n'importe quoi
pour éviter la famille Amberson et ses faits et gestes : ses voyages, ses
petites crises (fuites d'eau, varicelle, bras ou jambes cassés, visites de
parents, vacances de Noël, périodes d'examens et le reste) – ainsi nos
échanges se rabattaient-ils de plus en plus sur la chaleur inhabituelle
de cet été anglais, la manière dont Hugues rôtissait à petit feu dans son
étouffant meublé, son désarroi d'être condamné à s'attabler à six
heures du soir, un soleil de plomb tapant sur un jardin roussi, assoiffé,
devant un repas de trois plats roboratifs. Quand, prise d'un remords,
je me sentais dans l'obligation de le pousser à s'exprimer en anglais,
Hugues répliquait, avec un timide sourire coupable, sachant pertinemment qu'il enfreignait les termes du contrat, que tout ça c'était de
la conversation, n'est-ce pas ? Ça devait bien l'aider à comprendre, tout
de même ? Je ne le contredisais pas : je gagnais sept livres de l'heure
en bavardant avec lui de la sorte et, s'il était content, je l'étais aussi.

Je l'ai raccompagné jusqu'à l'escalier à l'arrière de l'appartement.
Nous étions au premier étage et, dans le jardin, j'ai avisé Mr Scott,
mon propriétaire et néanmoins dentiste, en train de pratiquer ses
étranges exercices – moulinets de bras et remuements de ses grands
pieds – avant l'arrivée d'un nouveau patient dans son cabinet au
rez-de-chaussée.

Hugues a pris congé et je me suis installée dans la cuisine, en laissant la porte ouverte, pour attendre le nouvel élève d'Oxford English Plus. C'était son premier jour et je ne savais pas grand-chose d'elle à part son nom : Bérangère Wu ; son statut : débutante moyenne ; et son calendrier : quatre semaines, deux heures par jour, cinq jours par semaine. Du bon argent, sonnant et trébuchant. Puis j'ai entendu des voix dans le jardin et je suis sortie sur le palier, me penchant sur la rambarde en fer forgé pour voir Mr Scott en train de parler à une petite femme en manteau de fourrure et lui montrer avec insistance la porte d'entrée.

« Mr Scott ! ai-je crié. Je crois que c'est pour moi. »

La femme, une jeune femme – asiatique – a grimpé les marches menant à ma cuisine. En dépit de la chaleur, elle portait, jeté sur les épaules, une sorte de long manteau de fourrure fauve et, autant que j'aie pu en juger de prime abord, le reste de ses vêtements – blouse de satin, pantalon poil de chameau, gros bijoux – paraissait tout aussi coûteux.

« Hello, je m'appelle Ruth, ai-je dit, et nous nous sommes serré la main.

– Bérangère », a-t-elle annoncé, lançant autour de ma cuisine un regard voisin de celui d'une duchesse en visite chez un de ses métayers. Elle m'a suivie dans mon bureau où je lui ai pris son manteau et l'ai fait asseoir. J'ai accroché le manteau derrière la porte, il ne pesait pratiquement rien.

« Ce manteau est étonnant, ai-je remarqué. Si léger. C'est du quoi ?
– Un renard de l'Asie. Ils le rasent.
– Du renard d'Asie rasé.
– Oui… Je suis parlant l'anglais pas si bien. »

Je me suis emparé de *La Vie avec les Amberson*, volume I. « Eh bien, pourquoi ne pas commencer par le commencement ? » ai-je suggéré.

Je crois que j'aime bien Bérangère, ai-je conclu en descendant la rue pour aller chercher Jochen à l'école. Au cours des deux heures de leçon (tout en faisant connaissance avec la famille Amberson – Keith et Brenda, leurs enfants, Dan et Sara, et leur chien Raspoutine) nous avions chacune fumé quatre cigarettes (les siennes) et bu deux tasses de thé. Son père était vietnamien, expliqua-t-elle, sa mère française. Elle, Bérangère, travaillait chez un fourreur de Monaco – Fourrures Monte-Carle – et, si elle réussissait à améliorer son anglais, elle serait promue directrice. Elle était incroyablement menue, la taille d'une fillette de neuf ans, une de ces femmes-enfants qui me donnent le sentiment d'être une grosse vachère ou une pentathlonienne de l'Est. Tout en elle semblait soigné presque à l'excès : ses cheveux, ses ongles, ses sourcils, ses dents – et je suis certaine que la même attention s'appliquait aux parties de son corps qui me demeuraient invisibles : ses orteils, ses dessous... ses poils pubiens, pour ce que j'en savais. À côté d'elle, je me faisais l'impression d'être négligée et pas qu'un peu sale mais, en dépit de cette perfection manucurée et au-delà, je sentais rôder une autre Bérangère. Au moment de partir, elle m'avait demandé quel était le meilleur endroit à Oxford pour rencontrer des hommes.

J'ai été la première des mamans à arriver devant Grindle's, l'école maternelle de Rawlinson Road. Ma session de cigarettes avec Bérangère avait suscité l'envie d'en fumer d'autres, mais je n'aimais pas l'idée de le faire à la porte de l'école et donc, histoire de me distraire, j'ai pensé à ma mère.

Ma mère, Sally Gilmartin, née Fairchild. Non, ma mère, Eva Delectorskaya, mi-russe, mi-anglaise, réfugiée de la Révolution de 1917. Un ricanement incrédule a failli m'étouffer tandis que je secouais la tête de droite à gauche. Je me suis maîtrisée en me disant : sois sérieuse, sois raisonnable. La révélation, aussi soudaine qu'explosive, de ma mère m'avait tellement déstabilisée que je l'avais tout d'abord délibérément traitée comme une pure fiction, ne laissant qu'avec réticence la vérité apparaître et m'envahir peu à peu, très lentement. C'était trop à avaler d'un seul coup. Jamais le mot « bombe » ne m'avait semblé aussi adapté. J'avais l'impression d'être une maison secouée par une déflagration dans le voisinage : carreaux cassés, épais nuage de poussière, vitres soufflées. La maison était encore debout, mais elle était désormais fragile, tordue, sa structure de travers et moins solide. J'avais pensé, souhaitant presque le croire, que c'était là le commencement d'un genre compliqué d'hallucination ou de démence – mais je m'étais rendu compte qu'il s'agissait de ma part d'une sorte de souhait pervers. L'autre moitié de mon cerveau me disait : non, admets-le – tout ce que tu croyais savoir sur ta mère n'était qu'une fiction intelligemment conçue. Je me sentais soudain seule, dans le noir, perdue : que fait-on dans une situation pareille ?

J'ai repris ce que je savais de l'histoire de ma mère. Elle était née à Bristol, racontait-elle, et c'est de là que son père, négociant en bois, était parti dans les années 1920 vers le Japon, où elle avait été élevée par une gouvernante. Elle était ensuite retournée en Angleterre travailler en qualité de secrétaire avant la mort de ses parents, à la veille de la guerre. Je me souvenais de l'évocation fréquente d'un frère très aimé, Alisdair, tué à Tobrouk en 1942... Suivait le mariage avec mon père, Sean Gilmartin, à Dublin, en pleine guerre. À la fin des années 1940, ils s'étaient installés à Banbury, dans l'Oxfordshire, où Sean avait créé un cabinet d'avocats prospère. Une fille, Ruth, était née en 1949. Jusque-là, rien que de relativement ordinaire et bourgeois ; seules les années japonaises apportaient une touche d'exotisme. Je me souvenais même d'une vieille photo d'Alisdair, oncle Alisdair, trônant durant un temps sur un guéridon dans le salon. Et de commentaires, parfois, sur des cousins et parents émigrés en Afrique du Sud et en Nouvelle-Zélande, et qu'on ne voyait jamais. Ils nous expédiaient à l'occasion une carte de Noël. Les nombreux Gilmartin (mon père avait deux frères et deux sœurs : il existait une bonne douzaine de cousins) nous fournissaient largement de quoi faire, côté famille. Absolument rien d'extraordinaire : une histoire familiale pareille à des centaines d'autres, seules la guerre et ses conséquences ayant créé une grande rupture dans des vies par ailleurs d'une parfaite normalité. Sally Gilmartin était aussi solide que le pilier de ce portail, ai-je pensé en posant ma main sur le grès chaud, me rendant compte en même temps à quel point nous savons peu de chose des biographies de nos parents, à quel point elles demeurent vagues et indéfinies, presque semblables à des vies de saints, rien que légendes et anecdotes, à moins que nous prenions la peine de creuser plus loin. Et maintenant, cette nouvelle histoire qui changeait tout. J'avais une sorte de boule dans la gorge à l'idée des révélations qui, j'en étais sûre, allaient venir – comme si ce que je savais déjà n'était pas assez déstabilisant, bouleversant. Quelque chose dans le ton de ma mère m'avait informée qu'elle allait tout me raconter, chaque petit détail personnel, chaque nuance intime. Peut-être parce que je n'avais jamais connu Eva Delectorskaya, Eva Delectorskaya était désormais résolue à ce que j'apprenne tout, absolument tout d'elle.

D'autres mères arrivaient à présent. Je me suis appuyée contre le montant du portail pour m'y frotter les épaules. Eva Delectorskaya, ma mère... Qui devais-je croire ?

« Deux sous pour tes pensées », m'a chuchoté Veronica Briggstock à l'oreille en me tirant de ma rêverie. Je me suis tournée et je l'ai embrassée, Dieu seul sait pourquoi – d'habitude, nous ne nous embrassions pas puisque nous nous voyions pratiquement tous les jours. Veronica – surtout pas Vron ni Nic – était infirmière à l'hôpital John Radcliffe et divorcée de son époux Ian, un laborantin au département de chimie de l'université. Elle avait une fille, Avril, qui était la meilleure amie de Jochen.

Nous sommes restées là à nous raconter notre journée. Je lui ai parlé de Bérangère et de son étonnant manteau, en attendant que nos enfants émergent. Les mères célibataires à Grindle's semblaient inconsciemment – ou le contraire peut-être – graviter l'une vers l'autre ; quoique en demeurant parfaitement amicales envers les mères encore mariées, ou le père un peu gourdichon de service, elles préféraient se retrouver entre elles. Elles pouvaient partager leurs problèmes particuliers sans plus d'explication, et il n'y avait pas non plus, me disais-je, le moindre besoin d'une excuse quant à notre statut de parent unique – nous avions toutes plein d'histoires à raconter.

Comme pour illustrer le propos, Veronica était en train de gémir en jurant au sujet de Ian et de sa nouvelle petite amie, et des problèmes qui s'accumulaient tandis qu'il essayait de se dérober aux week-ends prévus avec Avril. Elle a cessé de parler dès que les enfants ont commencé à sortir de l'école, et j'ai aussitôt été en proie à l'étrange inquiétude illogique qui ne manquait jamais de m'envahir alors que je cherchais Jochen au milieu des visages familiers, une sorte d'angoisse maternelle atavique, je suppose : la femme des cavernes sur la trace de ses petits. Puis je l'ai aperçu – ses traits aigus, sévères, son regard me cherchant aussi, et l'angoisse s'est effacée aussi vite qu'elle avait surgi. J'ai songé à ce que nous aurions pour dîner ce soir et à ce que nous regarderions à la télé. Retour à la normale.

Tous les quatre, nous avons repris d'un pas nonchalant Banbury Road pour rentrer chez nous. Il était tard dans l'après-midi et la chaleur semblait posséder un poids supplémentaire à cette heure-là, donnant l'impression de nous écraser physiquement. Veronica a affirmé qu'elle n'avait jamais eu aussi chaud depuis ses vacances en Tunisie. Avril et Jochen marchaient devant nous, main dans la main, conversant avec passion.

« Qu'ont-ils donc à se dire ? s'est étonnée Veronica. Ils n'ont pas vécu assez longtemps.

– On dirait qu'ils viennent de découvrir le langage, ou quelque chose, ai-je répliqué. Tu comprends, c'est comme quand un môme apprend à sauter – on ne l'arrête plus.

– Ouais, eh bien à l'évidence ils peuvent causer... » Elle a souri. « J'aimerais avoir eu un petit garçon. Un grand type solide qui prendrait soin de moi.

– Tu veux qu'on échange ? » ai-je dit, stupidement, sans réfléchir, me sentant aussitôt coupable, comme si j'avais trahi Jochen. Il n'aurait pas compris la plaisanterie. Il m'aurait lancé son regard noir, blessé, furieux.

Nous avons atteint notre carrefour. Ici, Jochen et moi prenions sur la gauche en direction de Moreton Road et du dentiste tandis que Veronica et Avril continuaient sur Summertown où elles habitaient au-dessus d'un restaurant italien, La Dolce Vita (Veronica prétendait aimer le rappel quotidien ironique de l'enseigne, sa promesse aussi vide que persistante). Alors que nous ébauchions un vague plan de pique-nique sur la rivière pour le week-end, je lui ai brusquement parlé de ma mère, Sally /Eva. Il me fallait, je le sentais, partager cette histoire avec quelqu'un avant d'en discuter avec ma mère : la raconter donnerait plus de réalité aux nouveaux faits de mon existence – les rendrait plus faciles à affronter. Et à affronter ma mère, aussi. Ce ne serait plus un secret entre nous deux puisque Veronica serait au courant – j'avais besoin d'un rempart extra-familial pour conserver mon équilibre.

43

« Bon Dieu ! s'est écriée Veronica. Russe ?

– Son vrai nom, selon elle, est Eva Delectorskaya.

– Comment se porte-t-elle ? Est-ce qu'elle oublie des choses ? Des noms ? Des dates ?

– Non, rien ne lui échappe.

– Part-elle faire des courses puis revient-elle parce qu'elle a oublié pourquoi elle était sortie ?

– Non. Je pense que je vais devoir accepter que tout est vrai. Mais tout ça s'accompagne d'autre chose, d'une sorte de manie. Elle est persuadée qu'on la surveille. Ou alors, c'est de la paranoïa. Elle n'arrête pas de vérifier les objets, les gens. Ah, et puis elle a un fauteuil roulant – elle prétend s'être esquinté le dos. C'est faux : elle est en pleine forme. Mais elle pense qu'il se trame quelque chose, quelque chose de sinistre en ce qui la concerne, et elle a donc décidé de me dire la vérité.

– A-t-elle vu un médecin ?

– Oh, oui ! Elle l'a convaincu quant à son dos – il lui a fourni le fauteuil roulant. » J'ai réfléchi un instant avant de me résoudre à lui raconter le reste. « Elle affirme avoir été recrutée par les services secrets britanniques en 1939. »

Veronica a été obligée de sourire. Puis, de nouveau déconcertée :

« Mais autrement elle te semble parfaitement normale ?

– Définis-moi "normale" », ai-je rétorqué.

Nous nous sommes séparées, et Jochen et moi avons continué sur Moreton Road en direction du dentiste. Mr Scott était en train de se glisser dans sa nouvelle Triumph Dolomite : il s'en est extirpé et a offert avec solennité un bonbon à la menthe à Jochen – il ne manquait jamais de faire ça quand il voyait Jochen, Mr Scott, vu qu'il était toujours muni de bonbons à la menthe de marques diverses et variées. Pendant qu'il manœuvrait pour reculer, nous avons pris l'allée longeant la maison jusqu'à notre « marchepied », comme l'appelait Jochen, un escalier en fer forgé à l'arrière qui nous donnait un accès direct à notre appartement, au premier étage. L'inconvénient étant que nos visiteurs devaient passer par la cuisine, mais c'était préférable à la traversée du couloir du dentiste au rez-de-chaussée avec ses insistantes drôles d'odeurs – bain de bouche, dentifrice et shampoing à moquette.

Nous avons dîné de croque-monsieur et de haricots en sauce et nous avons regardé un documentaire sur un petit sous-marin orange et rond explorant les fonds de l'océan. J'ai mis Jochen au lit avant de regagner mon bureau et d'y trouver le dossier où je gardais ma thèse inachevée : *La Révolution en Allemagne – 1918-1923*. J'ai ouvert le dernier chapitre – « La guerre sur cinq fronts de Gustav von Kahr » – et, en tentant de me concentrer, j'ai parcouru quelques paragraphes. Je n'avais plus rien pondu depuis des mois et j'avais l'impression de lire le texte d'une étrangère. J'avais de la chance d'avoir le plus paresseux des directeurs de thèse – un trimestre pouvait passer sans que nous communiquions – et tout ce que je faisais, semblait-il, c'était enseigner l'anglais comme langue étrangère, m'occuper de mon fils et rendre visite à ma mère. J'étais prise au piège de ces leçons, un piège bien trop familier à beaucoup d'étudiants de troisième cycle. Je gagnais 7 livres de l'heure nettes d'impôts et, si je le voulais, je pouvais enseigner huit heures par jour, durant cinquante-deux semaines par an. Même avec les contraintes imposées par Jochen à mon emploi du temps, je gagnerais cette année encore plus de 8 000 livres. Le dernier emploi pour lequel j'avais postulé sans l'obtenir – celui de maître de conférences à l'université d'East Anglia – offrait un salaire (brut) d'environ la moitié de ce que je gagnais avec Oxford English Plus. Ma solvabilité aurait dû me satisfaire – loyer assuré, voiture assez récente, frais de scolarité réglés, compte en banque sous contrôle, un peu d'argent de côté – au lieu de quoi, je me suis sentie soudain en proie à un élan d'apitoiement sur moi-même doublé de ressentiment : ressentiment à l'égard de Karl-Heinz, ressentiment à l'idée d'avoir eu à revenir à Oxford, d'être obligée d'enseigner l'anglais à des étudiants étrangers pour gagner de l'argent facile, ressentiment (coupable) envers les contraintes que m'imposait mon petit garçon, ressentiment à l'égard de ma mère décidant soudain de me raconter l'époustouflante histoire de son passé... Ce n'était pas prévu comme ça : ce n'était pas la direction que ma vie était censée prendre. J'avais vingt-huit ans. Que s'était-il passé ?

J'ai téléphoné à ma mère. Une voix étrange m'a répondu : « Oui.

– Maman ? Sal ?... C'est moi.

– Tout va bien ?

– Oui.

– Rappelle-moi tout de suite. »

J'ai obtempéré. Le téléphone a sonné quatre fois avant qu'elle décroche.

« Tu peux venir samedi prochain, a-t-elle dit et me laisser Jochen – il pourra passer la nuit, si tu veux. Désolée pour le week-end dernier.

– C'est quoi, ce cliquetis ?

– C'est moi. Je tapotais le récepteur avec un crayon.

– Pourquoi diable ?

– C'est un truc. Ça trouble les gens. Pardon, j'arrête. » Une pause. « As-tu lu ce que je t'ai donné ?

– Oui, je voulais t'appeler plus tôt mais il m'a fallu digérer tout ça. Besoin d'un peu de temps... Un léger choc, comme tu l'imagines.

– Oui, bien sûr. » Un instant de silence. « Mais je voulais que tu saches. C'était le bon moment pour te raconter.

– Est-ce que c'est vrai ?

– Certes, chaque mot.

– Alors ça veut dire que je suis à moitié russe ?

– J'en ai peur, ma chérie. Mais un quart seulement, en fait. Ma mère, ta grand-mère, était anglaise, tu te souviens ?

– Il faut qu'on en parle.

– Il y en a encore beaucoup à venir. Plein. Tu comprendras tout quand tu auras vu le reste. »

Puis elle a changé de sujet, demandé des nouvelles de Jochen, de la journée qu'il avait passée, de ce qu'il avait dit d'amusant, et je le lui ai tout raconté en ne cessant de sentir une sorte d'affaissement dans mes intestins – comme si j'avais besoin de déféquer – provoqué par un souci soudain et croissant de ce qui m'attendait, et la crainte lancinante que je ne serai pas capable de tenir le coup. Il y avait une suite, avait-elle dit, et une longue suite – en quoi consistait ce « tout » que je finirais par comprendre ? Nous avons bavardé encore un peu, mollement, pris date pour le samedi suivant et j'ai raccroché. Je me suis roulé un joint, l'ai fumé avec soin, puis je me suis couchée. J'ai dormi huit heures sans rêves.

À mon retour de Grindle's le lendemain matin, Hamid était assis sur la dernière marche de notre escalier. Il portait un blouson de cuir noir neuf qui, à mon sens, ne lui allait pas vraiment : ça le faisait paraître trop carré, trop massif. Hamid Kazemi, un ingénieur iranien barbu, râblé, la trentaine, avec des épaules de débardeur et un torse puissant, était le plus ancien de mes élèves.

Il a ouvert la porte de la cuisine pour moi et m'a fait entrer avec sa coutumière et méticuleuse *politesse*\*, en me complimentant sur ma bonne mine (une remarque dont il m'avait déjà gratifiée vingt-quatre heures auparavant). Il m'a suivie à travers l'appartement jusqu'au bureau.

« Vous n'avez rien dit de mon blouson, a-t-il lancé, toujours direct. Il ne vous plaît pas ?

– Je l'aime bien, ai-je répliqué, mais avec ces lunettes et ce jean noir vous avez l'air d'un espion de la Savak. »

Il a tenté de cacher le fait qu'il ne trouvait pas la comparaison très drôle ; j'ai compris que, pour un Iranien, c'était peut-être une plaisanterie d'un goût douteux et je m'en suis excusée. Hamid, je m'en suis souvenue, haïssait le shah d'Iran avec ferveur. Il a ôté son blouson et l'a suspendu avec soin sur le dos de sa chaise. L'odeur du cuir neuf m'a évoqué celle de la cire, des harnais et des selles de chevaux, parfums de ma distante jeunesse.

« J'ai été informé de mon nouveau poste, a-t-il annoncé. Je vais aller à l'Indonésie.

– *Je pars pour l'Indonésie.* C'est bien ? Ça vous plaît ?

– Je pars pour... Je voulais l'Amérique latine, ou même l'Afrique... » Il a haussé les épaules.

« L'Indonésie me paraît fascinante », ai-je affirmé en saisissant les *Amberson.*

Hamid travaillait pour Dusendorf, une compagnie d'ingénierie pétrolière internationale. La moitié des étudiants d'Oxford English Plus étaient des ingénieurs de chez Dusendorf qui apprenaient l'anglais, la langue de l'industrie pétrolière, afin de pouvoir travailler sur les derricks du monde entier. J'étais le professeur de Hamid depuis trois mois maintenant. Il était arrivé de son Iran natal en pétrochimiste abondamment qualifié mais pratiquement monoglotte.

Cependant, huit heures de leçons particulières par jour, réparties entre quatre enseignants, l'avaient rendu, ainsi qu'Oxford English Plus le promettait avec assurance dans sa brochure, rapidement et complètement bilingue.

« Quand partez-vous ? me suis-je enquise.

– Dans un mois.

– Bon Dieu ! » Une exclamation sincère et spontanée. Hamid faisait tellement partie de ma vie, du lundi au vendredi, qu'il m'était impossible de l'en imaginer subitement absent. Et parce que j'avais été son premier professeur, parce qu'il avait pris sa première leçon avec moi, j'avais un peu l'impression que moi seule lui avais enseigné son anglais de travailleur. J'étais quasiment son professeur Higgins, me disais-je, sans la moindre logique : j'en étais venue à penser, bizarrement, que ce Hamid tout neuf parlant l'anglais était mon œuvre.

Je me suis levée et j'ai pris un cintre derrière la porte pour suspendre son blouson.

« Il risque de se déformer sur cette chaise », ai-je commenté, essayant de dissimuler le petit choc émotionnel ressenti à l'annonce de son départ imminent. Alors que je m'emparais de son blouson, j'ai avisé par la fenêtre, en bas dans l'avant-cour, à côté de la Dolomite de Mr Scott, un homme. Un homme jeune, mince, en jean et blouson assorti, des cheveux bruns assez longs pour lui frôler les épaules. Il m'a vue le dévisager, a levé ses deux pouces – victoire – et m'a adressé un grand sourire.

« Qui c'est ça ? a demandé Hamid, jetant un coup d'œil dehors puis sur moi, et notant mon expression de choc et de stupéfaction.

– Il s'appelle Ludger Kleist.

– Pourquoi le regardez-vous comme ça ?

– Parce que je croyais qu'il était mort. »

# L'histoire d'Eva Delectorskaya

*Écosse, 1939*

Eva Delectorskaya prit à travers l'étendue d'herbe souple en direction du fond de la vallée et de la bande noire d'arbres qui marquait la petite rivière. Le soleil commençait à se coucher tout au bout du vallon de sorte qu'elle savait au moins où se trouvait l'ouest. Elle tenta d'apercevoir à l'est le camion du sergent-chef Law, censé descendre la route sinueuse entre les collines jusqu'à la vallée de la Tweed, mais la brume qui infusait la lumière du soir estompait pinèdes et murs de pierre. De là où elle était, il devenait impossible de repérer le deux tonnes.

Elle descendit à grands pas vers la rivière, son sac à dos cognant au creux de ses reins. C'était un « exercice », se dit-elle, et il fallait l'entreprendre du bon côté. Pas question d'une course, lui avaient affirmé ses instructeurs, il s'agissait davantage de voir comment les gens s'accommodaient d'une nuit à la dure, quel sens de l'orientation ils pouvaient acquérir, et l'initiative dont ils faisaient preuve au moment où ils avaient à regagner leurs pénates, alors qu'ils ne savaient pas où ils se trouvaient. Et dans ce but, Law, après lui avoir bandé les yeux, l'avait ainsi trimballée en voiture pendant au moins deux heures, calculait-elle maintenant en regardant le soleil rougissant. En route, le sergent avait été inhabituellement bavard – pour l'empêcher elle de compter, elle l'avait compris –, et quand il l'avait laissée au sommet du lointain vallon, il avait lancé, avec son petit sourire : « Vous pourriez aussi bien être à quatre qu'à quarante kilomètres. Mais vous ne serez pas capable de le dire. À demain, Miss Dalton. »

Le long de la vallée coulait la rivière brune, rapide et peu profonde, ses deux rives couvertes d'une végétation dense, faite surtout de petits arbres au feuillage épais et aux troncs tordus gris pâle. Eva entama sa descente, l'herbe et les broussailles autour d'elle tachetées de safran par le crépuscule. Des nuages de moucherons grouillaient au-dessus des mares et, tandis que le tardif soir écossais avançait, le chant des oiseaux gagnait en assurance. Une fois le soleil disparu derrière le côté ouest du vallon, et la lumière devenue gris neutre, Eva décida de s'arrêter pour la nuit. Elle venait de faire trois kilomètres, estimait-elle, mais sans rencontrer encore le moindre signe d'une maison ou d'une habitation humaine, ni grange ni hutte où s'abriter. Dans son sac à dos, elle avait un imperméable, une écharpe, une bouteille d'eau, une bougie, une boîte d'allumettes, un petit rouleau de papier hygiénique et quelques sandwiches au fromage enveloppés dans du papier sulfurisé.

Elle avisa un creux moussu entre les racines d'un arbre et, couverte de son imper, elle se recroquevilla dans ce lit improvisé. Elle mangea un sandwich et garda les autres pour plus tard, se disant que, jusqu'ici, elle s'amusait plutôt du progrès de cette aventure, presque impatiente de passer la nuit à la belle étoile. La course rapide de l'eau au-dessus des galets ronds du lit de la rivière avait un son apaisant : il lui donnait l'impression d'être moins seule et de n'avoir aucun besoin de la bougie pour tenir l'obscurité à distance – en fait, elle était soulagée d'être loin de ses collègues et des instructeurs de Lyne Manor.

À son arrivée à la gare de Waverley, le sergent-chef Law l'avait conduite au sud d'Édimbourg puis le long de la vallée de la Tweed à travers une série de petites villes industrielles et – à ses yeux – presque identiques. Après quoi, ils avaient passé la rivière et s'étaient enfoncés dans une campagne plus dépeuplée ; de temps à autre surgissait une ferme basse et solide avec son troupeau meuglant, les collines autour d'eux se faisant plus hautes – parsemées de moutons –, les bois plus denses, plus sauvages. Ensuite, à sa surprise, ils avaient franchi le portail d'honneur d'un manoir, portail flanqué de jolis pavillons, avant de prendre une allée sinueuse bordée de vieux hêtres qui menait à deux vastes maisons blanches, avec des pelouses tondues ras, et situées de façon à donner sur une étroite vallée à l'ouest.

« Où sommes-nous ? demanda-t-elle à Law, à sa descente de voiture, en regardant les collines rondes et nues de chaque côté.

– Lyne Manor », répliqua-t-il, sans offrir plus d'information.

Les deux bâtisses n'en faisaient en réalité qu'une : la seconde n'était qu'une longue aile de stuc blanchie à la chaux, elle aussi, mais de toute évidence plus récente que la maison principale – d'un étage plus haute et dont les murs, de l'épaisseur semblait-il de ceux d'un donjon, étaient percés de petites fenêtres irrégulières sous un toit d'ardoise sombre. Eva entendait le bruit d'une rivière et, à travers un rideau d'arbres à l'extrémité d'un champ, elle distinguait des paillettes de lumière provenant d'un autre bâtiment. Pas tout à fait le bout du monde, se dit-elle, mais presque.

Pour l'heure, allongée entre les racines de son arbre, bercée par les rythmes rapides et sans cesse changeants de la rivière, elle songeait aux deux mois étranges qu'elle venait de passer à Lyne Manor et à ce qu'elle y avait appris. Elle avait fini par considérer l'endroit comme une sorte de pensionnat excentrique, et c'était une éducation plutôt particulière qu'elle y avait reçue : le morse, d'abord, l'interminable code, au niveau le plus avancé, la sténo aussi, et l'usage d'un certain nombre d'armes à feu. Elle avait appris à conduire et passé son permis ; elle savait lire une carte et utiliser un compas. Elle pouvait attraper, dépecer et cuire un lapin et d'autres rongeurs. Elle savait recouvrir ses traces et en laisser de fausses. Au cours d'autres leçons, elle avait appris comment fabriquer des codes simples et comment en briser certains. On lui avait montré aussi comment trafiquer des documents, et elle pouvait désormais changer noms et dates de manière convaincante avec une quantité d'encres spéciales et de minuscules ustensiles pointus ; elle savait fabriquer, à l'aide d'une gomme sculptée, un tampon officiel un peu flou. Elle s'était familiarisée avec l'anatomie humaine, le fonctionnement du corps, ses besoins essentiels et ses nombreux points faibles ; on lui avait enseigné, lors de matinées fort animées dans ces petites villes inoffensives, l'art de suivre un suspect : seule, en couple, à trois ou plus. Elle avait été suivie elle-même et commençait à connaître les signes indiquant qu'on la filait et les différentes mesures à prendre pour éviter de l'être. Elle avait appris à faire de l'encre invisible et à la rendre visible. Toutes choses intéressantes, voire à l'occasion passionnantes, mais le « scouting », ainsi qu'on appelait ces techniques à Lyne, ne devait pas être pris à la légère ; dès que quiconque avait l'air content, sans parler de s'amuser, Law et ses collègues instructeurs, pas amusés du tout, affichaient leur mépris. Certains aspects de son éducation et de sa formation avaient cependant laissé Eva perplexe. Alors que les autres « étudiants » de Lyne étaient partis pour l'aérodrome de Turnhouse près d'Édimbourg apprendre à faire du parachute, elle n'avait pas été incluse dans le groupe.

« Pourquoi ? avait-elle demandé.

– Mr Romer dit que ce n'est pas nécessaire. »

Mais, semblait-il, Mr Romer estimait indispensables d'autres talents. Deux fois par semaine, Eva embarquait seule sur le train d'Édimbourg pour aller prendre à Barnton des leçons de diction que lui donnait une femme timide qui, lentement mais sûrement, débarrassait son anglais de ses dernières traces d'accent russe. Peu à peu, elle en venait à s'exprimer à la manière des actrices dans les films anglais, avec d'étranges sonorités dans les voyelles, les consonnes aiguës et précises, les R légèrement roulés. Elle apprenait à parler comme une jeune bourgeoise anglaise éduquée dans une institution privée. Personne ne se préoccupait de son français ni de son russe.

Elle se retrouva de nouveau exclue lors du départ de ses compagnons pour un cours de combat à mains nues dans un camp de commandos près de Perth. « Mr Romer dit que ce n'est pas nécessaire », l'informa-t-on quand elle demanda pourquoi elle n'avait pas reçu l'ordre de marche. Après quoi un type étrange vint à Lyne lui donner des leçons particulières. Petit, fringant, la moustache fine et cirée, il s'appelait Mr Dimarco et lui fit une démonstration de sa batterie de trucs mnémotechniques – il avait travaillé sur un champ de foire, expliqua-t-il. Eva fut requise d'associer des nombres avec des couleurs, et elle découvrit bientôt qu'elle pouvait se remémorer jusqu'à vingt séquences de cinq chiffres sans la moindre difficulté. Ils jouèrent à des versions compliquées du jeu de Kim avec plus d'une centaine d'objets assemblés sur une longue table – et, au bout de deux jours, elle se rendit compte, à sa propre surprise, qu'elle se rappelait facilement plus de quatre-vingts d'entre eux. Elle visionnait un film puis était soumise à un interrogatoire très précis : le troisième homme sur la gauche dans le pub portait-il un chapeau ou pas ? Quel était le numéro d'immatriculation de la voiture en fuite ? La femme à la réception de l'hôtel arborait-elle des boucles d'oreilles ? Combien de marches jusqu'à la porte du méchant… ? On lui enseignait à voir et à se souvenir à partir de rien : comment utiliser ses yeux et son cerveau de manières totalement nouvelles. Elle apprenait aussi à observer et à se remémorer très différemment chaque être humain. Avec ces nouveaux talents, elle était censée étudier et analyser le monde avec une précision et des intentions qui allaient bien au-delà de la simple curiosité. Chaque chose – absolument tout – valait potentiellement d'être notée et mémorisée. Aucun des autres pensionnaires ne prenait de leçons avec Mr Dimarco. Eva, uniquement. Une des exigences particulières de Mr Romer, lui avait-on fait comprendre.

Quand il fit presque complètement noir au bord de la rivière, aussi noir que par une nuit d'été écossaise, Eva boutonna son imper, en boucla la ceinture puis plia son écharpe pour en faire un oreiller. À mesure que leurs couleurs les abandonnaient et que le monde monochrome s'installait, la lueur de la demi-lune donnait à la rivière et aux petits arbres tordus de ses rives une étrange beauté.

Seuls deux autres « invités » résidaient à Lyne depuis aussi long-temps qu'Eva : un jeune Polonais étique du nom de Jerzy et une femme plus âgée, la quarantaine avancée, appelée Mrs Diana Terme. Il n'y avait jamais plus de huit ou dix pensionnaires à la fois, et le personnel, aussi, changeait régulièrement. Le sergent Law sem-blait faire partie du mobilier, mais même lui s'était absenté pendant quinze jours, remplacé par un Gallois taiseux nommé Evans. Les pensionnaires avaient droit à trois repas par jour qu'ils prenaient dans une salle à manger du bâtiment principal avec vue sur la vallée et la rivière, un mess où servaient de jeunes recrues qui n'ouvraient pratiquement jamais la bouche. Les élèves étaient logés dans l'aile plus moderne : les femmes à un étage, les hommes à un autre, cha-cun ayant sa propre chambre. Il y avait même un salon commun avec une TSF, une fontaine à thé, des journaux et quelques magazines – mais Eva s'y attardait rarement. Leurs journées étaient bien remplies : les allées et venues et la nature inexprimée mais reconnue de ce qu'ils faisaient tous à Lyne donnaient, semblait-il, aux contacts sociaux un caractère risqué et peu sérieux. Mais d'autres influences se faisaient sentir qui rendaient les fréquentations personnelles hésitantes et circonspectes.

Le lendemain de son arrivée, un homme d'allure aimable, costume de tweed et moustache blond-roux, avait convoqué Eva pour un entretien dans une mansarde de la grande maison. Il ne s'était pas présenté, pas plus qu'il n'avait indiqué un rang quelconque ; Eva supposa qu'il s'agissait du « Laird » à qui Law et d'autres membres du personnel faisaient souvent allusion. « Ici, à Lyne, nous n'encourageons pas les amitiés, lui dit le Laird, considérez-vous comme des voyageurs sur un court trajet – aucune raison de chercher à vous connaître puisque vous ne vous reverrez jamais. Soyez cordiale, faites la conversation, mais moins les gens en sauront à votre sujet mieux ce sera ; restez sur la réserve et tirez le maximum de votre formation, ce qui, après tout, est la raison de votre présence ici. »

Alors qu'elle quittait la pièce, il l'avait rappelée : « Je dois vous avertir, Miss Dalton, que tous nos pensionnaires ne sont pas ce qu'ils paraissent. L'un ou l'autre travaille peut-être pour nous – juste pour s'assurer que les règles sont bien respectées. »

Ainsi les « invités » de Lyne Manor ne se faisaient mutuellement aucune confiance et se montraient très discrets, très polis et peu communicatifs, exactement comme le Laird l'avait souhaité et prévu. Mrs Terme demanda un jour à Eva si elle connaissait Paris et Eva, la soupçonnant aussitôt, répliqua : « Juste très vaguement. » Puis Jerzy s'adressa un soir à elle en russe avant d'aussitôt s'excuser. À mesure que les semaines passaient, Eva se convainquit que ces deux-là étaient les « fantômes » (comme on appelait les agents doubles) de Lyne. Les élèves de Lyne étaient encouragés à utiliser le vocabulaire du Manoir, différent de celui de l'ensemble des services secrets. On ne parlait pas de la « firme » mais plutôt de la « direction ». Les agents étaient des « corbeaux », les personnes qui vous prenaient en filature des « ombres » – ce langage était, comme elle l'apprit plus tard, une sorte d'insigne d'ancien élève ou de poignée de main maçonnique. À Lyne, on savait de quelle université on tenait ses diplômes.

Une fois ou deux, elle crut voir Law jeter un coup d'œil entendu à un nouvel arrivant et ses doutes revinrent : étaient-ce là les vraies taupes, et Mrs Terme et Jerzy étaient-ils simplement curieux de nature ? Au bout d'un moment, elle se rendit compte que tout se déroulait comme prévu : l'avertissement en soi était suffisant pour que les pensionnaires s'autocensurent et demeurent méfiants – une suspicion permanente constituait une forme efficace de sécurité interne. Eva était certaine d'être un suspect potentiel autant que n'importe lequel de ceux qu'elle aurait pu croire avoir découverts.

Pendant dix jours, un jeune homme avait séjourné à Lyne. Il s'appelait Denis Trelawny, il avait des cheveux blonds, dont une longue mèche lui retombait sur le front, et une récente cicatrice de brûlure sur le cou. Lors de leurs rares rencontres – à la salle à manger, au cours de morse, Eva avait compris qu'il la regardait d'une certaine manière. Il ne lui faisait que les remarques les plus plates – « On dirait qu'il va pleuvoir », « Je suis un peu sourd à cause des tirs » –, mais elle savait qu'elle l'attirait. Puis un jour, au mess, autour du buffet où ils se servaient tous deux de dessert, ils se mirent à bavarder et s'assirent l'un à côté de l'autre à la table commune. Eva lui demanda alors – elle ne savait vraiment pas pourquoi – s'il était dans l'armée de l'air : il lui semblait avoir le type RAF. Non, répliqua-t-il instinctivement, dans la marine ; puis une étrange expression de peur envahit son regard. Elle comprit qu'il la soupçonnait. Il ne lui adressa plus jamais la parole.

Elle était à Lyne depuis un mois quand elle fut convoquée un soir dans la grande maison. On la conduisit une fois de plus sous les toits jusqu'à une porte à laquelle elle frappa avant d'entrer. Romer, une cigarette au bec, était installé derrière un bureau où étaient posés une bouteille de whisky et deux verres.

« Salut, Eva, dit-il sans prendre la peine de se lever. J'étais curieux de savoir comment vous vous en sortiez. Un verre ? » Il lui fit signe de s'asseoir. Romer l'appelait toujours Eva, même devant des gens qui l'appelaient Eve. Elle supposait qu'ils prenaient ça pour un surnom affectueux ; mais elle pensait que, pour Romer, c'était une petite indication de son pouvoir, un aimable rappel que, contrairement à tous ceux qu'elle rencontrait, lui seul connaissait sa véritable histoire.

« Non, merci », répondit-elle à la bouteille offerte.

Romer lui versa néanmoins un petit verre et le poussa vers elle. « Absurde... Je suis dûment impressionné, mais je ne peux pas boire en solitaire. » Il leva son verre. « On me dit que vous travaillez bien.

– Comment va mon père ?

– Un peu mieux. Les nouvelles pilules semblent lui réussir. »

Est-ce vrai ou est-ce un mensonge ? se demanda-t-elle. Son éducation à Lyne Manor commençait à faire de l'effet. Puis elle réfléchit : non, Romer ne me mentirait pas là-dessus parce que je pourrais le découvrir. Elle se détendit un peu.

« Pourquoi n'ai-je pas été autorisée à participer aux leçons de saut en parachute ?

– Je jure que vous n'aurez jamais à sauter en parachute tant que vous travaillerez pour moi, répliqua-t-il. L'accent est vraiment bon. Grosse amélioration.

– Et le combat à mains nues ?

– Une perte de temps. » Il but et se resservit. « Imaginez que vous vous battiez pour votre vie : vous avez des ongles, vous avez des dents – votre instinct animal vous sera plus utile que tout entraînement.

– Aurais-je à me battre pour ma vie tandis que je travaillerai pour vous ?

– Très, très peu vraisemblable.

– Alors que vais-je faire pour vous, Mr Romer ?

– Je vous en prie, appelez-moi Lucas.

– Alors, que vais-je faire pour vous, Lucas ?

– Qu'allons-nous faire, Eva... Tout sera clair à la fin de votre formation.

– Et c'est pour quand ?

– Quand je vous jugerai suffisamment instruite. »

Il lui posa quelques questions d'ordre général, certaines concernant l'organisation de Lyne – les gens s'étaient-ils montrés amicaux, curieux ; l'avait-on interrogée sur son recrutement ; le personnel l'avait-il traitée différemment, etc. Elle lui donna des réponses franches qu'il écouta, pensif, tout en sirotant son whisky et en tirant sur sa cigarette, un peu comme s'il évaluait Lyne à la manière d'un père à la recherche d'une école pour un enfant très doué. Puis il écrasa son mégot, se leva, glissa la bouteille de whisky dans la poche de sa veste et se dirigea vers la porte.

« Très content de vous avoir revue, Eva. Continuez à bien travailler. » Et il était parti.

Eva dormit de façon intermittente, près de la rivière, se réveillant à peu près toutes les vingt minutes. Le petit bois bruissait de sons – froissements, crépitements, hululements mélancoliques et permanents des chouettes –, mais elle n'avait pas peur : elle n'était qu'un autre habitant de la nuit essayant de trouver le repos. Dans les petites heures avant l'aube, prise d'un besoin naturel, elle alla sur la berge, baissa son pantalon et se soulagea dans le courant. Une occasion d'utiliser son papier hygiénique qu'elle eut soin d'enterrer ensuite. En revenant vers son arbre à coucher, elle s'arrêta pour observer autour d'elle le bosquet tacheté de lune, les troncs gris tordus l'encerclant telle une vague palissade, les feuilles au-dessus d'elle remuant sèchement dans la brise nocturne. Elle se sentit étrangement détachée du monde, comme dans une sorte d'état onirique, seule, perdue au fin fond de la campagne écossaise. Personne ne savait où elle était, et elle ne le savait pas non plus. Elle songea soudain à Kolia, son petit frère à la fois drôle, lunatique, sérieux, et sentit la tristesse l'envahir et l'emplir tout entière un bon moment. Elle se consola avec la pensée que c'était pour lui qu'elle faisait tout cela, un modeste geste de défi de sa part afin de démontrer qu'il n'était pas mort en vain. Du coup, elle éprouva à contrecœur une sorte de gratitude envers Romer qui l'avait poussée à le faire. Peut-être, à la réflexion, se dit-elle en se réinstallant dans les bras de son arbre, Kolia avait-il parlé d'elle à Romer, peut-être avait-il semé l'idée qu'elle puisse être recrutée un jour.

Elle doutait de pouvoir se rendormir, son cerveau travaillait trop, mais en s'allongeant elle prit conscience qu'elle était seule comme elle ne l'avait jamais été de sa vie, et elle se demanda si cela aussi faisait partie de l'exercice – être complètement, totalement isolée, la nuit, dans un bois inconnu, au bord d'une rivière inconnue, et constater comment vous vous en sortiez –, rien à voir avec le « scouting » ou la débrouillardise, juste une façon de vous renvoyer à vous-même pendant quelques heures. Et tout en imaginant que le ciel commençait à s'éclaircir, que l'aube était imminente, elle se rendit compte que, durant toute la nuit, elle s'était sentie calme, qu'elle n'avait jamais eu peur : peut-être était-ce là le vrai bénéfice du petit jeu du sergent Law.

Le jour se leva avec une rapidité surprenante – Eva n'avait aucune idée de l'heure : on lui avait pris sa montre –, mais il semblait absurde de ne pas être debout alors que le monde se réveillait autour d'elle. Elle descendit donc à la rivière, fit pipi, se lava la figure et les mains, but de l'eau, en remplit sa gourde et mangea son dernier sandwich. Assise sur la berge, mâchonnant, buvant, elle eut de nouveau l'impression d'être un animal – un animal humain, une créature, une chose d'instinct et de réflexe – plus qu'elle ne l'avait jamais été. Ridicule, elle le savait : elle avait passé une seule nuit à la belle étoile, une nuit douce d'ailleurs, bien vêtue et suffisamment nourrie ; mais pour la première fois depuis ces deux mois passés à Lyne, elle se sentait reconnaissante à l'égard de ce lieu et du curieux stage qu'elle y accomplissait. Elle partit en amont de la rivière d'un pas régulier, mesuré, confortable, avec en même temps au cœur le sentiment d'une exaltation et d'une libération auquel elle ne s'était jamais attendu.

Au bout d'une heure, elle aperçut une route goudronnée à voie unique et elle quitta la vallée pour la prendre. En moins de dix minutes un fermier lui offrit une place dans sa charrette jusqu'à la grand-route de Selkirk, à trois kilomètres à pied de là. Une fois à Selkirk, elle saurait exactement à quelle distance de Lyne elle se trouvait.

Un couple de Durham en vacances la prit dans sa voiture de Selkirk à Innerleithen d'où un taxi l'emmena pour les derniers kilomètres jusqu'à Lyne. Elle demanda au taxi de s'arrêter à huit cents mètres du portail et, après avoir réglé sa course, elle fit le tour de la colline en face du manoir de manière à l'atteindre à travers champs, comme si elle revenait tout juste d'une balade préprandiale.

Alors qu'elle approchait de la maison, elle vit que le sergent Law et le Laird, debout sur la pelouse, la regardaient arriver. Elle ouvrit la barrière sur le pont et alla vers eux d'un pas résolu.

« Dernière rentrée, Miss Dalton, dit Law. Bravo tout de même : vous étiez la plus éloignée.

– Mais on ne s'attendait pas à vous voir revenir par Cammlesmuir, ajouta le Laird. Astucieux, n'est-ce pas, sergent ?

– Aye, c'est vrai, Sir. Mais Miss Dalton réserve toujours des surprises. »

Elle se rendit dans la salle à manger où on lui avait laissé un déjeuner froid – du jambon et une salade de pommes de terre. Elle se versa un verre d'eau et l'avala d'un seul trait, avant d'en avaler un second. Elle s'assit et déjeuna, seule, se forçant à manger lentement, à ne pas dévorer sa nourriture, bien qu'elle fût en proie à une énorme fringale. Elle éprouvait un plaisir intense, une intense satisfaction. Kolia aurait été content d'elle, se dit-elle, et elle rit sous cape. Elle ne pouvait pas expliquer pourquoi, mais une petite part d'elle avait changé très profondément.


Princes Street, Édimbourg, un matin en milieu de semaine, début juillet, un jour frais et venteux avec de gros paquets de nuages filant à toute allure dans le ciel, menaces de pluie. Des gens faisant leurs courses, des gens en vacances, des gens du cru vaquant à leurs occupations, tout ce monde remplissait les trottoirs et s'agglutinait provisoirement aux carrefours et aux arrêts d'autobus. Eva Delectorskaya descendit la rue en pente depuis St Andrews Square et tourna à droite dans Princes Street. Elle marchait vite, délibérément, sans se retourner mais parfaitement consciente qu'au moins six personnes la suivaient : deux devant en train de se rabattre, quatre derrière, et peut-être une septième, un vagabond, prenant ses instructions chez les autres, juste pour l'embrouiller.

Elle s'arrêta devant certaines boutiques, faisant confiance à son coup d'œil pour tenter de repérer dans les vitrines quelque chose de familier, de déjà-vu, des personnes qui se couvriraient le visage avec un chapeau, un journal ou un guide – mais elle ne vit rien de suspect.

Nouveau départ : elle traversa la grande avenue pour passer du côté de Waverley Garden, se faufilant entre un tramway et la charrette d'un livreur de bière, courant entre les voitures jusqu'au Scott Monument. Elle passa derrière, tourna les talons et, accélérant le mouvement, repartit à grands pas dans la direction opposée, vers Carton Hill. Sur un brusque coup de tête, elle entra en trombe dans le North British Hotel, sans laisser au portier le temps de soulever sa casquette. À la réception, elle demanda à voir une chambre et fut conduite au quatrième étage. Elle ne s'attarda pas à s'enquérir des prix ni de l'emplacement des toilettes. Dehors, elle le savait, régnait une consternation temporaire ; mais au moins l'un des sept suiveurs devait l'avoir vue entrer dans l'hôtel et aurait passé le mot : en cinq minutes, toutes les sorties seraient sous surveillance. « Sortez par où vous êtes entrés, répétait Law, c'est l'endroit qui sera le moins bien gardé. » Excellent conseil, à ceci près que tous ceux qui la filaient l'avaient entendu, eux aussi.

De nouveau dans le foyer de l'hôtel, elle extirpa un foulard rouge de son sac et le noua autour de sa tête. Elle ôta son manteau et le mit sur son bras. Alors qu'un troupeau de touristes destiné à un autocar garé à l'extérieur se rassemblait près de la porte à tambour, elle se joignit à eux et se glissa dehors mêlée au groupe, demandant à un passant, avec autant d'animation que possible, où se trouvait le Royal Mile, avant de filer derrière l'autocar, de retraverser Princes Street, puis de prendre une allure nonchalante et de se diriger en flânant vers l'ouest, s'arrêtant simplement pour étudier les reflets dans les vitrines. Un homme avec une veste verte qu'elle pensait avoir déjà vu marchait de l'autre côté de la rue, à la même allure qu'elle, en se retournant de temps à autre pour contempler le château.

Elle se précipita chez Jenners, monta au troisième étage et passa du rayon mercerie à celui des chapeaux. Veste Verte devait l'avoir vue : il devait déjà avoir averti les autres de sa présence dans le grand magasin. Elle fila aux toilettes pour dames et alla directement au fond, au bout des cabines, là où elle avait repéré une entrée réservée au personnel qui n'était jamais fermée. Elle tourna la poignée, la porte s'ouvrit et elle se glissa à l'intérieur.

« Désolée, Miss, mais cet endroit est réservé au personnel. » Deux vendeuses, assises sur un banc, prenaient leur pause en fumant.

« Je cherche Jenny, Jenny Kinloch. Je suis sa sœur : il y a eu un terrible accident.

– Il n'y a pas de Jenny Kinloch ici, Miss.

– Mais on m'a dit d'aller dans la salle du personnel. »

On la conduisit donc à travers des corridors et des escaliers de service sentant le linoléum et la cire jusqu'à la salle du personnel. Comme on n'y trouvait pas de Jenny Kinloch, Eva prétendit qu'il lui fallait passer un coup de fil, peut-être s'était-elle trompée dans les indications, peut-être s'agissait-il des magasins Binns et non Jenners, et on l'orienta avec une certaine impatience sur une cabine téléphonique. Une fois à l'intérieur, elle ôta son foulard et défit ses cheveux qu'elle recoiffa. Elle retourna son manteau et sortit par l'entrée du personnel sur Rose Street. Elle savait qu'elle les avait semés. Elle les avait toujours semés, mais c'était la première fois qu'elle en avait battu six à la fois...

« Eva ! » Le bruit de pas précipités.

Elle vira sur les talons : c'était Romer, un peu essoufflé, ses cheveux rêches en bataille. Il ralentit, reprit son calme et se passa la main sur la tête.

« Très bien, lança-t-il. J'ai trouvé que le foulard rouge était un coup de maître. Se faire beaucoup remarquer. Formidable. »

La déception laissait à Eva un goût amer dans la bouche. « Mais comment avez-vous...

– J'ai triché. J'étais tout près. Toujours. Personne ne savait. » Il s'était posté devant elle. « Je vais vous montrer comment bien filer de près. Vous avez besoin de plus d'accessoires – lunettes, fausse moustache. » Il en sortit une d'une poche et une casquette de tweed de l'autre. « Mais vous avez été excellente, Eva. Z'avez failli me semer. » Il arborait son grand sourire dents blanches. « La chambre au North British ne vous a pas plu ? Jenners n'était pas commode – les toilettes pour dames, joli détail. Quelques vieilles filles scandalisées, j'en ai peur. Mais je savais qu'il devait y avoir une sortie de secours, parce que vous n'y seriez jamais entrée autrement.

– Je vois. »

Il regarda sa montre. « Allons par ici. J'ai réservé une table. Vous aimez les huîtres, non ? »

Ils déjeunèrent dans le bar à huîtres d'un pub, artistiquement décoré de carreaux de céramique. Des huîtres, songea Eva, le symbole de nos rapports. Peut-être croit-il qu'elles sont un véritable aphrodisiaque et qu'il me plaira davantage ? Pendant qu'ils bavardaient, elle se surprit à examiner Romer avec toute l'objectivité dont elle était capable, à tenter d'imaginer ce qu'elle en aurait pensé s'ils n'avaient pas été réunis de cette manière curieuse et alarmante – si la mort de Kolia ne s'était jamais produite. Il émanait de lui quelque chose de vraiment séduisant : quelque chose à la fois de pressant et d'un peu mystérieux – il était une sorte d'espion, après tout – et puis il y avait son rare sourire à transformation et son immense assurance. Elle se concentra : il la complimentait de nouveau, répétant combien chacun à Lyne était impressionné par son dévouement au travail, ses aptitudes.

« Mais c'est pourquoi tout ça ? dit-elle, laissant échapper la question.

– Je vous expliquerai tout une fois que vous aurez terminé. Vous viendrez à Londres rencontrer l'unité, mon équipe.

– Vous avez votre propre unité ?

– Disons la petite subdivision d'une annexe à un élément subsidiaire lié au corps principal.

– Et que fait votre unité ?

– Je voulais vous donner ceci », dit-il sans répondre. Il mit la main dans sa poche de poitrine et y prit une enveloppe qui contenait deux passeports. Eva les ouvrit : ils offraient la même photo d'elle, floue, raide et protocolaire, les yeux ombrés, mais les noms étaient différents : à présent, elle était Margery Allerdice et Lily Fitzroy.

« C'est pour quoi faire ? Je croyais que je m'appelais Eve Dalton. »

Il le lui expliqua. Tous ceux qui travaillaient pour lui, dans son unité, recevaient trois identités. Un avantage du métier, un bonus, à utiliser ou pas selon ce que jugeait bon l'impétrant. « Considérez-les comme une paire de parachutes supplémentaires, dit-il, ou bien deux voitures garées dans le voisinage, si vous aviez besoin de fuir. Ils peuvent se révéler très commodes et ça économise beaucoup de temps si vous les possédez déjà. »

Eva mit les deux nouveaux passeports dans son sac à main et, pour la première fois, sentit un petit frisson de peur grimper le long de sa colonne vertébrale. Des jeux de filatures dans Édimbourg étaient une chose : quoi que fît l'unité de Romer, c'était à l'évidence potentiellement dangereux. Elle referma son sac.

« Êtes-vous autorisé à m'en dire plus sur votre unité ?

– Oh, oui ! Un peu. Elle s'appelle les SAC. Un acronyme presque embarrassant, je sais, pour Services Assurances et Comptabilité.

– Ça sonne très ennuyeux.

– Exactement. »

Et soudain, elle pensa qu'elle aimait vraiment bien Romer – son intelligence, sa manière de tout anticiper. Il se commanda un cognac. Elle ne désirait plus rien.

« Je vais vous donner un autre conseil, dit-il. En fait, je vous donnerai toujours des conseils – des tuyaux – de temps à autre. Essayez donc de vous en souvenir. »

Brusquement, de nouveau, il lui déplut ; cette autosatisfaction, cet *amour-propre** étaient parfois un rien de trop. Je suis le type le plus intelligent du monde et tout ce j'ai comme interlocuteurs c'est vous, pauvres idiots.

« Trouvez-vous un lieu sûr. Quelque part. Où que vous soyez, pour n'importe quelle période de temps, ayez un lieu sûr, un refuge bien à vous. Ne m'en parlez pas, n'en parlez à personne. Simplement un endroit où vous rendre sans crainte, où vous pouvez demeurer anonyme, vous cacher si besoin est.

– Les lois de Romer, lança-t-elle. Encore d'autres ?

– Oh, il y en a plein d'autres, dit-il sans relever l'ironie, mais puisque nous sommes sur le sujet, je vais vous nommer la règle la plus importante. Règle numéro un, à ne jamais oublier.

– Et qui est ?

– Ne faites confiance à personne », répliqua-t-il sans solennité mais avec une assurance et une sorte de certitude pratique, comme s'il déclarait : « Aujourd'hui c'est vendredi. » « Ne faites confiance à personne, jamais », répéta-t-il en prenant une cigarette qu'il alluma, pensif, surpris lui-même de sa lucidité aurait-on dit. « Peut-être est-ce la seule règle dont vous avez besoin. Peut-être que toutes les autres

LA VIE AUX AGUETS

règles dont je vous parlerai ne sont-elles que des dérivés de cette règle-là. "La seule et unique loi." Ne faites confiance à personne – pas même au seul être en qui vous pensez pouvoir avoir le plus confiance au monde. Soupçonnez toujours. Méfiez-vous en permanence.» Il sourit, pas de son sourire chaleureux. «Ça vous rendra d'excellents services.

– Oui, je suis en train de l'apprendre.»

Il avala d'un trait le reste de son cognac. Il buvait pas mal, elle l'avait remarqué au cours de leurs quelques rencontres.

«Il nous faut vous rendre à Lyne», dit-il, en réclamant l'addition.

À la porte, ils se serrèrent la main. Eva affirma qu'elle pouvait facilement attraper un autobus pour rentrer. Elle pensa qu'il la regardait avec plus d'attention que d'habitude, et elle se souvint qu'elle avait défait ses cheveux – il ne m'a sans doute jamais vue avec mes cheveux longs, se dit-elle.

«Oui... Eva Delectorskaya», murmura-t-il l'air songeur et comme s'il avait d'autres choses en tête. «Qui l'aurait cru ?» Il tendit la main comme pour lui tapoter l'épaule mais se ravisa. «Tout le monde est très content. Très.» Il contempla le ciel avec ses gros nuages gris, plombés, menaçants. «La guerre est pour le mois prochain, dit-il sur le même ton neutre, ou le suivant. La grande guerre européenne.» Il se retourna et lui sourit. «On jouera notre petit rôle, ne vous en faites pas.

– Dans les Services Assurances et Comptabilité.

– Oui... Avez-vous jamais été en Belgique ? demanda-t-il tout à coup.

– Si. À Bruxelles, une fois. Pourquoi ?

– Je pense que ça pourrait vous plaire. 'voir, Eva.» Il lui adressa un geste d'adieu, mi-bras tendu mi-mouvement de la main, et partit d'un pas tranquille. Eva l'entendit siffloter. Elle tourna les talons et, pensive, gagna la gare des autobus.

Plus tard, assise dans la petite salle, en attendant d'embarquer pour Galashiels, elle se surprit à examiner les autres occupants en train de guetter aussi l'arrivée de leur bus – les hommes, les femmes, quelques enfants. Elle les examinait, les évaluait, les jaugeait, les situait. Et elle pensa : si seulement vous saviez, si seulement vous saviez qui je suis et ce que je fais. Puis elle faillit s'exclamer : oui, tout a vraiment changé ; elle regardait le monde autrement. Comme si les connexions dans son cerveau s'étaient modifiées, renouvelées. Et elle sut que son déjeuner avec Romer avait marqué à la fois la fin d'une étape et le début d'une autre. Elle voyait maintenant, avec une clarté presque pénible, que, pour l'espion, la planète et ses habitants étaient différents de ce qu'ils étaient pour les autres. Avec un petit tremblement d'inquiétude et, elle devait l'avouer, un rien d'exci-tation, elle se rendit compte que, dans cette salle d'attente de la gare d'autobus, elle jetait un regard d'espionne sur le monde. Elle songea à ce qu'avait dit Romer, à cette seule et unique loi : était-ce le sort particulier et unique de l'espion que de vivre dans un univers dénué de foi ? Elle se demanda si elle serait capable de faire de nouveau confiance à quiconque.

# 3

# Fini, à poil

Je me suis réveillée tôt, troublée et furieuse, après un rêve récurrent – le rêve dans lequel, morte, je regarde Jochen se débrouiller dans la vie sans moi, en général parfaitement et totalement heureux. J'ai commencé à avoir ce rêve quand il s'est mis à parler et j'en veux à mon subconscient de ramener de temps à autre à mon attention cette profonde inquiétude, cette névrose maladive. Pourquoi est-ce que je rêve de ma propre mort ? Je ne rêve jamais de la mort de Jochen, même si parfois j'y songe, rarement, juste une seconde ou deux avant de la bannir, choquée, de mon esprit. Je suis presque certaine qu'il en va ainsi pour nous tous à propos des gens qu'on aime – c'est le triste corollaire d'un véritable amour : on se retrouve obligé d'imaginer l'univers sans son bien-aimé et d'en contempler, une seconde ou deux, l'horreur et l'abomination. Un coup d'œil au travers de la fissure sur le vide, et le grand silence au-delà. Impossible de s'en empêcher – en tout cas, moi, je ne peux pas m'en empêcher et je me dis, avec un sentiment de culpabilité, que ce doit être le lot de tout un chacun, que c'est une réaction très humaine à la condition humaine. J'espère ne pas me tromper.

Je me suis levée et je suis allée à pas de loup dans sa chambre, pour voir si tout se passait bien. Il était assis dans son lit en train de faire des coloriages, une flopée de crayons gras ou autres autour de lui.

Je lui ai fait un câlin et je lui ai demandé ce qu'il dessinait.

« Un coucher de soleil, a-t-il répondu en me montrant la page éclatante d'orange et de jaune flamboyants, couronnés de pourpre et de gris meurtris.

– C'est un peu tristounet, ai-je remarqué, mon humeur encore affectée par mon rêve.

– Non, pas du tout, c'est supposé être très beau.

– Qu'est-ce que tu voudrais pour ton petit déjeuner ?

– Du bacon bien grillé, s'il te plaît. »


J'ai ouvert la porte à Hamid – il ne portait pas son nouveau blouson de cuir, mais simplement un jean et une chemise blanche à manches courtes, amidonnée, impeccable, le style pilote de ligne. En temps normal, je l'aurais charrié à ce propos, mais j'ai pensé qu'après mon *faux pas\** de la veille et le fait que Ludger se trouve dans la cuisine, derrière moi, il valait mieux que je me montre aimable.

« Hamid, salut ! Quelle belle matinée ! ai-je lancé la voix pleine d'un enthousiasme marqué.

– Le soleil brille de nouveau, a-t-il répliqué sur un ton monocorde.

– Absolument, absolument ! »

Je me suis retournée et l'ai fait entrer. Installé à la table de la cuisine, Ludger, en T-shirt et en short, se goinfrait de corn-flakes. Je devinais ce que Hamid pensait – son sourire forcé, sa raideur –, mais il n'y avait aucun moyen de lui expliquer la réalité de la situation en présence de Ludger, et j'ai donc opté pour de simples présentations.

« Hamid, voici Ludger, un ami allemand. Ludger, Hamid. »

Je ne les avais pas présentés la veille. J'étais descendue à la porte d'entrée, j'avais fait monter Ludger que j'avais parqué dans le salon avant de reprendre – non sans difficulté – la leçon de Hamid. Une fois ce dernier expédié, j'étais repartie voir Ludger : il était étalé, endormi, sur le canapé.

Pour l'heure, Ludger a levé le poing et lancé : « *Allaou akbar* !

– Vous vous souvenez de Ludger, suis-je intervenue gaiement. Il est arrivé hier au milieu de notre leçon. »

Le visage de Hamid n'a exprimé aucune réaction.

« Ravi de vous rencontrer, a-t-il dit.

– On y va ? ai-je suggéré.

– Oui, je vous en prie, après vous, Ruth. »

68

Je l'ai précédé dans le bureau. Il me paraissait très peu lui-même : solennel, angoissé presque. J'ai remarqué qu'il avait taillé sa barbe – ça le rajeunissait.

« Eh bien, ai-je dit, toujours sur le même ton faussement dégagé, en m'asseyant à mon bureau, je me demande ce que vont faire les Amberson aujourd'hui. »

Il n'a pas eu l'air de m'entendre et il a demandé : « Ce type, Ludger, est-il le père de Jochen ?

– Non, Seigneur Dieu, non ! Qu'est-ce qui vous a fait penser ça ? Non : c'est le frère du père de Jochen, le jeune frère de Karl-Heinz. Non, non, non, absolument pas ! » J'ai éclaté de rire, d'un rire nerveux de soulagement, me rendant compte que j'avais dit « non » six fois. Aucun reniement n'aurait pu être plus souligné.

Hamid a tenté, sans y réussir, de dissimuler sa joie devant cette nouvelle. Son sourire confinait à la stupidité.

« Ah bon ! Non j'ai cru que... » Il s'est tu, a tendu les deux mains en un geste d'excuse. « Pardonnez-moi, je n'aurais pas dû induire ainsi...

– Déduire.

– Déduire. Alors donc : il est l'oncle de Jochen. »

Stricte vérité, mais je devais admettre que je n'avais jamais pensé de cette manière à Ludger Kleist (il ne me paraissait pas avunculaire pour deux sous – assemblés, les mots « oncle » et « Ludger » avaient un côté antithétique à vous donner froid dans le dos). D'ailleurs, j'avais aussi présenté Ludger à Jochen comme « un ami venu d'Allemagne », et ils n'avaient pas eu le temps de faire mieux connaissance car j'avais dû emmener Jochen à une fête d'anniversaire. Ludger avait annoncé qu'il allait « dans un pub », et à son retour le soir Jochen était au lit. La révélation oncle-neveu devrait attendre.

Ludger pionçait sur un matelas et le plancher d'une pièce qu'on appelait la Salle à Manger, en l'honneur du seul et unique dîner que j'y avais donné depuis que nous avions emménagé. C'était en fait, et en théorie, la pièce dans laquelle je rédigeais ma thèse. Sur la table ovale s'empilaient livres, notes et brouillons de mes divers chapitres. Je m'autorisais à croire, envers et contre l'évidence

empoussiérée, que c'était là l'endroit où je travaillais – son existence même, sa désignation et son isolement semblaient donner un
peu, ou plus, de réalité à mes souhaits : c'était là que se déroulait ma
vie calme, universitaire, intellectuelle – mon vrai foutoir de vie
réelle et désorganisée occupant le reste de l'appart. La Salle à
Manger était ma discrète petite cellule d'effort mental. J'ai vite dis-
sipé l'illusion : nous avons poussé la table contre le mur ; puis étalé
le matelas gonflable de Ludger sur le tapis – c'était redevenu une
chambre d'amis, une chambre dans laquelle Ludger affirmait être à
l'aise.

« Si tu voyais où j'ai couché, a-t-il dit, en tirant d'un doigt vers
le bas sa paupière inférieure droite, comme pour illustrer un regard
de dragon. Merde, Ruth, ça c'est le Ritz ! » Et il a éclaté de son rire
aigu de dingue dont je me souvenais davantage que je ne l'aurais
voulu.

Hamid et moi nous nous sommes installés avec les Amberson.
Keith Amberson n'arrivait pas à faire démarrer sa voiture, et la
famille s'apprêtait à partir en vacances dans le Dorset à coups de tas
de verbes au conditionnel passé. J'entendais Ludger se balader dans
l'appartement.

« Ludger va-t-il rester longtemps ? » s'est enquis Hamid. À l'évidence, nous étions tous deux préoccupés par Ludger.

« Je ne crois pas, ai-je dit, me rendant compte qu'en fait je n'avais
pas encore posé la question à l'intéressé.

– Vous m'avez affirmé que vous le pensiez mort. Était-ce dans un
accident ? »

J'ai décidé de dire la vérité à Hamid : « On m'avait raconté qu'il
avait été descendu par la police ouest-allemande. Mais manifestement pas.

– Descendu par la police ? Est-il un gangster, un criminel ?

– Disons que c'est un gauchiste. Une sorte d'anarchiste.

– Alors, pourquoi habite-t-il ici ?

– Il s'en ira d'ici deux jours, ai-je menti.

– Est-ce à cause du père de Jochen ?

– Que de questions, Hamid !

– Je m'excuse.

– Oui. Je suppose que je lui permets de rester ici pendant deux jours parce qu'il est le frère du père de Jochen... Écoutez, on continue ? Keith réussira-t-il à réparer sa voiture ? *What should Keith have done* ?

– Êtes-vous encore amoureuse du père de Jochen ? »

J'ai jeté un regard ahuri à Hamid qui me fixait intensément de ses yeux bruns pleins de candeur. Il ne m'avait jamais encore posé pareilles questions.

« Non. Bien sûr que non. Je l'ai quitté il y a bientôt deux ans. C'est pour ça que j'ai ramené Jochen à Oxford. »

Il a souri, détendu. « Bien. Il fallait juste que je sache.

– Pourquoi donc ?

– Parce que je voudrais vous inviter à dîner avec moi. Dans un restaurant. »


Veronica a accepté de prendre Jochen chez elle pour la soirée et je suis partie pour Middle Ashton parler à ma mère. À mon arrivée, elle était à genoux dans le jardin en train de couper la pelouse avec des cisailles. Elle refusait les tondeuses, disait-elle ; elle abominait les tondeuses ; les tondeuses avaient marqué la mort du jardin à l'anglaise tel qu'il avait existé pendant des siècles. Capability Brown et Gilbert White[1] n'avaient aucun besoin de tondeuses : dans le véritable jardin à l'anglaise, les pelouses ne devaient être tondues que par les moutons ou bien à la faux – et vu qu'elle ne possédait pas de faux ni n'aurait su s'en servir, elle était parfaitement contente de se mettre à genoux une fois tous les quinze jours avec ses cisailles. La pelouse anglaise contemporaine était un affreux anachronisme – l'herbe rayée, rasée était une horrible invention moderne. Etc., etc. Je connaissais par cœur l'argumentation et ne me risquais jamais à tenter de la réfuter (elle était très contente, notais-je, d'utiliser son automobile pour aller faire ses courses, plutôt que d'acquérir une charrette à cheval comme ces bons vieux Gilbert et Capability l'auraient fait). Sa pelouse était par conséquent hirsute et mal entretenue, piquée de marguerites et autres

1. Célèbres jardiniers-paysagistes anglais du XVIIIᵉ siècle.

mauvaises herbes : c'était ainsi que devait être la pelouse d'un cottage, pontifiait-elle si on lui en donnait la moindre occasion.

« Comment va ton dos ? ai-je demandé en la contemplant à mes pieds.

– Un peu mieux aujourd'hui, quoique je pourrais bien te demander de me pousser jusqu'au pub un peu plus tard. »

Nous sommes allées nous asseoir dans la cuisine ; elle m'a versé un verre de vin et s'est servi un jus de pomme. Elle ne buvait pas, ma mère : je ne l'ai jamais vue siroter même un sherry.

« Fumons-nous une cigarette », a-t-elle suggéré. On en a donc allumé une chacune et nous avons échangé des banalités pendant un moment, retardant la grande conversation que nous ne manquerions pas d'avoir.

« On se sent plus relax, maintenant ? a-t-elle lancé. J'ai deviné que tu étais tendue. Pourquoi ne dis-tu pas ce qui se passe ? C'est Jochen ?

– Non, c'est toi, nom d'un chien. Toi et ton "Eva Delectorskaya". J'arrive pas à gober tout ça, Sal. Pense à ce que ça représente pour moi – tombant du ciel, sans même le moindre avertissement. Je m'inquiète. »

Elle a haussé les épaules. « Normal. C'est un choc, je sais. À ta place, je serais un peu troublée, c'est vrai, un peu dérangée. » Elle m'a regardée d'une manière étrange : froide, analytique, comme si elle venait de me rencontrer. « En réalité, tu ne me crois pas, non ? Tu penses que je déménage.

– Je te crois, bien sûr que je te crois ; comment pourrais-je ne pas te croire ? C'est simplement difficile à digérer, tout d'un coup. Tout devient si différent, tout ce que j'avais toujours pris pour sûr et certain dans ma vie, soudain évanoui en une seconde. » Je me suis tue, me lançant un défi, avant de lâcher : « Vas-y, dis-moi quelque chose en russe. »

Elle a parlé deux minutes en russe, de plus en plus furieuse, pointant son doigt sur moi, l'enfonçant dans ma poitrine.

J'ai été totalement surprise, déconcertée – on aurait dit une forme de possession, cette façon de s'exprimer en une autre langue. Ça m'a coupé le souffle.

« Bon Dieu ! me suis-je écriée, de quoi parlais-tu ?

– De la déception que je ressens à l'égard de ma fille. Ma fille qui est une jeune femme intelligente et tenace mais qui, si elle avait utilisé juste un peu de sa puissante cervelle pour réfléchir logiquement à ce que je lui ai raconté, aurait compris en trente secondes que jamais je n'aurais pu lui jouer un si méchant tour. Voilà. »

J'ai terminé mon vin, puis j'ai demandé :

« Alors, que s'est-il passé ensuite ? Es-tu allée en Belgique ? Pourquoi t'appelles-tu "Sally" Gilmartin ? Qu'est-il arrivé à mon grand-père, Serguei, et à sa femme, Irène ? »

Elle s'est levée, un rien triomphalement, à mon sens, et s'est dirigée vers la porte.

« Une chose à la fois. Tu découvriras tout. Tu auras toutes les réponses à chaque question que tu pourras te poser. Je veux juste que tu lises mon histoire avec soin – utilise ton intelligence. Ta puissante intelligence. J'aurai moi aussi des questions à te poser. Des tas de questions. Il y a des choses que même moi je ne suis pas certaine de comprendre… » Cette idée a paru la troubler : elle a froncé les sourcils et quitté la pièce. Je me suis versé un autre verre de vin, puis j'ai songé aux Alcootest – fais gaffe. Ma mère est revenue et m'a tendu un autre classeur.

J'ai éprouvé une certaine irritation. Je savais qu'elle agissait délibérément – me distillant son histoire par épisodes, comme un roman-feuilleton. Elle voulait me garder plongée dedans, faire durer les révélations de façon à ce que ça ne se termine pas par un seul et unique tremblement de terre émotionnel. Une série de petites secousses, voilà ce qu'elle recherchait – histoire de m'empêcher de m'endormir.

« Pourquoi ne me donnes-tu pas tout le foutu machin ? dis-je avec plus de mauvaise humeur que je n'aurais voulu.

– Je continue à l'arranger un peu, a-t-elle répliqué, pas troublée pour un sou. Je n'arrête pas de faire des petites modifications. Je veux que ça soit aussi bon que possible.

– Quand as-tu écrit tout ça ?

– Plus ou moins au cours des deux dernières années. Tu peux voir que je ne cesse d'ajouter, de rayer, de réécrire. Je tente de rendre la lecture claire. Je veux que ça paraisse cohérent. Tu peux le peigner si tu veux ; tu écris bien mieux que moi. »

Elle est venue vers moi et m'a pressé le bras – un geste de consolation, me suis-je dit avec une certaine émotion : ma mère n'étant pas très portée sur les contacts physiques, il était par conséquent difficile de déchiffrer la signification sous-jacente de ses rares gestes affectueux.

« Ne prends pas cet air perplexe, a-t-elle dit. Nous avons tous des secrets. Aussi proche ou intime qu'on soit, personne ne sait la moitié de la vérité à propos de qui que ce soit d'autre. Je suis sûre que tu as des secrets que tu ne me dis pas. Des centaines, des milliers. Regarde, toi, tu ne m'as même pas parlé de Jochen pendant des mois. » Elle m'a passé la main dans les cheveux – encore un geste très inhabituel. « C'est tout ce que je fais, Ruth, crois-moi. Je te dis simplement mes secrets. Tu comprendras pourquoi j'ai dû attendre jusqu'à maintenant.

– Est-ce que Papa savait ? »

Elle marqua un temps d'arrêt. « Non. Il n'a rien su. »

J'ai réfléchi un moment, en songeant à mes parents et à la manière dont je les avais toujours regardés. Efface-moi le tableau, me suis-je dit.

« Il n'a rien soupçonné ? Jamais ?

– Je ne crois pas. Nous étions très heureux, c'était tout ce qui importait.

– Alors pourquoi as-tu décidé de me raconter tout ça ? De me livrer tes secrets, tout à coup ? »

Elle a soupiré, jeté un coup d'œil autour d'elle, agité les mains sans but, les a passées dans ses cheveux avant de tapoter des doigts sur la table.

« Parce que, a-t-elle lâché enfin, parce que je crois que quelqu'un tente de me tuer. »


Je suis repartie chez moi, pensive, en conduisant avec lenteur et prudence. J'en savais un peu plus, je suppose, mais je m'inquiétais désormais de la paranoïa de ma mère plus que de ce qu'il me fallait accepter comme la vérité au sujet de son étrange passé. Sally Gilmartin était – et ça, il fallait que je m'y fasse – Eva Delectorskaya.

Mais, de même, pourquoi quelqu'un voudrait-il tuer une vieille dame de soixante-six ans, une grand-mère, vivant dans un village perdu de l'Oxfordshire ? Je pouvais à la limite vivre avec Eva Delector-skaya, mais je trouvais l'histoire du meurtre beaucoup plus difficile à avaler.

J'ai repris Jochen chez Veronica et nous sommes allés à pied jusqu'à Moreton Road en passant par Summertown. La nuit était lourde, humide, et les feuilles sur les arbres avaient un air fatigué et mou. Toute la chaleur d'un été en trois semaines, un été qui pourtant avait à peine commencé. Jochen s'est plaint d'avoir chaud, je lui ai ôté son T-shirt et nous avons regagné la maison, main dans la main, sans parler, chacun de nous perdu dans ses pensées.

Arrivé au portail, Jochen a demandé : « Ludger est encore là ?

– Oui. Il reste ici quelques jours.

– Est-ce que Ludger est mon papa ?

– Non ! Ciel, non. Absolument pas. Je te l'ai dit, ton père s'appelle Karl-Heinz. Ludger est son frère.

– Oh.

– Pourquoi as-tu cru qu'il l'était ?

– Il vient d'Allemagne. Je suis né en Allemagne, tu m'as dit.

– En effet. »

Je me suis accroupie et je l'ai regardé bien en face en lui prenant les deux mains.

« Ce n'est pas ton père. Je ne te mentirai jamais là-dessus, mon chéri. Je te dirai toujours la vérité. »

Il a paru content.

« Fais-moi un câlin », ai-je mendié. Il a passé ses bras autour de mon cou et il m'a embrassée sur la joue. Je l'ai soulevé et je l'ai porté le long de l'allée menant à notre escalier. Alors que je le posais sur le palier, j'ai vu, par la porte vitrée de la cuisine, Ludger émerger de la salle de bain et venir vers nous dans le couloir, en route pour la salle à manger. Il était nu.

« Reste ici », ai-je ordonné à Jochen, avant de me précipiter dans la cuisine pour intercepter Ludger en train d'essuyer ses cheveux avec une serviette tout en sifflotant, son pénis se balançant au rythme de ses gestes.

« Ludger !

– Oh ! Salut, Ruth, a-t-il dit, prenant son temps pour se couvrir.

– Ça ne te ferait rien, Ludger, de ne pas te balader ainsi ? S'il te plaît. Pas chez moi.

– Désolé. Je croyais que tu étais sortie.

– Des étudiants passent par cette porte à toute heure. Ils peuvent voir à l'intérieur. C'est une porte vitrée. »

Il m'a gratifiée de son sourire voyou. « Une jolie surprise pour eux. Mais toi, t'en fais pas.

– Si, je m'en fais. S'il te plaît, ne te balade pas ici à poil. » J'ai tourné les talons et suis repartie pour faire entrer Jochen.

« Pardonne-moi, Ruth, m'a crié Ludger sur un ton plaintif : il voyait à quel point j'étais fâchée. C'est parce que j'étais dans le porno. Je réfléchis jamais. Fini, à poil, promis. »

# L'histoire d'Eva Delectorskaya

## Belgique, 1939

Eva Delectorskaya se réveilla tôt, se souvint qu'elle était seule dans l'appartement et prit son temps pour se doucher et s'habiller. Elle se fit un café et l'emporta sur le petit balcon – un soleil annonciateur de pluie y brillait – d'où elle avait vue, au-delà de la ligne de chemin de fer, sur le parc Marie-Henriette, aux arbres largement dénudés à présent. À sa vague surprise, elle avisa un couple solitaire sur le lac, l'homme tirant de manière théâtrale sur les rames, comme s'il participait à une course, la femme s'agrippant au bord de la barque par peur de tomber à l'eau.

Elle décida d'aller à pied au bureau. Le soleil était toujours là et, bien qu'on fût en novembre, il y avait quelque chose de revigorant dans l'air froid et les ombres à angle aigu. Elle mit son chapeau, enfila son manteau et noua son écharpe autour du cou. Elle ferma à double tour l'appartement et plaça avec soin le petit carré de papier jaune sous le montant de la porte, de façon à ce qu'il soit à peine visible. À son retour, Sylvia le remplacerait par un carré bleu. Eva savait qu'on était en guerre mais, dans un Ostende endormi, de telles précautions semblaient friser l'absurde : qui, par exemple, risquait de cambrioler leur appartement? Néanmoins Romer exigeait que tout le monde dans l'unité soit « opérationnel », s'astreigne à de bonnes procédures et de bonnes habitudes qui deviennent une sorte de seconde nature.

Elle descendit la rue Leffinge et tourna à gauche, chaussée de Thourout, offrant son visage au soleil léger, refusant délibérément de penser à la journée qui l'attendait, essayant de prétendre qu'elle était une jeune femme belge, pareille à la jeune femme belge à côté d'elle dans la rue, une jeune femme belge se rendant à son travail, dans la petite ville d'un petit pays d'un monde ayant un certain sens.

Elle prit à droite de la tour de l'Horloge et traversa le square en direction du Café de Paris. Elle songea à s'arrêter un instant pour boire un expresso mais elle se rendit compte que Sylvia devait attendre impatiemment d'être relevée de sa nuit de permanence, et elle repartit à grands pas. Au dépôt des trams, elle remarqua sur les panneaux les affiches décolorées des courses de l'été précédent – le Grand Prix international d'Ostende 1939 –, étranges rappels d'un monde alors en paix. Elle tourna à gauche, après la poste, dans la rue d'Yser et aperçut aussitôt la nouvelle enseigne que Romer avait installée. Bleu royal sur jaune citron : AGENCE D'INFORMATION NADAL – ou, comme Romer préférait l'appeler : « L'usine à rumeurs ».

L'immeuble datait des années 1920. Un bloc rectiligne de deux étages, avec une *porte cochère** à colonnes, d'un style dépouillé et austère, un effet passablement saboté par la frise pseudo-égyptienne qui courait le long de la corniche du dernier étage. Peinte en rouge et blanc, la tour de transmission des communications se dressait, telle une mini-tour Eiffel, sur dix mètres au-dessus du toit. C'était elle, plutôt que toute prétention architecturale, qui faisait lever le nez deux fois au passant occasionnel.

Eva entra, fit un signe de tête à la réceptionniste et grimpa l'escalier menant au second étage. L'Agence d'information Nadal était une petite agence de presse, du menu fretin comparée à des géants tels que Reuters, Havas ou l'Associated Press, mais qui, au fond, faisait le même travail : c'est-à-dire vendre de l'information à divers clients mal équipés pour – ou incapables de – rassembler cette information eux-mêmes. A.I. Nadal servait cent trente-sept journaux et stations de radio locaux en Belgique, Hollande et dans le nord de la France, et en tirait un modeste mais régulier profit. Romer l'avait achetée en 1938 à son fondateur, Pierre-Henri Nadal, un vieux monsieur pimpant, cheveux blancs, chaussures deux tons, et canotier en été, qui, de temps à autre, passait au bureau pour s'enquérir des progrès de son enfant sous la tutelle de ses parents adoptifs. Romer avait gardé l'essentiel et pratiqué discrètement les modifications requises. La tour de la radio avait été réhaussée et sa puissance renforcée ; le personnel d'origine, une douzaine de journalistes belges, conservé mais parqué au premier étage où il continuait à trier et disséminer les nouvelles locales de ce petit coin de l'Europe du Nord – foires aux bestiaux, fêtes de villages, courses cyclistes, horaires des marées, cours de la Bourse de Bruxelles, etc. –, passant dûment la copie aux télégraphistes du rez-de-chaussée qui codaient le tout en morse et le transmettaient aux cent trente-sept abonnés de l'agence.

L'unité de Romer occupait le deuxième étage : une petite équipe de cinq membres qui consacraient leur temps à lire tout journal européen ou étranger intéressant, et qui, après consultation et discussion appropriées, inséraient, de temps en temps, une histoire à la Romer dans la masse des banalités diffusées depuis l'inoffensif immeuble de la rue d'Yser.

À part Romer et Eva, les autres membres de l'« unité Romer » étaient Morris Devereux (le numéro 2 de Romer), un élégant et suave ex-professeur de Cambridge ; Angus Wolf, un ancien journaliste de Fleet Street sévèrement handicapé par une déformation congénitale de la colonne vertébrale ; Sylvia Rhys-Meyer, avec qui Eva partageait son appartement, une femme approchant de la quarantaine, très enthousiaste, mariée et divorcée trois fois, linguiste et traductrice venue du Foreign Office ; et Alfie Blytheswood, qui n'avait rien à voir avec le matériau distribué par l'agence mais qui était responsable de l'entretien et du bon fonctionnement des puissants émetteurs et du radio-cryptage occasionnel. C'était là, comprit très vite Eva, le SAC au complet : l'unité de Romer était réduite et très soudée – à part elle, chacun semblait avoir travaillé pour son chef depuis plusieurs années, et Morris Devereux depuis plus longtemps encore.

Elle suspendit son manteau et son chapeau à la patère habituelle et se dirigea vers son bureau. Sylvia y était encore, en train de feuilleter les journaux suédois de la veille. Devant elle, le cendrier débordait de mégots.

« Une nuit très chargée ? »

Sylvia fit le gros dos pour simuler sa fatigue. Solide et carrée, poitrine abondante et hanches généreuses, tailleurs bien coupés et accessoires coûteux, elle avait l'air d'une provinciale distinguée et pleine de bon sens – l'épouse du médecin local ou d'un gentleman-farmer –, à ceci près que tout le reste à son propos contredisait ce jugement initial.

« Foutrement barbante, foutrement assommante et rasoir, barbante et foutrement assommante, assommante et foutrement barbante ! s'écria-t-elle en se levant pour céder sa place à Eva. Ah, oui, ajouta-t-elle, ton papier sur les marins morts a été repris partout. » Elle ouvrit le *Svenska Dagbladet* et montra une page. « C'est aussi dans le *Times* et *Paris-Soir*. Félicitations. Son Altesse sera très contente. »

Eva jeta un œil sur le texte suédois et reconnut certains mots. C'était une histoire qu'elle avait suggérée lors d'une réunion, quelques jours avant : vingt marins islandais rejetés sur la côte d'un fjord norvégien perdu, affirmant que leur bateau de pêche s'était aventuré dans des eaux abondamment minées au large du port de Narvik. Eva avait tout de suite vu que c'était le type d'histoire que Romer adorait. Une histoire qui avait déjà provoqué un démenti officiel du ministère de la Guerre britannique (les eaux territoriales norvé-giennes n'avaient pas été minées par des navires britanniques), mais, plus intéressant, comme disait Romer, c'était du renseignement vague : un bateau de pêche coulé par une mine – où ? – et c'était de l'information utile à l'ennemi. Tout autre futur démenti soit ne serait pas cru, soit viendrait trop tard – la nouvelle déjà répandue accom-plissant son venimeux travail. Les responsables du renseignement allemand, en étudiant les médias internationaux, noteraient la pré-tendue présence de mines au large de la côte norvégienne. L'info serait passée à la marine : on sortirait des cartes, on les corrigerait, on les modifierait. C'était, par essence, l'illustration idéale de la manière dont étaient supposées fonctionner l'unité de Romer et l'A.I. Nadal. L'information n'était pas neutre, ne cessait de répéter Romer : si elle était crue, ou même à moitié crue, alors tout commençait à changer subtilement – l'effet de ricochet pouvait avoir des conséquences impossibles à prévoir. Eva avait déjà connu de petits succès au cours des quatre mois passés à Ostende – des histoires de projets de ponts imaginaires, de renforcements des défenses anti-inondations hollan-daises, de trains déroutés dans le nord de la France à cause de nouvelles manœuvres militaires –, mais c'était la première fois que la presse internationale reprenait une de ses inventions. L'idée de Romer, comme toutes les bonnes idées, était fort simple : de la fausse info peut être aussi utile, influente, efficace ou dommageable que de la vraie. Dans un monde où l'A.I. Nadal fournissait 137 organes de presse, 24 heures sur 24, 365 jours par an, comment pouvait-on distinguer ce qui était vrai de ce qui n'était que le produit d'un esprit malin, retors et déterminé ?

Eva s'installa sur la chaise encore chaude du généreux postérieur de Sylvia et s'attaqua à une pile de journaux russes et français. Elle supposait qu'une autorité dans le service des renseignements britanniques avait perçu le mérite de l'idée de Romer et que cela expliquait l'étrange autonomie dont il paraissait jouir. C'était sans doute le contribuable anglais qui avait acheté l'Agence d'information Nadal (assurant du même coup une très confortable retraite à Pierre-Henri Nadal) et qui finançait à présent son développement comme faisant partie de son ministère de la Guerre. Romer et son « unité » avaient pour rôle de répandre dans le monde de l'information intelligente, minutieuse et fausse – ceci par le truchement *bona fide* d'une petite agence de presse belge – et personne ne savait vraiment l'effet qui pourrait en résulter. Personne ne pouvait dire si le haut commandement allemand en tenait compte, mais l'unité mettait toujours au nombre des succès que leurs dépêches soient reprises (et payées) par d'autres journaux et radios. Cependant, Romer semblait vouloir que ces histoires se conforment à une sorte de plan dont lui seul avait la clé. Au cours d'une réunion, il exigeait parfois des articles au sujet de rumeurs sur la démission possible de tel ou tel ministre, ou de scandales affectant tel ou tel gouvernement ; ou bien il décrétait tout à coup : il nous faut quelque chose sur la neutralité espagnole ; ou encore : trouvez-moi immédiatement des statistiques sur l'augmentation de la production de tôle dans les fonderies françaises. Les mensonges devaient être fabriqués avec toute la minutie de la vérité. La vraisemblance instantanée était le souci principal – et l'unité travaillait dur à la fournir. Mais l'ensemble demeurait vague avec – ainsi qu'Eva le pressentait – un côté jeu de société. Les membres de l'équipe restaient dans l'ignorance des conséquences de leurs astucieuses petites blagues : comme s'ils étaient les exécutants d'un orchestre, séquestrés dans des salles insonorisées, et que seul Romer pût entendre les harmonies du morceau qu'ils jouaient.

Sylvia revint vers le bureau, avec son manteau sur le dos et, enfoncé jusqu'aux yeux, un élégant bibi en feutre orné d'une plume.

« Dîner à la maison, ce soir ? dit-elle. On se fait un steak avec un coup de rouge.

– Peur que non ! » lança une voix d'homme.

Elles se retournèrent toutes les deux vers Morris Devereux qui venait d'entrer. Jeune homme mince, à l'humour caustique et aux traits anguleux, il avait des cheveux prématurément gris qu'il lissait en arrière. Il prenait grand soin de ses vêtements : aujourd'hui, il portait un costume bleu marine et un nœud papillon bleu ciel. Parfois il arborait des chemises rouge vif.

« On part pour Bruxelles, annonça-t-il à Eva. Conférence de presse, ministère des Affaires étrangères.

– Et je fais quoi de tout ça ? répliqua Eva en montrant sa pile de journaux.

– Vous pouvez vous détendre, affirma Morris. Vos marins morts ont été repris par l'Associated Press. Joli chèque pour nous et demain vous serez dans toute l'Amérique. »

Sylvia grommela, lança un au revoir et partit. Morris alla chercher le manteau et le chapeau d'Eva.

« On dispose de la voiture du maître, dit-il. Il a été appelé à Londres. Je crois qu'on a un bon déjeuner en perspective. »


Ils prirent la direction de Bruxelles, traversèrent Bruges sans délai mais, à Gand, furent contraints à un détour par des routes secondaires jusqu'à Audenarde, leur chemin étant bloqué par un convoi militaire, des camions remplis de soldats, des petits tanks sur des semi-remorques et, chose étrange, par ce qui ressemblait à une division de cavalerie au complet, chevaux et cavaliers tournant en rond sur la route et les bas-côtés comme s'ils se préparaient à avancer sur un champ de bataille du XIX$^e$ siècle.

À Bruxelles, ils laissèrent la voiture près de la gare du Nord et, comme ils étaient en retard pour déjeuner, ils se rendirent directement en taxi rue Grétry, au Filet de Bœuf, le restaurant où Morris avait déjà retenu une table. La conférence de presse avait lieu à l'hôtel de ville, à 15 h 30. Ils avaient tout le temps, pensait Morris, encore qu'il leur faudrait peut-être se passer de dessert.

On leur montra leur table et ils commandèrent un apéritif tout en étudiant le menu. Eva regarda les autres clients autour d'elle : hommes d'affaires, avocats, politiciens – mangeant, fumant, buvant, bavardant, tandis que les vieux serveurs se déplaçaient l'air important avec les commandes – et elle se rendit compte qu'elle était la seule femme dans la salle. C'était un mercredi : peut-être les femmes belges ne fréquentaient-elles les restaurants que le week-end, suggéra-t-elle à Morris qui appelait le sommelier.

« Qui sait ? Mais votre éclatante féminité fait plus que compenser la prépondérance des mâles, ma chère. »

Elle se décida pour du museau de porc et du turbot.

« C'est très étrange, cette guerre, dit-elle. J'ai du mal à me rappeler qu'elle existe.

– Ah, mais nous sommes dans un pays neutre, répliqua Morris. Ne l'oubliez pas.

– Que fait Romer à Londres ?

– Ce n'est pas à nous d'en trouver la raison. Sans doute s'entretient-il avec Mr X.

– Qui est Mr X ?

– Mr X est le… comment dirais-je ? Le Richelieu de Romer. Un homme très puissant qui permet à Lucas Romer de faire à peu près tout ce qu'il veut. »

Eva regarda Morris découper son foie gras en de jolis petits cubes. « Pourquoi l'agence ne se trouve-t-elle pas à Bruxelles ? Pourquoi sommes-nous à Ostende ?

– Parce qu'il nous sera plus facile de nous enfuir quand les Allemands envahiront le pays.

– Ah oui ? Et c'est pour quand ?

– Au printemps prochain, selon le boss. Il ne veut pas être coincé à Bruxelles. »

LA VIE AUX AGUETS

On leur apporta leurs plats principaux avec une bouteille de bordeaux. Morris procéda avec assurance au rituel : sentir le vin, tendre le verre vers la lumière, goûter une gorgée en la faisant rouler dans la bouche.

« On mangerait et on boirait mieux à Bruxelles, déclara Eva. En tout cas, pourquoi suis-je de ce voyage ? C'est vous l'expert ès Belgique.

– Romer a insisté. Vous avez votre carte d'identité sur vous, j'espère ? »

Elle l'assura que oui et ils poursuivirent leur déjeuner, tout en parlant de leurs collègues, des inconvénients de la vie à Ostende, mais Eva se surprit à se demander, et pas pour la première fois, quel petit rôle elle jouait dans le grand plan invisible dont seul Romer comprenait vraiment l'ensemble. Son recrutement, sa formation, son poste, tout semblait indiquer une forme de progression logique – mais elle était incapable de deviner où cela la menait. Elle n'arrivait pas à discerner le rouage Eva Delectorskaya dans la grande machine – elle n'arrivait même pas à imaginer la grande machine. Ce n'est pas à nous d'en trouver la raison, avait affirmé Morris, et, tout en goûtant un morceau de turbot – délicieux –, elle concéda avec regret qu'il n'avait pas tort. C'était un plaisir que d'être à Bruxelles, loin des journaux français et russes, et de déjeuner avec un jeune homme amusant et cultivé – ne secoue pas le bateau à chercher des réponses, ne fais pas de vagues.

La conférence de presse fut tenue par un secrétaire d'État chargé de définir la position du gouvernement belge à l'égard de la récente invasion de la Finlande par la Russie. Le nom et les particularités d'Eva furent enregistrés à l'entrée, et Morris et elle se joignirent à quarante autres journalistes ; elle écouta le discours du ministre une minute ou deux avant que son esprit ne se mette à vagabonder. Elle songea soudain à son père qu'elle avait vu pour la dernière fois à Paris quelques jours en août alors qu'elle était en congé, à la veille de partir pour Ostende. Il lui avait paru bien plus frêle, plus maigre, les tendons sous son menton plus prononcés, et elle avait noté que ses deux mains tremblaient au repos. Le tic le plus dérangeant était sa manie permanente de se lécher les lèvres. Avait-il soif ? Non, pas du tout, pourquoi ?, avait-il répondu à la question d'Eva. Peut-être s'agissait-il d'un effet secondaire des médicaments qu'il prenait pour stimuler son cœur, mais elle ne pouvait plus se mentir : son père était embarqué dans une forme lente de déclin fatal – la vieillesse vaillante était derrière lui, il abordait désormais la difficile bataille de ses derniers jours sur terre. Il avait pris dix ans en quelques mois d'absence.

Irène n'avait montré que froideur et indifférence à l'égard de la nouvelle vie d'Eva en Angleterre et, questionnée sur la santé de son époux, elle avait répliqué qu'il allait très bien merci, tous les médecins étaient très contents. Son père l'ayant alors interrogée sur son job, Eva avait expliqué qu'elle travaillait dans les « signaux » et qu'elle était maintenant une spécialiste du morse. « Qui l'aurait cru ? » s'était-il exclamé, retrouvant un instant un peu de sa vigueur passée. Puis sa main tremblante agrippée au bras de sa fille, il avait ajouté, à voix basse pour qu'Irène n'entende pas : « Tu as fait le bon choix, ma chérie. Bravo. »

Morris lui tapota le coude, la sortant de sa rêverie, et lui passa un bout de papier. C'était une question en français. Elle regarda la feuille sans comprendre.

« Romer veut que vous la posiez, dit Morris.

– Pourquoi ?

– Je pense qu'elle est censée nous conférer une certaine respectabilité. »

Par conséquent, lorsque, à la fin du laïus du secrétaire d'État, le modérateur de la conférence de presse invita à poser des questions, Eva en laissa passer quatre ou cinq avant de lever la main. Elle fut repérée, désignée – « *La demoiselle, là-bas** » – et se leva.

« Eve Dalton, annonça-t-elle. Agence d'information Nadal. » Elle vit le modérateur noter son nom dans un registre puis lui faire signe de poser sa question – elle n'avait pas vraiment idée de son importance – quelque chose concernant un parti mineur, le Vlaamsch Nationaal Verbond, et sa politique de « *la neutralité rigoureuse** ». Ce qui causa une certaine consternation : la réponse du ministre fut brusque et dédaigneuse, mais Eva remarqua qu'une demi-douzaine de mains se levaient pour des questions complémentaires. Elle se rassit et Morris lui adressa en douce un sourire de félicitations. Cinq minutes plus tard, il lui indiqua qu'ils devaient partir ; ils sortirent discrètement par une porte latérale et, sous un crachin oblique, traversèrent au petit trot la Grand-Place en direction d'un café. Ils s'installèrent à l'intérieur, fumèrent une cigarette, burent du thé, tout en contemplant par la vitre les hautes façades ornées des bâtiments autour de la vaste place, dont il émanait encore, à travers les siècles, un air de prospérité et d'assurance absolue. La pluie redoublait, et les fleuristes remballaient leurs étals, quand ils prirent un taxi pour la gare avant de regagner Ostende en voiture sans délai ni détour.

Ils ne rencontrèrent pas de convois militaires à Gand, et ils allèrent vite, atteignant Ostende à sept heures du soir. En chemin, ils bavardèrent un peu mais prudemment – comme le faisaient tous les employés de Romer, ainsi qu'Eva l'avait désormais compris. Certes, ils partageaient un sentiment de solidarité, celui d'appartenir à une petite unité d'élite – cela était indéniable –, mais ce n'était en vérité qu'un vernis : personne ne se montrait jamais vraiment ouvert ou candide ; ils essayaient tous de limiter leurs conversations à des observations frivoles, des généralités banales, sans jamais livrer de dates ou de lieux précis de leur passé, de leur vie avant Romer.

« Votre français est excellent, lui dit Morris. De première classe.

– Oui, répliqua Eva. J'ai vécu un certain temps à Paris. »

À son tour, elle demanda à Morris depuis quand il connaissait Romer. « Oh, pas mal d'années », se contenta-t-il de répondre, et elle devina au ton de sa voix que non seulement elle aurait tort de réclamer une réponse plus précise, mais que cela aurait un côté suspect. Morris l'appelait « Eve », et elle songea soudain que peut-être « Morris Devereux » n'était pas plus son vrai nom que « Eve Dalton » était le sien. Alors qu'ils approchaient de la côte, elle jeta un coup d'œil sur le beau visage de son compagnon, dont les lumières du tableau de bord éclairaient les traits fins, et elle éprouva, comme souvent déjà, un pincement de regret quant à ce curieux travail qu'ils accomplissaient et qui, malgré un même but, réussissait surtout à les maintenir divisés et solitaires.

Morris la déposa à l'appartement ; elle lui souhaita le bonsoir et grimpa l'escalier jusqu'à son étage. Elle repéra le bout de carton bleu dépassant juste de dessous la porte, mit la clé dans la serrure et s'apprêtait à la tourner quand le battant s'ouvrit de l'intérieur. Romer apparut, arborant un sourire du genre glacial. Debout dans le hall derrière lui, Sylvia faisait de vagues gestes affolés qu'Eva fut incapable de déchiffrer.

« Vous n'êtes pas en avance, lança-t-il. Vous n'avez pas pris la voiture ?

– Mais si, répliqua Eva en se dirigeant vers le petit salon. Il pleuvait sur le chemin du retour. Je croyais que vous étiez censé être à Londres.

– J'y étais. Et ce que j'y ai appris m'a ramené immédiatement ici. L'avion, quelle merveilleuse invention. » Il alla près de la fenêtre où il avait laissé son bagage.

« Il est là depuis deux heures », chuchota Sylvia, avec une grimace, pendant que Romer s'accroupissait pour fouiller dans sa valise puis la refermait avec une courroie. Il se releva.

« Préparez votre nécessaire de voyage, dit-il. Vous et moi partons pour la Hollande. »


Prenslo était un petit village quelconque sur la frontière entre la Hollande et l'Allemagne. Eva et Romer trouvèrent le voyage étonnamment pénible et fatigant. Ils prirent un train d'Ostende à Bruxelles où ils en attrapèrent un autre pour La Haye. À la grande gare de La Haye, un type de l'ambassade d'Angleterre les attendait avec une voiture dont Romer prit le volant pour gagner la frontière allemande. Mais, au moment de quitter la grand-route pour couper sur Prenslo, il se perdit à deux reprises et ils passèrent plus d'une demi-heure à revenir sur leurs pas avant de retrouver leur chemin. Ils arrivèrent à destination vers quatre heures du matin pour découvrir que l'hôtel où Romer avait retenu leurs chambres – l'Hôtel Willems – était fermé à double tour et complètement plongé dans le noir, sans personne pour répondre à leurs coups de sonnette, leurs appels et grand tapage. Ils s'installèrent donc dans la voiture sur le parking jusqu'à sept heures, quand enfin un gamin endormi vint en robe de chambre ouvrir la porte de l'hôtel où ils furent admis de mauvaise grâce.

À dessein, Eva n'avait que peu parlé durant le trajet. Romer lui paraissait plus absorbé et taciturne que d'habitude et son comportement l'agaçait – lui donnant l'impression que, gâtée, chouchoutée, elle aurait dû s'estimer extrêmement privilégiée de participer à cette mystérieuse expédition nocturne avec le « boss ». Mais l'attente de trois heures devant l'Hôtel Willems et leur promiscuité forcée avaient un peu détendu Romer qui lui expliqua plus en détail ce qu'ils faisaient à Prenslo.

Lors de son bref séjour à Londres, Romer avait appris qu'une mission du SIS, le service secret, devait avoir lieu le lendemain à Prenslo. Un général allemand appartenant au haut commandement de la Wehrmacht désirait sonder la position et la réaction des Anglais en cas de coup d'État contre Hitler. Il n'était pas question, apparemment, de déposer Hitler – il garderait son rôle de chancelier – mais de le faire passer sous le contrôle absolu des généraux mutins. Après plusieurs rencontres préliminaires – destinées à vérifier la sécurité et d'autres détails –, une unité des services de renseignements britanniques, basée à La Haye, avait organisé cette première réunion avec le général lui-même dans un café de Prenslo. Prenslo avait été choisi à cause de la facilité avec laquelle le général et ses collaborateurs pouvaient traverser la frontière dans les deux sens sans être remarqués. Le café choisi se trouvait à moins de cent mètres.

Eva écouta tout cela avec attention – et trois douzaines de questions se bousculant dans sa tête. Elle savait qu'elle n'aurait sans doute pas dû les poser, mais, à la fois fatiguée et perplexe, elle s'en moquait.

« Pourquoi avez-vous besoin de moi dans cette affaire ? demanda-t-elle.

– Parce que les hommes du SIS me connaissent. L'un d'eux est le chef de la station en Hollande ; je l'ai rencontré à cinq ou six reprises. » Romer s'étira, son coude allant cogner l'épaule d'Eva. « Pardon. Vous serez mes yeux et mes oreilles, Eva. J'ai besoin de savoir exactement ce qui se passe. » Il sourit d'un air las, obligé d'expliquer : « Ça paraîtrait très bizarre à ce type s'il me surprenait à fouiner par là. »

Une autre question s'imposait : « Mais pourquoi fouinons-nous par là ? N'appartenons-nous pas tous aux services secrets, en fin de compte ? » Elle trouvait toute l'affaire vaguement ridicule ; à l'évidence, le résultat d'une bagarre entre services – ce qui signifiait qu'elle était en train de perdre son temps, assise dans une voiture garée dans un patelin perdu au milieu de nulle part.

Romer suggéra un tour de parking, histoire de se dégourdir les jambes. Il alluma une cigarette, sans en offrir à Eva, et ils accomplirent un circuit entier avant de regagner leur véhicule.

« Nous ne sommes pas vraiment SIS, pour être précis. Mon unité – les SAC – fait officiellement partie du GC & GS, l'École des chiffres et codes gouvernementaux, dit-il. Mais nous avons un… un rôle passablement différent à jouer.

– Bien que nous soyons tous du même côté.

– Essayez-vous de faire la maligne ? »

Ils demeurèrent silencieux un moment avant qu'il ne reprenne la parole : « Vous avez vu les histoires que nous avons répandues par le canal de l'agence sur le mécontentement dans les hauts rangs de l'armée allemande. »

Eva acquiesça : elle se rappelait des brèves au sujet des menaces de démission d'un officier de haut rang ou d'un autre ; des démentis que cet officier de haut rang ou un autre eût été nommé à un poste en province, etc.

« Je pense, poursuivit Romer, que cette rencontre à Prenslo est le résultat des rumeurs lancées par notre agence. Il est normal que je souhaite voir ce qui va se passer. J'aurais dû être informé dès le début. » D'un geste marquant son irritation, il lança sa cigarette dans les buissons, un peu imprudemment, pensa Eva avant de se rappeler que, à cette époque de l'année, les arbustes seraient humides et pas très combustibles. Romer était en colère, comprit-elle, quelqu'un allait lui voler son dû.

« Le SIS sait-il que nous sommes ici ?

– Je suppose et j'espère bien que non.

– Je ne comprends pas.

– Tant mieux. »

Dès que le gamin endormi leur eut montré leurs chambres, Eva fut appelée dans celle de Romer qui était située au dernier étage et jouissait d'une bonne vue sur la seule rue importante de Prenslo. Romer lui tendit une paire de jumelles et lui désigna les points vitaux du panorama : la frontière allemande avec sa barrière rayée noire et blanche ; la ligne de chemin de fer ; et, là-bas, à cent mètres en arrière, le poste de douane hollandais, occupé seulement en été. En face, se trouvait le café, le Café Backus, un grand bâtiment moderne à un étage, avec deux pompes à essence et une véranda vitrée pourvue de bannes aux rayures caractéristiques chocolat et orange. Une haie et quelques arbustes avec tuteur venaient d'être plantés autour de la cour tapissée de gravier ; derrière le café s'étendait un vaste parking non pavé, avec balançoires et bascule sur un côté, et, au-delà, une pinède dans laquelle s'enfonçait et disparaissait la ligne de chemin de fer. Le Café Backus marquait effectivement la limite de Prenslo avant le commencement de l'Allemagne. Le reste du village s'étalait derrière lui : des maisons et des boutiques, un bureau de poste, une petite mairie avec une grande horloge et, bien entendu, l'Hôtel Willems.

« Je veux que vous alliez au café prendre votre petit déjeuner, dit Romer. Parlez français. Si vous devez parler anglais, faites-le mal, avec un fort accent. Demandez si vous pouvez réserver une chambre pour la nuit, ou autre chose. Reniflez un peu l'endroit, traînez-y, furetez – dites que vous reviendrez pour le déjeuner. Observez bien et venez me faire votre rapport d'ici une heure. »

En examinant Prenslo à travers les jumelles de Romer, Eva avait éprouvé un peu de fatigue – après tout, depuis vingt-quatre heures, elle n'avait pas chômé – mais maintenant, en descendant la grand-rue en direction du Café Backus, elle sentait soudain l'adrénaline envahir son corps tendu. Elle regarda autour d'elle, remarquant les gens dans la rue, un camion rempli de bidons de lait, une file d'écoliers en uniforme vert vif. Elle poussa la porte du Café Backus.

Elle commanda son petit déjeuner – café, deux œufs coque, pain et jambon – et le prit seule dans la grande salle à manger du rez-de-chaussée qui donnait sur la terrasse vitrée. La jeune serveuse ne parlait pas le français. Eva entendait un bruit d'assiettes et de conversation venant de la cuisine. Puis deux jeunes gens entrèrent par une porte latérale à deux battants et sortirent dans l'avant-cour. L'un d'eux était chauve et l'autre avait les cheveux coupés très courts en brosse, façon militaire. Ils portaient costume et cravate. Ils s'attardèrent un moment près des pompes à essence pour observer la barrière du poste des douanes au bout de la rue. Puis ils rentrèrent, jetant un vague coup d'œil à Eva à qui la serveuse reversait du café. La porte à deux battants se referma derrière eux.

Eva demanda à voir une chambre, mais on lui répondit qu'on n'en louait que pendant l'été. Elle s'enquit de l'emplacement des toilettes et, se trompant exprès, poussa la double porte. Laquelle s'ouvrit sur une large salle de conférence avec des tables disposées en carré. Installé sur une chaise, le jeune chauve, tout en angles vifs, coudes et genoux protubérants, examinait quelque chose sur la semelle de sa chaussure; l'autre type pratiquait son service de tennis avec une raquette invisible. Ils se retournèrent lentement et Eva sortit à reculons. La serveuse lui indiqua du doigt la bonne direction et Eva prit aussitôt le couloir menant aux toilettes.

Une fois à l'intérieur, elle souleva le loquet et ouvrit en forçant la petite fenêtre en verre dépoli; elle découvrit une vue sur le parking non pavé, les balançoires, la bascule et la pinède au fond. Elle ferma la fenêtre sans remettre le loquet.

Elle retourna à l'Hôtel Willems et décrivit à Romer les deux hommes et la salle de conférence. Je n'ai pas pu déterminer leur nationalité, dit-elle, je ne les ai pas entendus parler – des Allemands ou des Hollandais peut-être, sûrement pas des Anglais. Pendant son absence, Romer avait donné quelques coups de fil : la réunion avec le général était prévue pour ce jour même à 14 h 30. Il y aurait aussi un officier des Renseignements hollandais en plus des deux agents britanniques – il s'appelait le lieutenant Joos, il attendait qu'Eva prenne contact avec lui. Romer lui tendit une feuille de papier sur laquelle figuraient les deux mots de passe, puis il la lui reprit et la déchira.

« Pourquoi dois-je entrer en contact avec le lieutenant Joos ?

– Pour qu'il sache que vous êtes de son côté.

– Est-ce que ce sera dangereux ?

– Vous vous serez trouvée dans le café quelques heures avant lui. Vous pourrez lui signaler tout ce que vous aurez pu voir de suspect. Il vient à ce rendez-vous à froid ; ils sont très contents de savoir que vous avez déjà reconnu les lieux.

– D'accord.

– Il est possible qu'il ne vous demande rien. Ils m'ont l'air très détendus au sujet de toute cette histoire. Mais observez, observez tout de très près, et puis revenez me faire un rapport détaillé. » Romer bâilla. « Je vais dormir un peu maintenant si ça ne vous fait rien. »

Eva tenta de somnoler elle aussi, mais son cerveau fonctionnait trop énergiquement. Elle se sentait en proie à une excitation étrange : tout ceci était nouveau, mieux encore, tout ceci était vrai – des agents hollandais et britanniques, une conspiration avec un général allemand –, on était loin de l'exercice constituant à semer une filature dans Princes Street.

À treize heures, elle repartit dans la grand-rue de Prenslo vers le Café Backus où elle s'installa pour déjeuner. Trois couples âgés étaient déjà sur la terrasse vitrée, leurs repas largement entamés. Eva s'assit au fond, face à la porte à deux battants et, bien qu'elle n'eût pas la moindre faim, commanda le menu en entier. Le café s'anima davantage : des voitures s'arrêtaient pour faire le plein et, dans le reflet de la vitre, Eva voyait la barrière noire et blanche de la frontière se lever et s'abaisser pour laisser circuler voitures et camions. Aucun signe des deux jeunes gens, mais, en se rendant aux toilettes, elle remarqua une Mercedes noire garée derrière le café, près des balançoires et de la bascule.

Puis, juste avant le dessert, un jeune homme de haute taille, au front dégarni, vêtu d'un costume sombre très cintré, entra dans le café et, après avoir parlé au maître d'hôtel, poussa la double porte menant à la salle de réunion. Eva se demanda s'il s'agissait du lieutenant Joos. Il ne lui avait même pas jeté un coup d'œil en passant.

Quelques instants après, deux autres hommes arrivèrent ; les agents anglais, devina aussitôt Eva. L'un corpulent, en blazer, l'autre, fringant, petite moustache et costume de tweed. Joos sortit alors de la pièce pour leur parler : à l'évidence, la consternation et l'irritation régnaient et on consultait beaucoup les montres. Joos entra dans la salle de conférence et en ressortit avec le jeune chauve ; une brève conversation s'ensuivit et les deux Anglais raccompagnèrent le jeune chauve dans la salle de réunion. Joos resta à attendre devant la porte tel un majordome ou le videur d'une boîte de nuit.

À présent, un seul couple demeurait sur la terrasse, finissant son repas : la femme ramassait à la petite cuillère dans le fond de sa tasse le mélange de marc de café et de sucre, le mari fumait un petit cigare avec le plaisir théâtral réservé en général à un grand. Eva s'approcha de Joos avec une cigarette non allumée et dit, en anglais ainsi que prévu : « Fumez-vous, puis-je vous demander du feu ? » Comme prévu, Joos lui répondit : « Bien sûr que je fume. » Sur quoi, il lui alluma dûment sa cigarette avec son briquet. C'était un homme plutôt beau, mince, avec un nez droit et fin, sa séduction gâtée par un strabisme de l'œil gauche : il semblait fixer Eva par-dessus sa tête. Ensuite Eva lui demanda : « Savez-vous où je pourrais acheter des cigarettes françaises ? » Joos réfléchit un instant avant de répliquer : « Amsterdam. » Eva sourit, haussa les épaules et retourna à sa table. Elle régla son addition aussi vite que possible et gagna les toilettes pour dames. Elle ouvrit le vasistas en grand, monta sur la cuvette des WC et se glissa dehors. Son talon s'accrocha au loquet et elle atterrit de travers. Elle se releva, se brossa, puis vit deux voitures débouler à toute allure du côté allemand et les entendit s'arrêter dans un grand jet de gravier devant le café. Elle contourna le bâtiment et arriva juste à temps pour voir une demi-douzaine d'hommes se ruer à l'intérieur.

Elle traversa en vitesse le parking, dépassa les balançoires et la bascule et se posta à la frange de la pinède. Au bout d'une minute, peut-être moins, une porte à l'arrière du café s'ouvrit et Eva vit les deux agents anglais, flanqués d'un homme de chaque côté, être emmenés *manu militari* vers la Mercedes. Tout à coup, Joos sortit en courant du café par la porte avant. Il y eut une série de craquements sourds et abrupts, comme des branches se fendant – il avait un revolver à la main. Les Anglais et leurs gardes s'aplatirent pour s'abriter derrière la voiture. Une des balles de Joos frappa le pare-brise qui vola en petits éclats.

93

Joos courait vers la pinède, pas directement sur Eva, mais à sa droite. À présent, les gardes, debout, pistolets sortis, tiraient sur Joos. Deux autres types surgirent du café et se lancèrent à sa poursuite, tout en tirant aussi. Joos courait vite, aussi agile qu'un gamin, même dans son costume trop étroit, et il était presque arrivé à l'abri des pins quand il parut trébucher, vaciller un peu, ses deux poursuivants lui tirèrent de nouveau dessus, de plus près – Pan ! Pan ! Pan ! –, il tomba mollement sur le sol et ne bougea plus. Les hommes le prirent par les bras et le traînèrent en arrière vers la voiture. Les deux Anglais furent poussés à l'intérieur et le corps de Joos jeté par-dessus. La voiture démarra, quitta le parking et fit vivement le tour du café, les autres types la suivaient au petit trot tout en rengainant leurs armes sous leurs vestes.

Eva vit la barrière noire et blanche de la frontière se soulever, laissant la première puis les deux autres voitures gagner l'Allemagne et la sécurité.

Elle resta derrière son arbre pendant un moment, faisant le vide dans son esprit ainsi qu'on le lui avait appris : nul besoin de bouger, il valait mieux réfléchir plutôt que de se lancer dans n'importe quoi de brusque ou d'audacieux. Elle récapitula les détails de ce qu'elle avait vu, revenant sur la séquence des événements, s'assurant qu'elle les avait enregistrés correctement, se rappelant exactement les mots échangés avec le lieutenant Joos.

Elle découvrit un sentier à travers bois et s'y engagea sans hâte, jusqu'à ce qu'elle trouve une piste forestière qui finit par la mener à une route goudronnée. Selon le premier poteau indicateur qu'elle rencontra, elle était à deux kilomètres de Prenslo. Elle parcourut lentement la route jusqu'au village, l'esprit rempli d'interprétations bruyantes et contradictoires de tout ce dont elle avait été témoin. À son arrivée à l'Hôtel Willems, on l'informa que l'autre monsieur était déjà parti.

# 4

# Le fusil de chasse

Bérangère a appelé ce matin pour dire qu'elle avait un méchant rhume et demander à annuler la leçon. J'ai aussitôt accepté, avec bienveillance et un plaisir secret (dans la mesure où je savais que je serais quand même payée), et décidé de profiter de ces deux heures de liberté. J'ai pris l'autobus pour le centre-ville. À Turl Street, j'ai franchi la petite porte de mon College et j'ai passé deux minutes à lire les avis et affiches punaisés sur le grand tableau sous la voûte de l'entrée avant de pénétrer dans la loge du portier pour voir si mon casier contenait quoi que ce fût d'intéressant. S'y trouvaient les prospectus habituels, des invitations à la « sherry party » de la salle des professeurs, une facture pour du vin que j'avais acheté quatre mois avant et une luxueuse enveloppe blanche portant mon nom – Ms Ruth Gilmartin M.A. – rédigé à l'encre sépia d'une plume très épaisse. J'ai deviné sur-le-champ qui en était l'envoyeur : mon directeur de thèse, Robert York, que je trahissais régulièrement en l'appelant le professeur le plus flemmard d'Oxford.

Et, comme pour me punir de mon manque désinvolte de considération, j'ai découvert que cette lettre était une réprimande subtile, une manière pour Bobbie York de me dire : peu m'importe que vous me teniez pour quantité négligeable mais que vous le chantiez à tout le monde me chagrine un peu. Il écrivait :

Ma chère Ruth,
Voici quelque temps depuis que nous nous sommes entraperçus. Oserais-je vous demander si vous avez un nouveau chapitre à me faire lire ? Je pense vraiment que ce serait une excellente idée que de

95

nous rencontrer bientôt – avant la fin du trimestre, si c'est possible.
Désolé d'être un tel raseur.
*Tanti saluti,*
Bobbie

Je l'ai aussitôt appelé du téléphone de la loge. Il a mis longtemps
à répondre, puis j'ai entendu la voix familière, *basso profondo*.
« Robert York.
– Hello. C'est moi, Ruth. »
Silence. « Ruth de Villiers ?
– Non. Ruth Gilmartin.
– Ah, ma Ruth préférée ! Ma Ruth prodigue. Dieu soit loué ! Vous
venez de me faire très peur. Comment allez-vous ? »
Nous avons décidé de nous rencontrer le lendemain soir dans ses
appartements au College. J'ai raccroché et suis ressortie dans Turl
Street, où j'ai fait halte un instant, me sentant tout à coup désorientée et étrangement coupable. Coupable, parce que je n'avais pas fait
un gramme de boulot sur ma thèse depuis des mois ; désorientée,
parce que j'étais en train de penser : que fabriques-tu dans cette ville
provinciale pleine de suffisance ? Pourquoi veux-tu écrire une thèse
de doctorat en histoire ? Pourquoi veux-tu être une universitaire ?…
Aucune réponse rapide ou toute prête à ces questions ne m'est
venue à l'esprit tandis que je remontais lentement Turl Street vers
la grand-rue – songeant à entrer dans un pub boire un verre au lieu
de retourner chez moi pour un déjeuner solitaire et frugal – quand, en
passant devant l'entrée du marché couvert, j'ai jeté un coup d'œil et
j'ai vu en émerger une séduisante vieille dame qui ressemblait
étonnamment à ma mère. Et c'était bien ma mère. Elle portait un
tailleur-pantalon gris perle et ses cheveux paraissaient plus blonds
– récemment recolorés.
« Qu'est-ce que tu regardes comme ça ? s'est-elle écriée, un peu en
rogne.
– Toi. Tu sembles en pleine forme.
– Je suis en rémission. Tu as une mine de déterrée. Misérable.
– Je crois avoir atteint une croisée des chemins dans ma vie. J'allais
m'envoyer un verre ou deux. Tu veux venir ? »

Elle a décidé que c'était une bonne idée, nous avons donc fait demi-tour et pris la direction de la Turf Tavern. Il faisait sombre et frais à l'intérieur du pub, un répit agréable à cet effronté soleil de juin. Les vieux pavés du sol, fraîchement lavés, demeuraient encore tachetés d'humidité, et les clients étaient très rares. Nous avons trouvé une table en angle et je suis allée au bar commander une chope de bière pour moi et un Schweppes avec glaçons et citron pour ma mère. Tout en posant nos verres, j'ai repensé au dernier épisode de l'histoire d'Eva Delectorskaya, et j'ai tenté d'imaginer ma mère, alors pratiquement du même âge que moi, en train de voir le lieutenant Joos se faire tuer sous ses yeux. Je me suis assise en face d'elle : plus je lirais, mieux je comprendrais, avait-elle dit – mais je me sentais à des lieues de toute compréhension. J'ai levé ma chope à sa santé. « Tchin-tchin », a-t-elle répondu avant de me regarder d'un air étonné, comme si j'étais un rien dérangée, tandis que je buvais ma bière.

« Comment peux-tu boire ce truc-là ?

– J'y ai pris goût en Allemagne. »

Je lui ai raconté que le frère de Karl-Heinz, Ludger, logeait chez nous pour quelques jours. Elle a répliqué qu'elle ne pensait pas que j'étais redevable à la famille Kleist d'autres faveurs, mais elle m'a paru peu troublée, voire se désintéressant du sujet. Je lui ai demandé ce qu'elle faisait à Oxford – elle préférait d'habitude Banbury ou Chipping Norton pour son shopping.

« Je me faisais établir un permis.

– Un permis ? Pour quoi ? Un parking d'invalide ?

– Pour un fusil de chasse. »

Elle a vu mon visage se figer en un rictus d'incrédulité.

« C'est pour les lapins. Ils ravagent le jardin. Et aussi, ma chérie, je dois être honnête avec toi, je ne me sens plus en sécurité dans la maison. Je ne dors pas bien, je me réveille en sursaut au moindre bruit. Totalement. Impossible de me rendormir. Je me sentirai mieux avec un fusil.

– Tu vis dans cette maison depuis la mort de Papa. Six ans. Tu n'as jamais eu de problème jusqu'ici.

– Le village a changé, a-t-elle dit, l'air sombre. Des voitures le traversent tout le temps. Des étrangers. Personne ne sait qui ils sont.

Et je crois que quelque chose cloche avec mon téléphone. Il sonne une fois puis coupe. J'entends des bruits sur la ligne. »

J'ai décidé de réagir avec autant d'indifférence qu'elle en avait montré. « Bon, c'est à toi de voir. Ne te tire pas dessus par accident.

— Oh, je sais comment me servir d'un fusil », a-t-elle rétorqué avec un petit gloussement satisfait. J'ai résolu d'en rester là.

Elle a fouillé dans son sac et en a sorti une grande enveloppe marron.

« La suite du feuilleton, a-t-elle annoncé. J'allais te la déposer en rentrant. »

Je l'ai prise. « Je ne peux pas attendre », ai-je dit, et, pour une fois, ce n'était pas une remarque désinvolte.

C'est alors qu'elle a posé sa main sur la mienne. « Ruth, chérie, j'ai besoin de ton aide.

— Je le sais. Je vais t'emmener chez un bon médecin. »

Un instant, j'ai cru qu'elle allait me gifler.

« Fais attention. Ne prends pas tes airs condescendants avec moi.

— Bien sûr que je t'aiderai, Sal. Calme-toi : tu sais bien que je ferais n'importe quoi pour toi. De quoi s'agit-il ? »

Elle a fait tourner plusieurs fois son verre sur la table avant de répondre :

« Je veux que tu essayes de me retrouver Romer. »

# L'histoire d'Eva Delectorskaya

*Ostende, Belgique, 1939*

Eva était assise dans la salle de conférence de l'agence. Une violente averse tombait en rafales, les gouttes de pluie résonnant sur les vitres comme du gravier fin. Dehors, il faisait de plus en plus sombre, et les bâtiments d'en face étaient tous éclairés. Mais il n'y avait pas la moindre lumière dans la salle, où régnait un curieux crépuscule d'hiver prématuré. Eva s'empara d'un crayon sur la table devant elle et en fit rebondir le bout gommé sur son pouce gauche. Elle tentait d'écarter de son esprit l'image de la course juvénile du lieutenant Joos à travers le parking de Prenslo, son sprint souple et fluide, son faux pas fatal avant de vaciller et de s'effondrer.

« Il a dit "Amsterdam", répéta Eva à voix basse. Il aurait dû dire "Paris". »

Romer haussa les épaules. « Une simple erreur. Une erreur idiote. »

Eva garda un ton calme et neutre. « Je n'ai fait que ce qu'on m'avait commandé de faire. Vous ne cessez de le répéter vous-même. Une loi de Romer. C'est pourquoi nous utilisons toujours des mots de passe doubles. »

Romer se leva et traversa la pièce pour aller contempler par la fenêtre les lumières de l'autre côté de la rue.

« Ce n'est pas la seule raison, dit-il. Ça maintient tout le monde en alerte.

– Eh bien, ça n'a pas marché pour le lieutenant Joos. »

Elle repensa à cet après-midi – hier après-midi. Quand, à son retour à l'Hôtel Willems, elle avait appris le départ de Romer, elle avait aussitôt appelé l'agence. Romer était déjà sur le chemin d'Ostende, l'informa Devereux, et il avait téléphoné pour dire qu'Eva était soit morte, soit blessée, soit en prison en Allemagne. « Il sera content de savoir qu'il s'est trompé, ajouta Morris sèchement. Qu'avez-vous donc inventé ? »

Eva réussit à rentrer à Ostende tôt le lendemain matin (deux autobus de Prenslo à La Haye, où elle avait attendu longtemps le train de nuit pour Bruxelles) et elle se rendit tout droit au bureau. Ni Angus ni Blytheswood ne lui soufflèrent mot à propos de ce qui s'était passé ; seule Sylvia lui saisit le bras pendant que personne ne regardait et chuchota : « Tu vas bien, mon cœur ? » en portant un doigt à ses lèvres. Eva sourit et confirma d'un signe de tête.

Au cours de l'après-midi, Morris lui annonça qu'elle était attendue dans la salle de conférence où elle trouva Romer, élégamment vêtu d'un costume gris anthracite et d'une étincelante chemise blanche avec une cravate aux couleurs de son régiment – à croire qu'il partait prononcer un discours quelque part. Il lui indiqua d'un geste un siège et dit : « Racontez-moi tout, jusqu'au plus petit détail. »

Ce qu'elle fit, avec une exactitude impressionnante, pensa-t-elle, et il écouta attentivement, opinant du bonnet de temps à autre, lui demandant parfois de répéter un détail. Il ne prit pas de notes. À présent, debout près de la fenêtre, il suivait du bout de l'index le frétillement d'une goutte de pluie le long de la vitre.

« Ainsi, dit-il, sans se retourner, un homme est mort et deux agents secrets anglais sont prisonniers des Allemands.

– Ce n'est pas ma faute. J'étais là simplement pour vous servir d'yeux et d'oreilles, m'aviez-vous dit.

– Ce sont des amateurs, lança-t-il la voix âpre de mépris. Des imbéciles et des amateurs qui continuent à lire les romans d'espionnage de Sapper et Buchan ou d'Erskine Childers. Le "Grand Jeu" – ça me donne envie de vomir. » Il se tourna vers elle. « Quel coup pour la Sicherheitsdienst ! Ils doivent être stupéfaits de voir à quel point il leur a été facile de bluffer et de capturer deux agents anglais expérimentés, et de leur faire traverser la frontière. On doit avoir l'air de parfaits crétins. Nous sommes d'ailleurs de parfaits crétins – enfin pas tous… » Il se tut, réfléchissant de nouveau. « Joos a vraiment été tué, dites-vous.

– À mon avis, oui, vraiment. Ils ont dû lui tirer dessus quatre ou cinq fois. Mais je n'avais encore jamais vu un homme se faire descendre sous mes yeux.

– En tout cas, ils ont emmené son corps. Intéressant. » Il pointa son doigt sur Eva. « Pourquoi n'avez-vous pas averti les deux agents anglais quand Joos ne vous a pas donné le bon second mot de passe ? Pour ce que vous en saviez, Joos aurait pu faire partie du plan allemand. Il aurait pu travailler avec eux. »

Eva maîtrisa sa colère. « Vous savez ce que nous sommes censés faire. La règle, c'est l'abandon immédiat. Si on pense que quelque chose cloche, on ne traîne pas dans les parages pour voir si on avait raison – et tenter de rattraper les choses. Ce qui est exactement ce que j'ai fait. Si j'étais entrée dans cette pièce pour les avertir… » Elle réussit à rire. « Les deux autres Allemands étaient avec eux, de toute façon. Je ne crois pas que je serais ici en train de vous parler. »

Romer, qui allait et venait, s'arrêta pour lui faire face.

« Non, vous avez raison. Vous avez totalement raison. Ce que vous avez fait – côté opérationnel – était parfaitement correct. Autour de vous, ils ont tous accumulé les fautes, ils ont agi comme des imbéciles heureux. » Il lui adressa son grand sourire dents blanches. « Bravo, Eva. Bon travail. Laissons-leur le soin de nettoyer leur sale foutoir. »

Elle se leva. « Puis-je m'en aller maintenant ?

– Que diriez-vous d'une petite promenade ? Allons boire un verre pour célébrer votre baptême du feu. »

Ils prirent un tram qui les emmena sur la digue, la longue et imposante jetée-esplanade d'Ostende, avec ses hôtels majestueux et ses pensions de famille, dominée à un bout par la vaste silhouette orientale du Kursaal, ses dômes et ses hautes fenêtres cintrées ouvrant sur les salles de jeu, de bal et de concert et, à l'autre extrémité de l'aimable courbe de la promenade, par la présence massive du Royal Palace Hotel. Les cafés sur les terrasses du Kursaal étaient fermés, et ils se rabattirent sur le bar du Continental où Romer commanda un whisky tandis qu'Eva optait pour un dry martini. Il pleuvait moins et il faisait assez clair pour apercevoir, là-bas sur la mer, les lumières clignotantes d'un ferry longeant la côte. Eva sentit l'alcool la calmer et la détendre alors qu'elle écoutait Romer revenir sur les événements de « l'incident de Prenslo », ainsi qu'il l'appelait maintenant, et l'avertir qu'il pourrait lui demander de compléter ou de corroborer le rapport qu'il avait l'intention de faire à Londres.

« Des écoliers se seraient mieux débrouillés que ces crétins », dit-il. Il semblait ruminer l'incompétence britannique, comme si le fiasco était un peu une insulte personnelle. « Pourquoi ont-ils accepté une rencontre aussi près de la frontière ? » Il secoua la tête avec une expression de réel dégoût. « Nous sommes en guerre avec l'Allemagne, bon Dieu ! » Il commanda un autre verre. « Ils continuent de voir ça comme une sorte de jeu dans lequel un certain type d'attitude anglaise l'emportera toujours – tout en fair-play, courage et bravoure. » Il se tut et contempla la table. « Vous n'imaginez pas combien ça a été difficile pour moi », lâcha-t-il, l'air soudain fatigué, plus vieux. C'était la première fois, se dit Eva, qu'elle l'entendait admettre ou montrer une trace de vulnérabilité. « Les gens au sommet, dans notre domaine, il faut les voir pour le croire », ajouta-t-il puis, comme prenant conscience de son dérapage, il se redressa vivement et sourit de nouveau.

Eva haussa les épaules. « Que faire ?

– Rien. Ou plutôt le mieux que nous puissions dans les circonstances. Au moins, vous vous en êtes tirée. Vous imaginez ce que j'ai pensé quand j'ai vu ces voitures traverser en trombe la frontière et s'arrêter devant le café. Et puis j'ai assisté à cette cavalcade, j'ai entendu les tirs.

– J'étais déjà dans le bois alors, répliqua Eva, revoyant une fois encore Joos dans son costume étriqué sortir en courant du café, son revolver à la main, et tirer. Tout le monde venait de déjeuner. Ça ne me paraît toujours pas réel, dans un sens. »

Ils quittèrent le Continental, retournèrent sur la digue et regardèrent la mer en direction de l'Angleterre. La marée était basse et, sous les lumières de l'esplanade, la plage luisait de reflets argent et orange.

« Black-out en Angleterre, dit Romer. Je suppose que nous ne devrions pas nous plaindre. »

Ils repartirent lentement en direction du Châlet Royal puis tournèrent dans l'avenue de la Reine – ce qui les ramènerait à l'appartement d'Eva. Ils ressemblaient à un couple de touristes, se dit-elle, ou à des jeunes mariés – elle se gourmanda intérieurement.

« Voyez-vous, je ne me sens jamais à l'aise en Belgique, reprit Romer, poursuivant sur une veine personnelle inhabituelle. J'ai toujours hâte d'en partir.

– Pourquoi ça ?

– Parce que j'ai failli être tué ici. Pendant la guerre. En 1918. J'ai le sentiment d'avoir utilisé tout mon crédit chance côté Belgique. »

Romer pendant la guerre : il devait être très jeune en 1918, vingt ans à peine, encore adolescent peut-être. Elle considéra l'étendue de son ignorance concernant cet homme, songea à ce qu'elle avait pourtant fait et risqué à Prenslo sur ses ordres. Peut-être en va-t-il ainsi en temps de guerre, pensa-t-elle, peut-être est-ce entièrement normal. Ils venaient d'atteindre sa rue.

« J'habite juste un peu plus loin là-bas, annonça-t-elle.

– Je vous raccompagne jusqu'à votre porte, dit-il. Il faut que je retourne à l'agence. » Puis, après un bref silence, il ajouta : « C'était très agréable. Merci : j'ai beaucoup apprécié. Le travail, toujours le travail, etc. »

Eva s'arrêta et sortit ses clés. « Oui, c'était très agréable », répéta-t-elle, prenant soin de lui retourner les mêmes banalités. Leurs regards se croisèrent et ils se sourirent.

Durant un quart de seconde, elle pensa que Romer allait se pencher vers elle pour l'embrasser, et elle se sentit prise d'une vertigineuse panique.

« 'soir, se contenta-t-il cependant de dire. À demain. » Il s'éloigna d'un pas nonchalant, faisant un de ses vagues gestes de la main avant de remonter le col de son imperméable tandis que le crachin recommençait à sévir.

Eva demeura plantée devant sa porte, plus troublée qu'elle ne l'aurait cru possible. Pas tant secouée par l'idée que Lucas Romer aurait pu l'embrasser, mais par la constatation, maintenant que le moment était passé à jamais, qu'elle avait en vérité plutôt souhaité qu'il le fît.

# 5

# Fraction Armée rouge

Bobbie York m'a versé un petit whisky, « un minuscule », a-t-il affirmé en ajoutant trois gouttes d'eau, puis s'en est servi un très large avant de l'allonger à ras bord. Bobbie répétait souvent qu'il « déplorait » le sherry, la pire des boissons au monde. Il me rappelait ma mère par la violence théâtrale de sa réaction – mais uniquement en cela.

Robert York M.A. (Oxford) avait (selon mes calculs) autour de la soixantaine. C'était un homme de haute taille, corpulent, avec des cheveux fins gris dont les mèches, coiffées en arrière, étaient gardées sous contrôle par une pommade ou un onguent quelconque à la puissante odeur de violette. Chez lui, été comme hiver, ça sentait la violette. Il portait des costumes de tweed faits sur mesure, des richelieux orange, et il avait meublé son vaste bureau au College comme une maison de campagne : canapés profonds, tapis persans, quelques tableaux intéressants (un Peploe, un dessin de Ben Nicholson, un grand pommier sombre d'Alan Reynolds) et, sous vitrines, un certain nombre de livres et de jolies statuettes de porcelaine (Staffordshire). On ne se serait pas cru dans le bureau d'un professeur d'université oxonien.

Il s'est approché de moi, son whisky et le mien à la main, a posé mon verre sur une petite table et s'est installé avec soin dans le fauteuil me faisant face. Chaque fois que je voyais Bobbie, je me rendais de nouveau compte qu'il était en fait très gros, mais sa haute taille, une certaine agilité et une incroyable précision de mouvement – plus l'excellente coupe de ses costumes – avaient pour effet de retarder ce jugement d'environ cinq bonnes minutes.

« Voilà une robe très séduisante, a-t-il déclaré d'un ton suave. Elle vous va comme un gant – dommage pour ce pansement mais on ne le remarque presque pas, je vous assure. »

La veille au soir, je m'étais méchamment ébouillanté l'épaule et le cou dans ma baignoire et je m'étais vue contrainte de porter une de mes robes d'été les plus légères, avec des bretelles ultrafines, pour que le tissu n'irrite pas ma brûlure – couverte pour l'heure d'un pansement de gaze et d'Elastoplast (confectionné par Veronica) de la dimension d'une serviette de table pliée, et situé à la jonction de mon cou et de mon épaule gauche. Aurais-je dû boire du whisky, étant donné la quantité de calmants dont m'avait gratifiée Veronica ? Le mélange paraissait bien fonctionner : je ne ressentais pas la moindre douleur – mais je me déplaçais avec beaucoup de prudence.

« Très séduisante, a répété Bobbie, en s'efforçant de ne pas lorgner mes seins, et, oserai-je dire, des plus confortables par cette infernale chaleur. Quoi qu'il en soit, *slangevar* », a-t-il conclu en levant son verre et, tel un homme mourant de soif, en avalant trois grandes gorgées de son whisky. J'ai bu moi aussi, avec plus de circonspection, et j'ai pourtant senti l'alcool me brûler la gorge et l'estomac.

« Puis-je avoir encore une goutte d'eau ? ai-je demandé. Non, laissez-moi faire. » Bobbie avait immédiatement fait l'effort de se lever de son fauteuil mais sans y parvenir, et je me suis empressée de traverser l'épais tapis au dessin compliqué pour atteindre le bar roulant avec son régiment de bouteilles. Bobbie possédait un large échantillonnage de toutes les boissons d'Europe : pastis, ouzo, grappa, slivovitz. Je l'ai découvert tout en remplissant mon verre d'eau de la carafe.

« J'ai peur de ne rien avoir à vous montrer, ai-je annoncé par-dessus mon épaule ébouillantée et son pansement. Je suis coincée en 1923 – le putsch de la Hofbraukeller. Je n'arrive pas à tout faire coïncider avec les Freikorps et le BVP ; les intrigues dans le gouvernement Knilling : la dispute Schweyer-Wutzlhofer, la démission de Krausneck – tout ça. » J'en rajoutais avec l'idée d'impressionner Bobbie.

« Ouiiiiii… pas commode, a-t-il approuvé, l'air soudain un peu paniqué. C'est très compliqué. Hum, je vois bien que… Mais, l'essentiel, c'est que nous nous soyons enfin vus, vous comprenez.

Je dois écrire un petit rapport sur chacun de mes thésards – assommant mais obligatoire. Le putsch de la Hofbraukeller, dites-vous. Je vais consulter certains bouquins et je vous enverrai une liste de lectures. Très courte, ne vous inquiétez pas. »

Il a gloussé tandis que je me rasseyais.

« Grand plaisir que de vous revoir, Ruth. Vous me paraissez très jeune et printanière, je dois dire. Comment va le petit Johannes ? »

Nous avons parlé un moment de Jochen. Bobbie était l'époux d'une femme qu'il appelait « The Lady Ursula » et ils avaient deux filles mariées – « Petits enfants imminents, me dit-on. C'est alors que je me suicide » –, lui et The Lady Ursula vivaient dans une grande villa victorienne, sur Woodstock Road, pas loin de chez Mr Scott, notre dentiste. En 1948, Bobbie avait publié un livre intitulé *Allemagne : hier, aujourd'hui et demain* que j'avais autrefois, par curiosité, sorti des étagères de la Bodleian. Imprimé sur du mauvais papier, il faisait, sans index, 140 pages, et, pour autant que je sache, constituait sa seule contribution à la recherche historique. Adolescent, Bobbie avait passé des vacances en Allemagne et une année à l'université de Vienne avant que ne survienne l'Anschluss qui avait conduit à son rapatriement. Durant la guerre, il avait été rattaché en qualité d'officier d'état-major au ministère de la Guerre, puis, à la fin du conflit, était rentré à Oxford comme jeune professeur, avait épousé The Lady Ursula, publié son mince volume, intégré la faculté d'histoire dont il était resté membre depuis, ainsi que de son College, poursuivant, comme il le disait lui-même avec candeur, le « chemin de moindre résistance ». Il possédait à Londres un vaste cercle d'amis raffinés et (grâce à The Lady Ursula) une maison immense et décrépite dans la région de Cork, où il passait ses étés.

« Avez-vous pu découvrir quelque chose sur ce Lucas Romer ? » lui ai-je demandé, sur un ton dégagé. Je lui avais téléphoné le matin même, songeant que si quelqu'un pouvait m'aider, c'était bien Bobbie York.

« Romer, Romer… avait-il dit. Est-ce un des Darlington Romer ?

– Non, je ne crois pas. Tout ce que je peux vous dire, c'est qu'il était une sorte d'espion pendant la guerre et qu'il a un genre de titre, je pense. »

Il verrait ce qu'il pourrait trouver, avait-il répondu.

Il s'est levé à grand-peine de son fauteuil, a tiré son gilet par-dessus sa brioche et est allé fouiller dans les papiers de son bureau. « Il n'est pas dans le Who's Who ni dans le Debrett, m'a-t-il annoncé.

– Je sais. J'ai vérifié.

– Ça ne veut strictement rien dire, bien sûr. Je présume qu'il est toujours vivant ?

– Je le pense. »

Il a pris dans sa poche une paire de demi-lunes qu'il a chaussées. « Nous y voilà, a-t-il dit avant de me regarder par-dessus ses lunettes. J'ai téléphoné à un des plus brillants de mes anciens élèves qui travaille aujourd'hui à la Chambre des communes. Il est allé un peu à la pêche et a ramené un baron Mansfield of Hampton Cleeve dont le nom de famille est Romer. » Il a haussé les épaules. « S'agirait-il de votre homme ? » Avant de me lire le bout de papier : « Mansfield, baron, nommé en 1953 (pair à vie) of Hampton Cleeve. L.M. Romer, président Romer, Radclyffe Ltd – ah, les éditions ! c'est ça qui me disait quelque chose – de 1946 à aujourd'hui. C'est tout ce que j'ai, j'en ai peur. Il semble qu'il vive très discrètement.

– Possible. Je vais vérifier, en tout cas. Mille mercis. »

Il m'a lancé un regard pénétrant. « Voyons, pourquoi vous intéressez-vous autant au baron Mansfield of Hampton Cleeve ?

– Oh, il s'agit simplement de quelqu'un dont ma mère m'a parlé. »


À la Turf Tavern, ma mère avait dit deux choses : un, qu'elle était certaine que Romer était toujours en vie et, deux, qu'il avait été plus ou moins anobli – « Chevalier, lord ou un truc dans ce genre, je suis certaine de l'avoir lu quelque part. Remarque, ça fait des années. » Nous avons quitté le pub pour nous diriger à petits pas vers Keble College où elle avait garé sa voiture. J'ai demandé :

« Pourquoi veux-tu retrouver Romer ?

– Je crois que le temps est venu », a-t-elle répliqué brièvement, et, au ton de sa voix, j'ai compris qu'il serait inutile de la questionner davantage.

Elle m'a déposée au bout de Moreton Road : Hamid devait arriver dans les cinq minutes et, bien entendu, il était déjà là, assis en haut des marches.

Nous avons passé deux heures avec les Amberson, à profiter de leurs vacances retardées, dans le Dorset près de Corfe Castle ; au milieu de moult remontrances quant à ce que Keith Amberson « aurait dû faire » et moult plaintes de la part de son épouse et de ses enfants outrés par ses bévues. Un Keith confus et contrit dont l'humeur semblait avoir gagné Hamid qui m'a paru avoir un peu perdu de son entrain au cours de la leçon, tout en étant saisi d'un accès de zèle atypique et m'interrompant fréquemment pour prendre de longues notes laborieuses. J'ai remballé mes outils plus tôt que d'habitude et demandé à Hamid si quelque chose le préoccupait.

« Vous n'avez toujours pas répondu à mon invitation à dîner, a-t-il dit.

– Oh, mais oui, quand vous voudrez ! me suis-je écriée, ayant bien entendu complètement oublié l'affaire. Donnez-moi simplement un jour ou deux de préavis pour que je puisse trouver une baby-sitter.

– Que diriez-vous du samedi qui vient ?

– Bien, très bien. Jochen peut aller chez sa grand-mère. Samedi sera parfait.

– Il y a un nouveau restaurant sur Woodstock Road : Browns.

– Ah, oui, oui, Browns, je n'y ai pas encore été, très bonne idée. »

Hamid avait visiblement repris du poil de la bête. « Très bien, alors samedi chez Browns. Je viendrai ici vous chercher. »

Nous avons pris nos dispositions et je l'ai raccompagné jusqu'à la porte de service. Ludger était dans la cuisine en train de manger un sandwich. Il s'est arrêté, s'est léché les doigts et a serré la main de Hamid.

« Hé, mon frère. *Inchallah.* Où vas-tu comme ça ?

– À Summertown.

– Je t'accompagne. À tout à l'heure, Ruth. »

Il a pris son sandwich et suivi Hamid dans l'escalier ; j'ai entendu l'écho métallique sourd de leurs pas.

J'ai consulté ma montre : quatre heures moins dix – cinq heures moins dix en Allemagne. J'ai allumé une cigarette en allant vers le téléphone dans le hall, et j'ai appelé Karl-Heinz sur sa ligne privée au bureau. La sonnerie a résonné à l'autre bout. Je revoyais la pièce, le couloir dans lequel elle se trouvait, l'immeuble qui l'abritait, la banlieue sans intérêt de Hambourg où il se situait.

« Karl-Heinz Kleist. » J'entendais sa voix pour la première fois depuis plus d'un an et, une seconde, j'ai senti mes forces m'abandonner. Mais une seconde seulement.

« C'est moi, ai-je dit.

– Ruth… » Hésitation minimale, la surprise totalement feinte. « Bien agréable d'entendre ta douce voix anglaise. J'ai ta photo ici sur mon bureau devant moi. »

Le mensonge était aussi fluide et patent que d'habitude.

« Ludger est là, ai-je annoncé.

– Où ça ?

– Ici, à Oxford. Dans mon appartement.

– Est-ce qu'il se tient convenablement ?

– Jusqu'ici, oui. » Je lui ai raconté comment Ludger avait surgi sans crier gare.

« Je n'ai pas parlé à Ludger depuis… oh, dix mois, a déclaré Karl-Heinz. Nous avons eu un désaccord. Je refuse de le revoir.

– Que veux-tu dire ? »

Je l'ai entendu chercher puis allumer une cigarette.

« Je lui ai dit : "Tu n'es plus mon frère."

– Pourquoi ? Qu'est-ce qu'il avait fait ?

– Il est un peu cinglé, Ludger. Un peu dangereux même. Il fréquentait une bande de fous. La FAR, je crois.

– La FAR ?

– La Fraction Armée rouge. Baader-Meinhof, tu vois. »

Je voyais. Un interminable procès se poursuivait en Allemagne contre des membres de la bande Baader-Meinhof. Ulrike Meinhof s'était suicidée en mai. Tout ça était un peu vague ; il me semblait n'avoir jamais le temps de lire les journaux ces temps-ci.

« Est-ce que Ludger est mêlé à ces gens ?

– Qui sait ? Il en parlait comme s'il les connaissait. Je t'ai dit que je ne lui adressais plus la parole. Il m'a volé beaucoup d'argent. Je l'ai chassé de ma vie. » Le ton de Karl-Heinz était très neutre, on aurait cru qu'il me racontait qu'il venait de vendre sa voiture.

« Est-ce la raison pour laquelle Ludger a débarqué en Angleterre ?

– Je n'en sais rien, et je m'en fiche. Tu n'as qu'à lui demander. Je crois qu'il t'a toujours bien aimée. Tu as été gentille avec lui.

– Non, pas du tout ; pas particulièrement.

– Enfin, tu n'as jamais été désagréable. » Il s'est tu un instant, puis a repris : « Je ne peux pas l'affirmer mais je pense qu'il pourrait être recherché par la police. Je pense qu'il a fait des trucs de dingue, des trucs idiots. De sales trucs. Tu devrais faire attention. Il pourrait bien être en fugue.

– En fuite.

– Exact. »

Cette fois, c'est moi qui me suis tue un instant. « Tu ne peux donc rien faire ?

– Non, je suis désolé, je te l'ai dit : on s'est disputés. Je ne le reverrai jamais.

– OK, épatant, mille mercis. Salut.

– Comment va Jochen ?

– Il va très bien.

– Donne-lui un baiser de la part de son père.

– Non.

– Ne sois pas amère, Ruth. Tu savais tout avant que ça commence entre nous. Tout était très clair. Nous n'avions pas de secrets. Je n'ai fait aucune promesse.

– Je ne suis pas amère. Je sais simplement ce qui est le mieux pour nous deux. Salut. »

J'ai raccroché. C'était l'heure d'aller chercher Jochen à l'école, mais je savais aussi que je n'aurais pas dû appeler Karl-Heinz. Je le regrettais déjà : ça me chamboulait une fois de plus – tout ce que j'avais essayé de mettre en ordre, d'étiqueter et de ranger dans un placard fermé à double tour, tout était de nouveau étalé aux quatre coins du plancher de ma vie. J'ai marché de Banbury Road à Grindle's en psalmodiant : c'est fini – calme-toi. C'est terminé – calme-toi. Il appartient au passé – calme-toi.

Ce soir-là, Jochen au lit, Ludger et moi sommes restés plus tard que d'habitude dans la salle de séjour à regarder les nouvelles à la télé. Pour une fois, j'y prêtais attention et, comme un sort malin l'a voulu, on a eu droit à un reportage sur le procès Baader-Meinhof qui durait maintenant depuis plus de cent jours. Ludger s'est agité sur sa chaise quand, sur l'écran, s'est affiché le visage d'un homme, beau dans le genre voyou – un genre de beauté railleuse qu'on trouve chez certains mecs.

« Hé, Andreas ! s'est écrié Ludger en pointant le doigt sur l'écran. Tu sais que je l'ai connu ?

– Vraiment ? Comment ça ?

– On était ensemble dans le porno. »

J'ai éteint la télé et j'ai proposé : « Veux-tu une tasse de thé ? » Nous sommes allés ensemble dans la cuisine et j'ai mis la bouilloire à chauffer.

« Qu'est-ce que tu veux dire par "dans le porno" ? me suis-je enquise, négligemment.

– J'ai fait l'acteur dans des films pornos pendant un temps. Andreas aussi. On se fréquentait beaucoup.

– Tu as joué dans des films pornos ?

– Enfin, dans un seul film. On peut encore l'acheter, tu sais, à Amsterdam, en Suède. » Il en semblait très fier.

« Comment s'appelle-t-il ?

– *Volcan de sperme.*

– Bon titre. Andreas Baader jouait dans ce film ?

– Non. Et puis il est devenu fou, tu comprends – Ulrike Meinhof, la FAR, la fin du capitalisme.

– J'ai parlé à Karl-Heinz aujourd'hui. »

Il s'est figé. « Je ne t'ai pas dit que je l'avais rayé de ma vie pour toujours ?

– Non, en fait non.

– *Ein vollkommenes Arschloch* ! »

Il a lancé ces mots avec une passion inhabituelle, pas son accent paresseux américain. Un foutu complet trou du cul : c'est le plus proche équivalent démotique que j'aie pu trouver. J'ai contemplé Ludger assis là en train de penser à Karl-Heinz et je l'ai rejoint dans son accès silencieux de haine contre son frère. Il tripotait une boucle de sa longue chevelure et il a paru soudain sur le point de verser des larmes amères. J'ai décidé qu'il pourrait rester un jour ou deux de plus. J'ai fait chauffer la théière, y ai mis le thé et l'eau bouillante.

« Tu es resté longtemps dans le porno ? ai-je demandé, me rappelant sa tranquille balade à poil dans l'appartement.

– Non, j'ai laissé tomber. Je commençais à avoir de sérieux problèmes.

– Comment ça ? Avec l'idée de pornographie ? Idéologiquement, tu veux dire ?

– Non, non. Le porno était épatant. J'adorais, j'adore le porno. Non, j'ai commencé à avoir de sérieux problèmes avec *mein Schwanz*. » Il a montré son bas-ventre.

« Oh… Je vois. »

Il m'a gratifiée de son sourire en coin. « Elle refusait de faire ce que je lui disais, tu comprends ?… » Il a froncé les sourcils. « Est-ce qu'on dit "queue" en anglais ?

– Non. Pas normalement. On dit "pénis" ou "pine". Ou "bite".

– Ah, bon. Mais personne ne dit "queue" ? En argot ?

– Non. Ça ne se dit pas.

– *Schwanz* – queue : je trouve que dire "ma queue", c'est mieux que de dire "ma bite". »

Je n'avais pas envie de poursuivre plus avant cette conversation – discuter de termes salaces avec Ludger. Le thé était prêt et je lui en ai servi une tasse. « Mais, hé, Ludger, ai-je lancé avec entrain, continue à dire "queue" et peut-être que ça prendra. Je file me plonger dans un bain. À demain matin. »

Armée de ma théière, de ma bouteille de lait et de ma chope, je suis allée installer le tout avec soin sur le rebord de ma baignoire et j'ai ouvert les robinets. Prendre un bon bain chaud en buvant du thé est le seul vrai moyen de me calmer quand mon cerveau bat la campagne.

J'ai verrouillé la porte, je me suis déshabillée et je me suis étendue dans mon bain en sirotant mon thé, bannissant de mon esprit toute pensée et image de Karl-Heinz et de nos années communes. J'ai donc

113

songé à ma mère, à l'incident de Prenslo, et à ce qu'elle avait fait et vu cet après-midi-là sur la frontière germano-hollandaise, en 1939. Ça semblait impossible, dans un sens, je n'arrivais toujours pas à réconcilier ma mère avec Eva Delectorskaya, et réciproquement. La vie est très étrange, on ne peut jamais être sûr de rien. Vous pensez que tout est normal et simple, net et fixé, et, soudain, tout est flanqué en l'air. Je me suis tournée pour remplir de nouveau ma chope, et j'ai renversé la théière, m'ébouillantant méchamment le cou et l'épaule gauche. Mon hurlement a réveillé Jochen tandis que Ludger tapait à coups redoublés à la porte.

# L'histoire d'Eva Delectorskaya

*Londres, 1940*

Ce n'est qu'en août qu'Eva Delectorskaya fut finalement convoquée pour donner sa version de l'incident de Prenslo. Elle se rendit au travail comme d'habitude, quittant son logement de Bayswater pour attraper un autobus qui l'emmènerait à Fleet Street. Elle s'installa à l'étage du bus, fuma sa première cigarette de la journée, contempla un Hyde Park ensoleillé, songea que les ballons de barrage argentés et joufflus volant dans le ciel bleu pâle paraissaient rudement jolis, et se demanda vaguement si on devrait les laisser là une fois la guerre finie, si elle finissait un jour... Mieux qu'un obélisque ou une statue guerrière, se disait-elle, imaginant un enfant, en 1948 ou en 1965, qui interrogerait ses parents : « Maman, à quoi servaient ces gros ballons ?... » Romer affirmait que cette guerre durerait plus de dix ans, à moins que les Américains ne s'en mêlent. Même si, devait-elle s'avouer, il avait fait cette déclaration dans un accès d'amertume, à Ostende en mai, sous l'effet du choc du Blitzkrieg allemand à travers la Hollande, la Belgique et la France. Dix ans...

Dix ans – 1950. En 1950, Kolia serait mort depuis onze ans. La brutale vérité la bouleversait : elle pensait à lui constamment, pas tous les jours maintenant mais tout de même plusieurs fois par semaine. Penserait-elle autant à lui en 1950 ? Oui, se dit-elle avec un certain défi, oui, j'y penserai.

Elle ouvrit son journal tandis que le bus approchait de Marble Arch. Vingt-deux avions ennemis abattus hier ; Winston Churchill visite une usine de munitions ; de nouveaux bombardiers peuvent

115

atteindre Berlin et au-delà. Elle se demanda si cette dernière information était une des inventions des SAC – elle en portait tous les signes, et Eva devenait experte à les détecter. L'histoire présentait une bonne base factuelle et plausible mais elle se doublait d'un flou agaçant et de l'impossibilité de fournir une preuve. « Un porte-parole du ministère de l'Air a refusé de démentir qu'une telle capacité serait bientôt à la disposition de la RAF... » Tous les signes étaient là.

Elle descendit de l'autobus au moment où il s'arrêtait au feu rouge de Fleet Street et tourna dans Fetter Lane en direction de l'immeuble quelconque qui abritait les Services Assurance et Comptabilité. Elle pressa la sonnette sur le palier du quatrième étage et entra dans une antichambre miteuse.

« 'jour, chérie, lança Deirdre, tendant d'une main une liasse de coupures de presse tout en farfouillant de l'autre dans un tiroir de son bureau.

– 'jour », répliqua Eva, qui s'empara des coupures. Deirdre, fumeuse en chaîne, la soixantaine squelettique, représentait à elle seule l'administration des SAC – la source de tout équipement et matériel, billets et passes, comme médicaments et informations cruciales : qui était disponible, qui ne l'était pas, qui était malade et qui « était en voyage » et, plus important encore, celle qui accordait ou refusait l'accès à Romer soi-même. Morris Devereux prétendait en rigolant que Deirdre était en réalité la mère de Romer. Elle avait une voix dure et monotone qui sabotait un peu l'effet des termes d'affection incessants et chaleureux qu'elle utilisait pour s'adresser aux gens. Elle pressa la sonnette qui permit à Eva de franchir la porte intérieure menant au couloir obscur sur lequel donnaient les bureaux de l'unité.

Sylvia était arrivée, Blytheswood et Devereux aussi. Angus Wilson travaillait à l'agence Reuters et Romer occupait, lui, un nouveau poste de direction au *Daily Express* mais conservait un bureau rarement occupé à l'étage au-dessus – qu'on atteignait par un étroit escalier en colimaçon – avec vue lointaine sur le viaduc de Holborn. De leurs diverses niches, ils essayaient de faire marcher l'agence d'Ostende *in absentia* par le truchement de télégrammes cryptés expédiés à un agent belge resté à l'arrière et connu sous le nom de « Guy ». De plus, certains mots placés dans les histoires des SAC à destination des journaux étrangers étaient censés l'alerter, afin qu'il fasse circuler ces articles parmi leurs clients en Belgique occupée. Que le système marchât, rien n'était moins clair ; en fait, selon Eva, ils s'efforçaient de maintenir une façade impressionnante de recueil et d'envoi d'informations mais chacun pensait, elle le savait, que ce qu'ils faisaient était au mieux insignifiant et au pire inutile. Le moral baissait de jour en jour et on en avait la meilleure preuve dans l'humeur du patron : Romer était visiblement tendu, cassant, souvent taciturne et pensif. Ce n'était qu'une question de temps, chuchotaient-ils entre eux : les SAC allaient fermer boutique et ils seraient tous mutés.

Eva accrocha son chapeau et son masque à gaz derrière la porte, s'assit à son bureau et regarda à travers la vitre sale le toit sans intérêt d'en face. Un buddleia surgissait d'un chéneau de l'autre côté de la cour centrale, et trois pigeons à l'air misérable se faisaient une beauté sur une rangée de tuyaux de cheminée. Elle étala ses coupures de presse sur sa table. Un article d'un journal italien (son histoire de rumeurs autour de la santé défaillante du maréchal Pétain), une allusion, dans un magazine canadien, au moral en berne parmi les pilotes de la Luftwaffe (à développer, avait griffonné Romer dessus) et des télex de deux agences de presse américaines sur la découverte d'un réseau d'espionnage allemand en Afrique du Sud.

Blytheswood frappa à sa porte et lui demanda si elle voulait une tasse de thé. La trentaine, grand, blond, costaud, avec deux taches cramoisies sur les joues comme prêtes à s'étendre à tout son visage à la moindre provocation, il était timide et Eva l'aimait bien : il s'était toujours montré gentil avec elle. Il s'occupait des transmetteurs des SAC ; une sorte de génie, proclamait Romer : il pouvait faire n'importe quoi avec la radio et le sans-fil, expédier des messages à travers des continents sans rien d'autre qu'une batterie de voiture et une aiguille à tricoter.

En attendant son thé, Eva commença à taper à la machine une histoire sur laquelle elle travaillait à propos de « navires fantômes » en Méditerranée, mais elle fut interrompue par Deirdre.

117

« Hello, ma douce, Sa Seigneurie vous demande à l'étage. T'en fais pas, je boirai ton thé. »

Eva grimpa l'escalier qui menait au bureau de Romer en essayant d'analyser l'odeur complexe de la cage – un croisement entre le champignon et la suie, le vieil acide et la moisissure, décida-t-elle. La porte de Romer était ouverte et elle entra directement sans frapper ni tousser poliment. Il lui tournait le dos et contemplait par la fenêtre le viaduc de Holborn, comme si ses arches de fer forgé recelaient une signification codée.

« 'jour ! » lança Eva. Voilà quatre mois qu'ils étaient rentrés d'Ostende en Angleterre, et elle supposait, en calculant rapidement, que depuis elle n'avait pas dû voir Romer, en tout et pour tout, plus d'une heure et demie. La familiarité détendue qui avait paru s'établir entre eux en Belgique avait disparu avec l'effondrement de l'agence et les nouvelles invariablement mauvaises de la guerre. En Angleterre, Romer se montrait avec elle cérémonieux et fermé (comme avec tout le monde, commentait le reste du personnel quand elle se plaignait de cette *froideur**). La rumeur enflait selon laquelle tous les « irréguliers » devaient être remerciés par la nouvelle tête du SIS. Les jours de Romer étaient comptés, proclamait Morris Devereux.

Il se retourna.

« C veut vous voir, dit-il. Il veut parler de Prenslo. »

Elle savait qui était C et elle sentit un petit frémissement d'inquiétude.

« Pourquoi moi ? demanda-t-elle. Vous en savez autant que moi. »

Romer lui expliqua les ramifications continues du « désastre » (comme il l'appelait) de Prenslo. Sur les deux agents britanniques capturés, l'un était le chef de station du SIS en Hollande et l'autre dirigeait le réseau Z hollandais, un système parallèle secret de recueil de renseignements. À eux deux, ils savaient à peu près tout des réseaux anglais d'espionnage en Europe de l'Ouest – et voilà qu'ils étaient maintenant entre les mains des Allemands, soumis sans aucun doute à des interrogatoires rigoureux, impitoyables.

« Tout a disparu ou bien a été exposé, plus rien qui ne soit sûr ou utilisable, dit Romer. Nous devons présumer cela – et que nous reste-t-il ? Lisbonne, Berne… Madrid est un fiasco. » Il regarda Eva. « Pour être franc, je ne sais pas pourquoi ils veulent vous voir. Peut-être pensent-ils que vous avez vu quelque chose, que vous pourrez leur révéler par inadvertance pourquoi tout a raté de manière si spectaculaire, si magnifique. » Son ton indiquait clairement qu'il considérait cette convocation comme une totale perte de temps. Il consulta sa montre. « On peut y aller à pied, dit-il. Ça se passe au Savoy. »

Ils descendirent tranquillement le Strand en direction de l'hôtel. Excepté les sacs de sable entassés autour de certaines entrées et le nombre de soldats parmi les passants, la scène ressemblait à celle de n'importe quelle matinée d'une fin d'été à Londres, songea Eva, mais après tout elle n'avait jamais passé une matinée de paix en fin d'été à Londres et elle ne pouvait donc pas faire une comparaison valable. Peut-être, avant la guerre, Londres était-il entièrement différent, pour ce qu'elle en savait. Comment serait-ce de se retrouver à Paris ? Tout à fait autre chose, sans aucun doute.

Romer n'était pas bavard, il paraissait mal à l'aise.

« Dites-leur simplement tout : comme vous me l'avez raconté. Soyez totalement franche.

– Très bien, je leur raconterai. La vérité, rien que la vérité, et le reste… »

Il lui jeta un coup d'œil acéré. Puis il sourit, faiblement, et laissa ses épaules s'affaisser un instant.

« L'enjeu est important, dit-il. Une nouvelle opération pour les SAC. J'ai le sentiment que l'impression que vous ferez ce matin pourrait avoir une certaine influence.

– Il n'y aura que C ?

– Oh, non, je pense qu'ils seront tous là. Vous êtes le seul témoin. »

Eva enregistra sans commenter et s'efforça de prendre un air dégagé alors qu'ils tournaient dans Savoy Court et se dirigeaient vers la *porte cochère\**. Le portier en uniforme poussa le tourniquet pour les faire entrer mais Eva s'arrêta et demanda une cigarette à Romer qui la lui donna et l'alluma. Elle inspira profondément, tout en regardant les hommes et les femmes entrer et sortir du Savoy. Des femmes en chapeau et robe d'été, des voitures rutilantes avec chauffeur, un gamin venant livrer un bouquet de fleurs. Pour certains, une guerre ne changeait pas grand-chose.

« Pourquoi nous rencontrons-nous dans un hôtel ? demanda-t-elle.

– Ils adorent tenir des réunions dans des hôtels. C'est là que se tiennent 90 % des réunions de ce genre. Allons-y. »

Elle écrasa du pied sa cigarette à moitié fumée et ils entrèrent.

Un jeune homme les accueillit à la réception et les conduisit au deuxième étage, puis, par un couloir à multiples tournants, jusqu'à une suite. Il leur demanda d'attendre dans une sorte d'antichambre pourvue d'un canapé et leur offrit du thé. Un homme surgit qui connaissait Romer, et tous deux s'entretinrent à voix basse dans un coin. Le type en question arborait un costume rayé gris, une petite moustache bien taillée et des cheveux roussâtres lustrés. Il repartit, et Romer vint rejoindre Eva sur le canapé.

« Qui était-ce ? s'enquit-elle.

– Un parfait abruti », répliqua-t-il, sa bouche très près de l'oreille d'Eva. Elle sentit son haleine chaude sur sa joue, et elle en eut la chair de poule.

« Miss Dalton ? » Le premier jeune homme ouvrit la porte et lui fit signe d'entrer.

La salle dans laquelle elle pénétra à la suite de Romer était vaste et sombre. Eva sentit sous ses pieds la douceur et l'épaisseur de la moquette. Fauteuils et canapés avaient été repoussés le long des murs, et les rideaux tirés contre le soleil d'août. Trois tables avaient été disposées bout à bout au centre de la pièce et quatre hommes étaient assis derrière, face à une chaise solitaire installée au milieu. On fit signe à Eva de s'y asseoir. Deux autres hommes étaient debout au fond, appuyés contre le mur.

Un vieux monsieur alerte à la moustache gris argent prit la parole. Personne ne se présenta.

« Tout ceci peut avoir un air de tribunal, Miss Dalton, mais j'entends que vous le considériez comme une simple conversation informelle. »

L'absurdité de la déclaration provoqua une certaine détente et des gloussements chez les trois autres hommes. L'un portait un uniforme de marin avec beaucoup de galons dorés aux poignets. Les deux autres ressemblaient à des banquiers ou des avocats. Eva remarqua que l'un des individus debout au fond portait un nœud papillon à pois. Elle jeta un rapide coup d'œil derrière elle et vit Romer près de la porte, à côté du « parfait abruti ».

Bruissements de papiers, échanges rapides de regards.

« Voyons, Miss Dalton, dit Moustache Argentée. Racontez-nous, avec vos propres mots, ce qui s'est exactement passé à Prenslo. »

Elle le leur raconta donc, détaillant les événements de la journée heure par heure. Quand elle eut terminé, ils commencèrent à lui poser des questions, de plus en plus centrées sur le lieutenant Joos et le ratage du double mot de passe.

« Qui vous a donné le détail du double mot de passe ? » demanda un grand type à grosses bajoues. Il parlait très lentement, posément. Une voix profonde au ton las, lourd. Inégal. Il était debout au fond, à côté du Nœud Papillon à Pois.

« Mr Romer.

– Vous êtes certaine de l'avoir compris correctement. Vous ne vous êtes pas trompée ?

– Non. Nous utilisons constamment des doubles mots de passe.

– Nous ? intervint Moustache Argentée.

– Dans l'unité – ceux d'entre nous qui travaillons avec Mr Romer. C'est complètement normal. »

Coups d'œil du côté de Romer. L'officier de marine chuchota quelque chose au type à col dur. Il chaussa une paire de lunettes rondes à monture d'écaille et regarda Eva de plus près.

Moustache Argentée se pencha en avant. « Comment décririez-vous la réponse du lieutenant Joos à votre seconde question : "Où puis-je trouver des cigarettes françaises ?"

– Je ne comprends pas », dit Eva.

Du fond de la salle, l'homme aux bajoues reprit la parole : « La réponse du lieutenant Joos vous a-t-elle paru être celle faite à un mot de passe, ou bien était-elle une remarque banale, naturelle ? »

Eva réfléchit, songeant à cet instant dans le Café Backus. Elle revit en esprit le visage de Joos, son léger sourire, il avait su exactement qui elle était. Il avait dit « Amsterdam » immédiatement, avec assurance, certain que c'était là la réponse qu'elle attendait.

« Je dirais, avec certitude, qu'il pensait me donner la réponse au second mot de passe. »

Une fraction de seconde, elle sentit tous les hommes présents dans la pièce se détendre, imperceptiblement. Elle n'aurait pas pu dire comment, pourquoi ou ce qui le lui indiqua, mais quelque chose qu'elle avait dit, la réponse qu'elle avait donnée, avait visiblement résolu un problème compliqué, rassuré les esprits quant à une affaire sujette à controverse.

L'homme aux bajoues s'avança, mains dans les poches. Eva se demanda s'il s'agissait de C.

« Qu'auriez-vous fait, dit-il, si le lieutenant Joos vous avait donné le bon mot de passe ?

— Je lui aurais expliqué que je suspectais les deux Allemands qui se trouvaient dans l'arrière-salle.

— Vous les suspectiez ?

— Oui. Rappelez-vous que j'avais passé la journée dans le café, en allées et venues, petit déjeuner et déjeuner. Ils n'avaient aucune raison de croire que j'avais quoi que ce fût à faire avec la réunion. Je les ai trouvés nerveux, mal à l'aise. Aujourd'hui, avec le recul, je comprends pourquoi. »

Le type aux lunettes rondes leva un doigt.

« Je ne saisis pas très bien, Miss Dalton, mais comment se fait-il que vous vous soyez trouvée dans le Café Backus ce jour-là ?

— C'était l'idée de Mr Romer. Il m'a demandé de me rendre là-bas le matin et d'observer ce qui s'y passait de la manière la plus discrète possible.

— C'était l'idée de Mr Romer ?

— Oui.

— Merci beaucoup. »

Ils lui posèrent encore quelques questions, pour la forme, au sujet du comportement des deux agents britanniques mais, de toute évidence, ils avaient déjà les informations requises. On lui demanda d'attendre à l'extérieur.

Elle s'assit dans l'antichambre et accepta l'offre d'une tasse de thé. On la lui apporta et, quand elle la prit, elle fut contente de noter que ses mains tremblaient à peine. Elle but, puis, au bout de vingt minutes, Romer apparut. Heureux, elle le devina aussitôt – tout dans sa démarche, son regard entendu, son refus absolu de sourire, confirmait son immense et profonde bonne humeur.

Ils sortirent du Savoy ensemble et restèrent debout dans le Strand, au milieu de la circulation bruyante.

« Prenez le reste de la journée, dit-il. Vous le méritez.

– Vraiment ? Qu'ai-je fait ?

– Tenez : et si on dînait ce soir ? Il y a un endroit dans Soho : Chez Don Luigi, Frith Street. Je vous y attendrai à huit heures.

– Je suis prise, hélas.

– Absurde. On fête ça. À ce soir, huit heures. Taxi ! »

Il courut pour attraper le taxi qu'il venait de héler. Eva réfléchit : Chez Don Luigi, Frith Street, à huit heures. Que se passait-il donc ?


« Hello, Miss Fitzroy. Voilà longtemps qu'on ne vous a vue ! »

Mrs Dangerfield, une blonde rondouillarde avec un maquillage farineux épais comme si elle s'apprêtait à monter en scène, recula pour laisser entrer Eva.

« Je ne fais que passer, Mrs Dangerfield. Je suis venue chercher quelques affaires.

– J'ai du courrier pour vous, dit la logeuse en s'emparant d'un petit paquet de lettres sur la table de l'entrée. Tout est fin prêt. Voulez-vous que je fasse le lit ?

– Non, non, je ne suis ici que pour une heure ou deux. Puis je repars dans le nord.

– On est mieux hors de Londres, ma chère, croyez-moi. »

Mrs Dangerfield énuméra les inconvénients de la capitale en temps de guerre tout en conduisant Eva dans sa chambre mansardée du 312 Winchester Street, Battersea.

Eva ferma la porte derrière elle et donna un tour de clé. Elle jeta un coup d'œil autour de la pièce, y reprenant ses marques – elle n'y avait pas mis les pieds depuis plus de cinq semaines. Elle vérifia ses leurres : bien entendu, Mrs Dangerfield avait consciencieusement fouillé le bureau, l'armoire et la commode. Eva s'assit sur le lit étroit, étala sa demi-douzaine de lettres sur le couvre-lit et les ouvrit une à une. Elle en jeta trois au panier et classa le reste dans le tiroir de son bureau. Elle les avait toutes envoyées elle-même. Elle installa la carte postale sur la cheminée, au-dessus du feu au gaz : une carte provenant de King's Lynn – elle s'était rendue là-bas le week-end précédent exprès pour l'expédier. Elle la retourna et la relut :

> Lily chérie,
> Espérons que tout va bien dans ce bon vieux Perthshire pluvieux. Nous sommes descendus sur la côte pour deux jours. Le jeune Tom Dawlish s'est marié mercredi dernier. Serons de retour à Norwich lundi soir.
> On t'embrasse,
> Maman et Papa

Elle reposa la carte sur la cheminée en songeant soudain à son propre père et à son départ précipité de Paris. Aux dernières nouvelles, il était à Bordeaux – Irène s'était débrouillée pour lui poster une lettre à Londres. « Dans une forme raisonnable en ces temps qui ne le sont pas », avait-elle écrit.

Eva se rendit compte qu'elle se souriait à elle-même, un sourire déconcerté devant la bizarrerie de sa situation : installée dans son « lieu sûr » à Battersea, se faisant passer pour Lily Fitzroy. Que penserait son père de son travail pour le « gouvernement britannique » ? Qu'aurait pensé Kolia… ?

Mrs Dangerfield savait seulement que Lily était « dans les signaux », travaillait pour le ministère de la Guerre et devait voyager beaucoup, passer de plus en plus de temps en Écosse et dans le nord de l'Angleterre. Le loyer étant réglé un trimestre à l'avance, la logeuse s'estimait parfaitement satisfaite. Au cours de ses quatre mois à Londres, Eva n'avait dormi que six nuits à Winchester Road.

Elle souleva le coin du tapis et, prenant un petit tournevis dans son sac, fit sauter les clous desserrés sur une courte section du plancher. Dessous, enveloppé dans de la toile cirée, se trouvait un petit paquet contenant le passeport au nom de Lily Fitzroy, une flasque de whisky et trois billets de cinq livres. Elle en ajouta un quatrième et referma le tout. Puis elle s'étendit sur son lit et somnola une demi-heure, rêvant que Kolia entrait dans la chambre et posait sa main sur son épaule. Ce qui la réveilla en sursaut, et lui fit constater qu'un rayon de soleil s'était faufilé à travers les rideaux et lui chauffait le cou.

Elle inspecta l'armoire, y prit deux robes qu'elle plia et mit dans le sac en papier qu'elle avait apporté.

Au moment de sortir, elle s'arrêta, s'interrogeant sur la sagesse ou même la nécessité de ce « lieu sûr ». C'était là sa profession ; c'était ainsi qu'on lui avait appris à établir et à maintenir un refuge sans éveiller la suspicion. Le lieu sûr, une des lois de Romer. Elle sourit, amusée, et ouvrit la porte. Les lois de Romer... de plus en plus, sa vie était gouvernée par ces règlements particuliers. Elle éteignit la lumière et s'avança sur le palier : peut-être en apprendrait-elle quelques autres ce soir.

« Au revoir, Mrs Dangerfield, cria-t-elle gaiement. C'est moi, je m'en vais. À dans une semaine ou deux ! »


Ce soir-là, Eva s'habilla avec plus de soin et de réflexion que d'habitude. Elle se lava les cheveux et en boucla les pointes, décidant de surprendre Romer en les laissant dénoués. Elle se fit une mèche sur l'œil, à la Veronica Lake, mais y renonça en se disant que c'était aller trop loin : elle n'essayait pas de séduire cet homme, après tout. Non, elle souhaitait seulement qu'il la remarque davantage, qu'il la regarde autrement. Il pensait peut-être simplement inviter une employée à sortir pour la récompenser, mais elle entendait qu'il se rendît compte qu'elle ressemblait à peu de ses employées. C'était une affaire d'amour-propre au sens pur, absolument rien à voir avec Romer

Elle se mit du rouge à lèvres – un nouveau, baptisé Nuits de Tahiti – se poudra et se passa de l'eau de rose sur les poignets et derrière les oreilles. Elle portait une robe de lainage léger bleu marine à pans froncés jaune maïs, et une large ceinture à nœud qui soulignait sa taille fine. Ses sourcils, d'un noir parfait, étaient épilés en un arc non moins parfait. Ayant enfoui cigarettes, briquet et porte-monnaie dans un sac en bambou incrusté de coquillages, elle se regarda une dernière fois dans la glace et se décida, de manière définitive et irrévocable, contre des boucles d'oreilles.

Au moment où elle descendait les marches du foyer, quelques filles faisaient la queue devant le téléphone dans le hall. Elle s'inclina tandis qu'elles sifflaient et s'ébaudissaient, moqueuses.

« Qui est l'heureux élu, Eva ? »

Elle éclata de rire. C'était Romer l'heureux élu : il n'avait aucune idée de la chance qu'il avait.

L'heureux élu apparut tard, à 8 h 35. Eva avait déjà été escortée à la meilleure table de Don Luigi, dans un bow-window donnant sur Frith Street. Elle but deux gin-tonic en attendant, et passa la majeure partie du temps à écouter un couple français à deux tables de là en pleine dispute, pas très *sotto voce,* autour de la garce de mère du mari. Romer surgit enfin, ne s'excusa pas, ne fit aucun commentaire sur sa tenue ni sa mine, mais commanda aussitôt une bouteille de chianti – « Le meilleur chianti de Londres. Je ne viens ici que pour le chianti. » Il était encore très animé et excité, sa bonne humeur post-Savoy encore plus prononcée et, pendant qu'ils commandaient et attaquaient leur hors-d'œuvre, il parla librement et avec mépris du « siège social ». Elle l'écouta d'une oreille, préférant le regarder boire, fumer et manger. Elle l'entendit affirmer que la direction était bourrée de types appartenant à l'élite la plus stupide de Londres, que les gens avec lesquels il avait à traiter étaient soit des clubmen oisifs, soit des fonctionnaires en retraite du Service colonial indien. Le premier groupe regardant de haut le second comme composé de carriéristes petits-bourgeois, tandis que le second considérait les premiers comme des types entretenus et à la ramasse qui n'avaient un boulot que parce qu'ils avaient été sur les bancs d'Eton avec le boss.

Romer pointa sa fourchette sur Eva – il mangeait ce qui prétendait être du veau à la milanaise alors qu'elle avait commandé de la morue à la tomate.

« Comment sommes-nous censés conduire au succès une compagnie dont les administrateurs sont si minables ?

– Mr X est-il minable ? »

Romer se tut un instant, et Eva comprit ce qu'il pensait : comment connaît-elle l'existence de Mr X ? Puis, devinant comment elle

126

savait, et que ça ne posait donc pas de problème, il répliqua lentement :

« Non, Mr X est différent. Mr X comprend ce que valent les SAC.
– Mr X était-il là, aujourd'hui ?
– Oui.
– Lequel était-ce ? »

Il ne répondit pas, s'empara de la bouteille et remplit leurs deux verres. C'était leur seconde bouteille de chianti.

« À vous, Eva, dit-il avec un accent proche de la sincérité. Vous avez été très bien aujourd'hui. Je ne voudrais pas dire que vous nous avez tirés du pétrin – mais je crois en fait que vous nous avez sauvé la peau. »

Ils trinquèrent, il la gratifia d'un de ses rares sourires dents blanches et, pour la première fois de la soirée, elle eut soudain conscience qu'il la regardait comme un homme regarde une femme, notant certains de ses traits : ses cheveux blonds, longs et coiffés en dedans, ses lèvres écarlates, ses sourcils noirs arqués, son long cou, la rondeur de ses seins sous sa robe bleu marine.

« Oui, eh bien… reprit-il gauchement, vous me paraissez très… très élégante.
– De quelle manière vous ai-je tiré du pétrin ? »

Il jeta un coup d'œil alentour. Personne n'était assis près d'eux.

« On est convaincu que le problème est venu de la branche hollandaise. Pas du côté anglais. Nous avons été lâchés par les Hollandais – une brebis galeuse à La Haye.
– Que disent les Hollandais ?
– Ils sont furieux. Ils nous blâment. Leur direction a été démissionnée de force après tout. »

Eva savait que Romer adorait ce code simple, comme on l'appelait. C'était une autre de ses règles : utiliser le langage ordinaire aussi souvent que possible, ni chiffres ni autres codes – trop compliqués ou trop faciles à briser. Le langage ordinaire faisait ou ne faisait pas sens. Et dans ce dernier cas il n'était jamais compromettant.

« Eh bien, dit Eva, je suis contente d'avoir été de quelque utilité. »

Cette fois, il ne répondit pas. Il s'était renfoncé sur son siège et la regardait comme s'il la voyait pour la première fois.

« Vous êtes très belle ce soir, Eva. Vous l'a-t-on déjà dit ? »
Mais le ton sec et cynique laissait entendre qu'il plaisantait.
« Oui, répliqua-t-elle aussi sèchement. De temps à autre. »


Dans Frith Street et l'obscurité du black-out, ils attendirent un moment le passage d'un taxi.
« Où habitez-vous ? demanda-t-il. Hampstead, non ?
— Bayswater. » Elle se sentait un peu ivre après tous ces gins et ce chianti. Du porche d'une boutique, elle regarda Romer courir en vain derrière un taxi. Quand il revint vers elle, haussant les épaules, le cheveu un peu ébouriffé, le sourire navré, elle éprouva un besoin brusque, presque physique, de se retrouver dans un lit, nue, avec lui. Elle fut un peu secouée par la vigueur de cette faim de chair mais, après tout, elle n'avait pas couché avec un homme depuis plus de deux ans. Deux ans depuis son dernier amant, Jean-Didier, l'ami de Kolia, le musicien mélancolique comme elle l'appelait en secret ; et soudain, à cet instant, elle ressentit le violent désir de tenir de nouveau un homme dans ses bras — le corps d'un homme nu contre le sien. Moins un acte sexuel que la possibilité de serrer, d'enlacer cette grande masse solide, cette étrange musculature, ces odeurs différentes, cette force différente. Cela manquait dans sa vie, se dit-elle encore alors qu'il revenait vers elle, et ce n'était pas vraiment à Romer qu'elle pensait, mais à un homme, des hommes. Romer, toutefois, était pour l'instant le seul homme disponible.
« Peut-être devrions-nous prendre le métro, suggéra-t-il.
— Un taxi va sûrement passer. Je ne suis pas pressée. »
Elle se rappela ce que lui avait dit un jour une femme à Paris. Une femme dans la quarantaine, très remariée, élégante, un rien blasée. Il n'y a rien de plus facile au monde, avait-elle affirmé, que d'amener un homme à vous embrasser. Ah, vraiment ? s'était étonnée Eva, et comment faites-vous ? Mettez-vous simplement près d'un homme, avait expliqué la femme, très près, aussi près que vous le pouvez sans le toucher — il vous embrassera dans les deux minutes qui suivent. Inévitable. Pour eux, ça tient de l'instinct : ils ne peuvent pas résister. Infaillible.

Et donc Eva se rapprocha de Romer sur le seuil de la boutique dans Frith Street, tandis qu'il appelait et faisait signe aux voitures qui passaient dans l'obscurité, avec l'espoir que l'une d'elles fût un taxi.

« On n'a pas de chance, dit-il en se retournant sur Eva très près de lui, le visage offert.

– Je ne suis pas pressée », répéta-t-elle.

Il se pencha et l'embrassa.


Debout, nue dans la salle de bain de l'appartement que louait Romer dans South Kensington, Eva, qui n'avait pas allumé, apercevait le reflet de son corps dans le miroir, sa forme pâle allongée marquée des cercles sombres de ses mamelons. Ils étaient venus ici, après avoir trouvé un taxi dans la minute qui avait suivi leur baiser. Ils avaient fait l'amour sans plus de cérémonie ni de conversation. Elle avait ensuite quitté le lit presque aussitôt pour la salle de bain avec l'idée de tenter d'acquérir un peu de perspective sur ce qui s'était passé. Elle tira la chasse et ferma les yeux. Rien à gagner à réfléchir maintenant, se dit-elle. Il y aurait suffisamment de temps pour le faire plus tard.

Elle retourna se glisser dans le lit.

« Tu te rends compte que j'ai contrevenu à toutes mes lois, dit-il.

– Une seule sûrement ? rétorqua-t-elle en se serrant contre lui. Ce n'est pas la fin du monde.

– Désolé d'avoir été si rapide. Je manque un peu de pratique. Tu es fichtrement trop jolie et sexy.

– Je ne me plains pas. Prends-moi dans tes bras. »

Ce qu'il fit, et elle se pressa contre lui pour caresser les muscles de ses épaules, le profond sillon de sa colonne vertébrale. Il paraissait si grand à côté d'elle, à croire qu'il appartenait à une autre race. C'est ce que je voulais, se dit-elle : c'est ce qui me manquait. Elle enfouit son visage au creux de l'épaule de Romer et prit une longue inspiration.

« Tu n'es pas vierge, dit-il.

– Non. Tu l'es toi ?

– Grands dieux, je suis un homme d'âge mûr.

– Il existe des vierges d'âge mûr. »

Il éclata de rire et elle lui passa la main sur les hanches pour s'emparer de son sexe. Il avait une bande de poils rêches sur la poitrine et un peu de ventre. Elle sentit son pénis épaissir entre ses doigts, et le frottement de sa repousse de barbe sur ses lèvres et son menton. Elle embrassa son cou, elle embrassa ses mamelons, et reçut tout le poids de sa cuisse lorsqu'il la mit en travers de la sienne. C'était vraiment ce qu'elle avait voulu : du poids – du poids, de l'épaisseur, du muscle, de la force. Quelque chose de plus grand que moi. Il la fit rouler facilement sur le dos et elle sentit la masse de son corps l'aplatir contre les draps.

« Eva Delectorskaya, dit-il. Qui l'aurait cru ? »

Il l'embrassa doucement et elle écarta les cuisses pour le recevoir.

« Lucas Romer, dit-elle. Eh bien, ça par exemple… »

Il se souleva sur ses bras au-dessus d'elle.

« Promets de ne rien raconter à personne, mais… fit-il, taquin, laissant la phrase inachevée.

– Je promets », répondit-elle, pensant : à qui donc raconterais-je ? À Deirdre, Sylvia, Blytheswood ? Quel idiot !

« Mais… reprit-il, grâce à vous, Eva Delectorskaya, il baissa la tête pour l'embrasser brièvement sur les lèvres, nous allons tous partir pour les États-Unis d'Amérique. »

# 6

# Une fille venue d'Allemagne

Le samedi matin, Jochen et moi sommes allés au centre commercial de Westgate à Oxford – un ensemble de boutiques style béton et laideur, mais pratique comme la plupart de ces centres – pour acheter un pyjama à Jochen (qui allait passer une nuit chez sa grand-mère) et verser l'avant-dernière mensualité de la cuisinière que j'avais acquise en décembre. J'ai garé la voiture dans Broad Street et nous avons gagné à pied Cornmarket où les magasins s'ouvraient à peine. Bien que la journée s'annonçât de nouveau belle, ensoleillée et chaude, il semblait y avoir une brève sensation de fraîcheur dans l'air matinal – une conspiration tacite ou l'illusion rêvée que des journées aussi chaudes n'étaient pas encore courantes au point d'être devenues assommantes. Les rues avaient été balayées, les poubelles vidées, et l'enfer congestionné, saturé de bus et touristes, qu'était en réalité Cornmarket le samedi se situait encore à une heure ou deux de là.

Jochen m'a tiré en arrière pour regarder une vitrine de jouets.

« Regarde ça, Maman, c'est étonnant. »

Il m'a montré une sorte de fusil d'astronaute en plastique bourré d'un tas de gadgets.

« Je peux l'avoir pour mon anniversaire ? a-t-il demandé sur un ton plaintif. Pour mon anniversaire et mon prochain Noël ?

– Non. Je t'ai acheté une ravissante encyclopédie toute neuve.

– Tu te moques encore de moi, a-t-il dit, sévère. Ne plaisante pas comme ça.

– Il faut un peu plaisanter dans la vie, mon chéri, ai-je rétorqué en l'entraînant vers Queen Street. Autrement, à quoi bon ?

131

– Ça dépend de la plaisanterie. Y a des plaisanteries qui sont pas drôles.

– OK, tu auras ton revolver. J'enverrai l'encyclopédie à un petit garçon en Afrique.

– Quel petit garçon ?

– J'en dégoterai un. Y en a plein qui adoreraient avoir une encyclopédie.

– Regarde, voilà Hamid. »

Au bout de Queen Street se trouvait un petit jardin avec un obélisque. Destiné de toute évidence à l'époque à être un modeste espace public dans la partie édouardienne de la ville, il ne servait plus désormais, avec le redéveloppement moderne, que d'avant-cour ou de rampe à la vaste embouchure du centre commercial. Pour l'heure, des punks renifleurs de colle s'étaient rassemblés sur les marches autour du monument (à un quelconque soldat oublié, tué dans un accrochage colonial). C'était aussi un lieu très prisé pour le commencement ou la fin de marches et autres manifestations. Il plaisait aux punks, aux chanteurs des rues, aux mendiants ; les Hara Krishna y faisaient tinter leurs cymbales en psalmodiant, et l'Armée du Salut y chantait à Noël. Je devais reconnaître que, aussi quelconque qu'il fût, c'était peut-être l'espace public le plus vivant et le plus éclectique d'Oxford.

À l'instant, s'y déroulait une petite manif d'Iraniens – étudiants et exilés, je suppose –, une trentaine rassemblés sous des bannières qui proclamaient : « À bas le shah ! » « Vive la Révolution iranienne ! » Deux barbus essayaient d'inciter les passants à signer une pétition, tandis qu'une fille, coiffée d'un foulard et armée d'un mégaphone, énumérait d'une voix aiguë et monotone les iniquités de la famille Pahlavi. J'ai suivi de l'œil la direction du doigt de Jochen et aperçu Hamid debout un peu à l'écart, derrière une voiture garée, en train de prendre des photos des manifestants.

Nous sommes allés vers lui.

« Hamid ! » a crié Jochen, et Hamid s'est retourné, d'abord surpris, puis ravi de découvrir qui l'appelait. Il s'est accroupi devant Jochen et lui a tendu sa main que Jochen a serrée avec une certaine vigueur.

« Mr Jochen, *salaam aleikum* !

– *Aleikum salaam* », a répliqué Jochen : c'était un rituel qu'il connaissait fort bien.

Hamid lui a souri, puis, se relevant, s'est tourné vers moi. « Ruth. Comment allez-vous ?

– Que faites-vous ici ? ai-je demandé à brûle-pourpoint, prise de brusques soupçons.

– Je prends des photos. » Il a brandi son appareil. « Ce sont tous des amis à moi, là-bas.

– Ah ? J'aurais cru qu'ils ne voulaient pas qu'on les photographie.

– Pourquoi ? Il s'agit d'une manifestation pacifique contre le shah. Sa sœur vient ici à Oxford inaugurer une bibliothèque qu'ils ont financée. Attendez ça – il y aura une grande manif à cette occasion. Il faut que vous veniez.

– Je peux moi aussi ? a demandé Jochen.

– Bien sûr. » Puis, entendant un manifestant crier son nom. « Je dois partir. Je vous vois ce soir, Ruth. Dois-je apporter un taxi ?

– Non, non, ai-je dit. Nous pouvons aller à pied. »

Il a couru rejoindre les autres et, un moment, je me suis sentie coupable et idiote de le soupçonner ainsi. Nous sommes entrés dans le centre en quête de pyjamas, mais je me suis surprise à continuer de ruminer l'affaire : pourquoi des manifestants anti-shah pouvaient-ils être contents d'être photographiés ?

Penchée sur Jochen, je le regardais emballer ses jouets dans son sac, tout en le pressant d'être plus impitoyable dans sa sélection, quand j'ai entendu Ludger monter l'escalier en fer et entrer par la porte de la cuisine.

« Ah, Ruth, a-t-il dit en me voyant dans la chambre de Jochen. J'ai un service à te demander. Hé, Jochen, comment va, vieux ? »

Jochen s'est retourné. « Je vais bien, merci.

– J'ai une amie, a poursuivi Ludger à mon adresse. Une fille venue d'Allemagne. Pas une petite amie, s'est-il empressé d'ajouter. Elle dit qu'elle veut visiter Oxford et je me demande si elle pourrait rester ici – deux, trois jours.

– Je n'ai pas de chambre d'amis.

– Elle peut dormir avec moi. Je veux dire, dans ma chambre. Un sac de couchage par terre – pas de problème.

– Il faudra que je demande à Mr Scott, ai-je improvisé. Il y a une clause dans mon contrat de location, tu comprends. En fait, je n'ai pas le droit d'avoir plus d'un invité ici.

– Quoi ? s'est-il écrié, incrédule. Mais c'est chez toi !

– Mon chez-moi *loué*. Je vais vite aller lui poser la question. »

Mr Scott travaillait parfois chez lui le samedi matin et j'avais vu sa voiture garée dehors. Je suis descendue et l'ai trouvé assis sur le bureau de la réception, les jambes ballantes, en train de converser avec Krissi, sa nouvelle assistante néo-zélandaise.

« Hello, hello, hello ! a-t-il rugi en me voyant, ses yeux énormes derrière les verres épais de ses lunettes cerclées d'or. Comment va le jeune Jochen ?

– Très bien merci. Je me demandais, Mr Scott, auriez-vous une objection à ce que je mette quelques meubles au fond du jardin ? Une table, des chaises, un parasol ?

– Pourquoi en aurais-je une ?

– Je ne sais pas : ça pourrait gâter la vue depuis votre cabinet ou d'ailleurs.

– Comment cela pourrait-il gâter la vue ?

– Super, alors. Merci beaucoup. »

En qualité de jeune dentiste militaire, Mr Scott avait débarqué dans le port de Singapour en février 1942. Quatre jours après son arrivée, les forces britanniques s'étaient rendues et il avait passé les trois années et demie suivantes comme prisonnier des Japonais. Après cette expérience, m'avait-il confié – en toute sincérité, sans la moindre amertume –, il avait décidé que rien dans la vie ne lui causerait plus aucun souci.

Ludger m'attendait en haut de l'escalier.

« Alors ?

– Navrée, ai-je annoncé. Mr Scott refuse. Un seul invité autorisé. »

Ludger m'a jeté un regard sceptique que j'ai soutenu sans ciller.

« Ah ouais ?

– Ouais. En fait, tu as de la veine qu'il t'ait laissé rester ici si longtemps, ai-je menti, plutôt ravie. Là, c'est mon bail qui est en jeu, tu comprends.

– Qu'est-ce que c'est que ce pays de merde ? a-t-il demandé pour la forme. Où un proprio peut vous dicter qui peut habiter chez vous !

– Si t'apprécies pas, tu peux toujours foutre le camp, ai-je répliqué avec entrain. Allez, viens, Jochen, on part chez Granny. »

Ma mère et moi étions assises sur la terrasse du cottage, contemplant par-dessus le pré blond la masse vert foncé du bois de la Sorcière, en buvant de la citronnade maison, un œil sur Jochen qui galopait autour du jardin avec un filet à papillons sans en attraper aucun.

« Tu as raison, ai-je dit. Romer est un pair du royaume. Et un homme riche, pour autant que je puisse en juger. »

Deux visites à la Bodleian Library m'avaient procuré un peu plus d'informations que les quelques faits fournis par Bobbie York. J'observais attentivement le visage de ma mère tandis que je lui lisais mes notes concernant la vie de Romer. Il était né le 7 mars 1899. Fils de Gerald Arthur Romer (décédé en 1918). Un frère aîné, Sholto, avait été tué lors de la bataille de la Somme en 1916. Romer avait été éduqué dans une petite *public school*, Framingham Hall, où son père enseignait le latin et le grec. Devenu capitaine au cours de la Première Guerre mondiale dans le King's Own Yorkshire, un régiment d'infanterie légère, il avait reçu la Military Cross en 1918. De retour après la guerre, à Oxford au St John's College, il y avait obtenu un diplôme d'histoire avec mention très bien en 1923. Avaient suivi deux années en Sorbonne (1924-1925). Il était ensuite entré au Foreign Office où il était resté jusqu'en 1935.

J'ai marqué un temps d'arrêt. « Après quoi, plus rien, à ceci près qu'on lui a donné la croix de guerre – la croix de guerre belge –, en 1945.

– Bonne vieille Belgique », a commenté ma mère d'un ton neutre.

Je lui ai expliqué que l'entreprise éditoriale avait commencé en 1946 – concentrée sur des revues scientifiques, au début, s'appuyant surtout sur des sources allemandes. Les Presses universitaires allemandes étant moribondes, fonctionnant à peine ou sévèrement handicapées, les intellectuels et les savants allemands avaient trouvé un excellent accueil dans les revues de Romer. Fort de ce succès, il s'était introduit peu à peu sur le marché des ouvrages de référence, coûteux, sèchement académiques et vendus surtout aux librairies universitaires du monde entier. L'affaire de Romer – Romer, Radclyffe Ltd – avait rapidement acquis dans ce domaine une place impressionnante, quoique spécialisée, ce qui avait amené à son rachat en 1963 par un groupe éditorial hollandais, laissant à Romer une fortune personnelle de quelque 3 millions de livres sterling. J'ai mentionné son mariage, en 1949, avec une certaine Miriam Hilton (morte en 1972), ses deux enfants, et ma mère n'a pas bronché. Il y avait une maison à Londres, « dans Knightsbridge » – impossible d'en savoir plus –, et une villa près d'Antibes. Après le rachat, les Hollandais avaient conservé le nom de Romer, Radclyffe pour la maison d'édition. Romer siégeait au conseil d'administration de la holding hollandaise et il était devenu par ailleurs consultant et directeur de plusieurs groupes de presse. Il avait été fait pair à vie par le gouvernement de Churchill en 1953 « pour services rendus à l'édition ».

Ici ma mère a ricané : « Pour services à l'espionnage, tu veux dire ! Ils attendent toujours un peu.

– C'est tout ce que j'ai pu récolter. Il n'y a pas grand-chose. Il s'appelle Lord Mansfield maintenant. C'est pourquoi il a fallu un peu fouiller pour retrouver sa trace.

– Son second prénom est Mansfield, a expliqué ma mère. Lucas Mansfield... J'avais oublié. Tu as des photos ? Je te parie qu'il n'y en a aucune. »

Mais j'en avais trouvé une assez récente dans le *Tatler* : Romer à côté de son fils Sebastian, lors du vingt et unième anniversaire de ce dernier. Comme conscient de la présence du photographe, Romer s'était débrouillé pour cacher d'une main sa bouche et son menton. Ç'aurait pu être n'importe qui : un visage mince, une veste de smoking et un nœud papillon, une calvitie aujourd'hui très prononcée. J'en avais fait faire une photocopie que j'ai tendue à ma mère.

Elle l'a regardée, impassible. « Je suppose que je l'aurais tout juste reconnu. Ça alors, il a perdu tous ses cheveux.

– Certes. Et apparemment il y a un portrait de lui par David Bomberg à la National Portrait Gallery.

– De quelle date ?

– 1936.

– Ça oui, ça vaudrait la peine d'y jeter un coup d'œil. Tu pourras t'imaginer à quoi il ressemblait quand je l'ai connu. » Elle a donné un coup d'ongle sur la photocopie. « Pas à ce vieux type !

– Pourquoi veux-tu le retrouver, Sal ? Après tant d'années ? ai-je demandé sur le ton le plus neutre possible.

– Je sens simplement que le temps est venu. »

J'en suis restée là, tandis que Jochen revenait avec une sauterelle dans son filet.

« Bravo, ai-je dit. Au moins, c'est un insecte.

– En fait, a-t-il rétorqué, je trouve les sauterelles plus intéressantes que les papillons.

– Cours en attraper une autre, a dit ma mère. Et puis nous dînerons.

– Mon Dieu, regarde l'heure ! me suis-je écriée. J'ai un rendez-vous. »

Je lui ai parlé de Hamid et de son invitation mais elle n'écoutait pas. Je voyais bien qu'elle était au pays de Romer.

« Crois-tu que tu pourrais découvrir où est sa maison dans Londres ?

– La maison de Romer ?… Eh bien, je peux essayer, je suppose. Ça ne devrait pas être impossible. Mais… et puis quoi ?

– Je veux que tu te débrouilles pour le rencontrer. »

J'ai posé ma main sur son bras. « Sal, tu es sûre que tout ceci est raisonnable ?

– Moins raisonnable qu'absolument vital. Capital.

– Comment suis-je censée m'arranger pour le rencontrer ? Pourquoi Lord Mansfield of Hampton Cleeve voudrait-il me recevoir ? »

Elle s'est penchée et m'a embrassée sur le front. « Tu es une jeune femme très intelligente – tu trouveras une idée.

– Et que suis-je censée faire lors de cette rencontre ?

– Je te le dirai exactement le moment venu. » Elle s'est tournée de nouveau vers le jardin. « Jochen ! Maman s'en va. Viens lui dire au revoir. »

J'ai fait un petit effort pour Hamid, encore que mon cœur n'y fût pas : je prisais fort ces rares soirées où je me retrouvais seule… Mais je me suis lavé les cheveux et j'ai mis de l'ombre à paupière gris foncé. Sur le point d'enfiler mes bottes à talons compensés, j'y ai renoncé, soucieuse de pas dépasser mon hôte d'une tête, et j'ai opté pour des sabots, un jean et une blouse d'étamine brodée. Mon pansement était moins visible aujourd'hui – sous l'étamine de la blouse, il formait un renflement net de la taille d'un petit sandwich. En attendant Hamid, j'ai installé une chaise de cuisine dehors sur le palier en haut de l'escalier et j'ai bu une bière. La lumière était douce et brumeuse, des douzaines d'hirondelles zigzaguaient et plongeaient au-dessus de la cime des arbres, l'air était rempli de leurs piaillements comme d'une sorte de brouillage strident à moitié audible. Tout en sirotant ma bière, j'ai repensé à ma mère et j'ai conclu que le seul résultat positif de cette enquête sur Romer était qu'elle semblait avoir eu raison de sa parano et de sa comédie de l'invalide – elle n'avait plus parlé de son mal de dos, la chaise roulante avait été reléguée dans un coin de l'entrée –, mais je me suis alors rendu compte que je ne l'avais pas questionnée sur le fusil.

Hamid est arrivé, arborant un costume trois pièces sombre et une cravate. Il a décrété que j'avais l'air « très jolie », mais j'ai bien vu qu'il était un peu déçu par le côté décontracté de ma tenue. Nous avons descendu Woodstock Road à pied dans la poussière dorée du crépuscule. Les pelouses des grandes maisons de brique étaient desséchées et roussâtres, et les feuilles des arbres, d'habitude d'un vert si vif, si dense, paraissaient terreuses et fatiguées.

« Vous n'avez pas chaud ? ai-je demandé à Hamid.

– Non, ça va. Peut-être le restaurant est climatisé ?

– J'en doute, on est en Angleterre, ne l'oubliez pas. »

Il s'est avéré que j'avais raison mais, en compensation, de multiples ventilateurs tournaient au-dessus de nos têtes. Je n'avais jamais encore mis les pieds chez Browns, mais j'ai bien aimé le long bar sombre et les grands miroirs, les palmiers et la verdure un peu partout. Sur les murs, les appliques en forme de globe avaient des allures de petites lunes blanchissantes. Une sorte de rock jazzy servait de fond sonore.

Hamid n'a pas bu mais il a insisté pour que je prenne un apéritif – vodka-tonic, merci –, après quoi, il a commandé une bouteille de vin rouge.

« Je ne peux pas boire tout ça, ai-je dit. Je vais m'écrouler.

– Je vous ramasserai », a-t-il répliqué avec une galanterie gauche et suggestive. Puis il a reconnu sa maladresse avec un sourire timide.

« Vous pourrez toujours en laisser.

– Je la ramènerai à la maison, ai-je conclu, désireuse d'en finir avec cette conversation autour de ma capacité à boire. Il ne faut pas gaspiller. »

Nous avons dîné, parlé d'Oxford English Plus. Hamid m'a raconté ses autres professeurs, l'arrivée prochaine de trente autres ingénieurs pétroliers de Dusendorf et sa conviction que Bérangère et Hugues avaient une liaison.

« Comment le savez-vous ? » Je n'avais remarqué aucun signe d'une intimité croissante.

« Il me dit tout, Hugues.

– Oh, eh bien… J'espère qu'ils sont très heureux. »

Il a rempli de nouveau mon verre. La manière dont il l'a fait et aussi quelque chose dans l'expression de sa bouche et de sa mâchoire m'ont averti de l'imminence d'une conversation sérieuse. J'ai senti mon moral baisser un peu : la vie était déjà assez compliquée – je n'avais pas envie que Hamid me la complique davantage. J'ai bu la moitié de mon verre, histoire de me préparer à l'interrogatoire, et l'alcool a commencé aussitôt à faire effet. Je buvais trop – mais qui aurait pu m'en vouloir ?

« Ruth, puis-je vous poser quelques questions ?

– Bien sûr.

– Je veux vous interroger sur le père de Jochen.

– Oh, bon Dieu, d'accord. Allez-y.

– Avez-vous jamais été mariée avec lui ?

– Non. Il était déjà marié avec trois moutards quand je l'ai rencontré.

– Donc : comment se fait-il que vous avez eu cet enfant avec cet homme ? »

J'ai repris du vin. La serveuse a débarrassé nos assiettes.

« Vous voulez vraiment le savoir ?

– Oui. Je sens que je ne comprends pas cela. Je ne comprends pas cela dans votre vie. Et pourtant je vous connais, Ruth.

– Non, vous ne me connaissez pas.

– Enfin, je vous ai vue presque tous les jours pendant ces trois mois. Je sens que vous êtes une amie.

– Vrai. OK.

– Donc : comment ceci est-il arrivé ? »

J'ai décidé de le lui dire ou plutôt de lui dire juste ce qu'il avait besoin de savoir. Le fait de relater une telle histoire peut-être m'aiderait moi aussi, l'installant dans une sorte de contexte de ma vie ; non pas pour la rendre moins importante (car, après tout, elle avait produit Jochen) mais pour donner à son importance une certaine perspective, et ainsi en faire en une tranche normale d'autobiographie au lieu d'une blessure psychologique ouverte et sanglante. J'ai allumé une cigarette et bu une autre longue gorgée de vin. Hamid s'était penché en avant sur la table, les bras croisés, ses yeux bruns fixés sur les miens. Je suis toute ouïe, disait sa pose, pas d'interruption, pleine concentration.

« Tout a commencé en 1970, ai-je dit. Je venais de finir mes examens, j'avais un diplôme en français et en allemand (mention très bien) de l'université d'Oxford, j'avais la vie devant moi, pleine de magnifiques promesses, toutes sortes d'intéressantes options et d'avenues à explorer, etc., etc. Et puis mon père est tombé raide mort dans le jardin, victime d'une crise cardiaque.

– Je suis désolé, a jeté Hamid.

– Pas autant que moi, ai-je répliqué, et j'ai senti ma gorge se serrer d'émotion. J'adorais mon papa, plus que ma mère, je crois. J'étais fille unique, ne l'oubliez pas… J'avais donc vingt et un an, et j'ai un peu perdu les pédales. En fait, je pense que j'ai dû avoir une sorte de dépression nerveuse – qui sait ?

» Mais, au cours de cette période difficile, je n'ai pas été aidée par ma mère qui, une semaine après l'enterrement, presque comme si on lui en avait donné l'ordre, a mis la maison familiale en vente (une ravissante vieille maison, juste aux abords de Banbury), l'a bazardée en l'espace d'un mois et, avec l'argent qu'elle en a tiré, s'est acheté un cottage dans le village le plus perdu qu'elle a pu trouver en Oxfordshire.

– Peut-être que pour elle, ça avait un sens, a risqué Hamid.

– Peut-être pour elle. Pour moi, non. Soudain, je n'avais plus de maison. Le cottage était à elle, chez elle. Il y avait une chambre d'amis que je pouvais utiliser si jamais j'avais voulu y habiter. Mais le message était clair : notre vie de famille était terminée – ton père est mort, tu es diplômée, vingt et un ans, nous prenons chacune notre chemin. Alors j'ai décidé d'aller en Allemagne. J'ai décidé d'écrire une thèse sur la révolution allemande après la Première Guerre mondiale. *Révolution en Allemagne – 1918-1923*, ça s'intitulait – et ça s'intitule toujours.

– Pourquoi ?

– Je ne sais pas. Je vous l'ai dit, je crois que j'étais un peu dingue. Et puis, de toute façon, la révolution était dans l'air, J'avais envie de révolutionner ma vie. On m'a suggéré ça et j'ai saisi l'occasion à deux mains. Je voulais tout quitter : Banbury, Oxford, ma mère, les souvenirs de mon père. Je suis donc partie pour l'université de Hambourg faire une thèse.

– Hambourg, a répété Hamid comme s'il inscrivait le nom de la ville dans son bloc-notes de souvenirs. Et c'est là où vous avez rencontré le père de Jochen.

– Oui, le père de Jochen était mon professeur. Mon professeur d'histoire. Professeur Karl-Heinz Kleist. Il supervisait ma thèse, à côté d'autres activités telles que la présentation d'émissions sur l'art à la télé, l'organisation de manifs, la publication de pamphlets gauchistes, l'écriture d'articles pour *Die Zeit* sur la crise allemande... » Je me suis tue un instant avant de reprendre : « Un homme à multiples facettes. Un homme très occupé. »

J'ai écrasé ma cigarette numéro un et allumé ma cigarette numéro deux.

« Il faut que vous compreniez, ai-je poursuivi, qu'elle était dans un drôle d'état l'Allemagne, en 1970 ; elle l'est toujours d'ailleurs aujourd'hui, en 1976. La société connaissait une sorte de bouleversement, un processus de redéfinition. Par exemple, quand je suis allée voir Karl-Heinz pour la première fois, dans le bâtiment universitaire où il avait son bureau, une immense banderole peinte traversait la façade, installée là par les étudiants, et qui proclamait INSTITUT FÜR SOZIALE ANGELEGENHEITEN – Institut de la Conscience sociale… Pas "faculté d'histoire" ou autre. Pour ces étudiants, en 1970, l'histoire consistait à étudier leur conscience sociale…

– Qu'est-ce que ça veut dire ?

– Ça veut dire, voyez-vous, étudier comment les événements du passé, le passé récent en particulier, avaient formé l'idée qu'ils avaient d'eux-mêmes. En réalité, ça n'avait rien à voir avec des faits documentés, ni l'élaboration d'un consensus autour d'un récit du passé… »

Hamid ne suivait plus, je l'ai compris, mais j'étais en train de revivre cette première rencontre avec Karl-Heinz. Sombre, obscure, la pièce qu'il occupait était remplie de tours penchées de livres appuyées contre les murs – il n'y avait pas d'étagères. Pas de sièges non plus mais des coussins éparpillés par terre. En dehors de trois bâtons d'encens allumés, la table basse – un lit thaïlandais, en fait – qui servait de bureau était vide. Grand avec de fins cheveux blonds lui tombant sur les épaules, Karl-Heinz portait plusieurs colliers sur une chemise de soie bleu pâle brodée et un pantalon pattes d'éléphant en velours frappé couleur framboise écrasée. Il avait des traits forts et marquants : un long nez, des lèvres pleines, des sourcils épais – moins beau qu'impossible à ignorer. Après trois ans d'Oxford, il m'a fait presque l'effet d'un choc : dire que c'était un professeur ! À son commandement, je me suis laissé tomber sur un coussin, tandis qu'il en traînait un autre pour s'asseoir face à moi. Il répéta plusieurs fois le titre de ma thèse, comme s'il y cherchait un relent d'humour, comme pour y découvrir la blague que j'y cachais.

« Comment était-il ? a voulu savoir Hamid. Ce Karl-Heinz ?

– À première vue, il ne ressemblait à personne que j'aie jamais rencontré. Et puis, à mesure que j'ai appris à le connaître dans l'année qui a suivi, il est redevenu lentement mais sûrement très ordinaire. Il est redevenu comme tout le monde.

– Je ne comprends pas.

– Égoïste, vain, paresseux, négligent, sans honneur… » J'essayais de trouver d'autres qualificatifs. « Content de lui, sournois, menteur, faible…

– Mais c'est le père de Jochen.

– Oui. Peut-être que tous les pères sont comme ça, au fond d'eux-mêmes.

– Vous êtes très cynique, Ruth.

– Non, pas du tout. Je ne suis pas le moins du monde cynique. »
Hamid a décidé, à l'évidence, de ne pas approfondir cet aspect de notre conversation.

« Alors que s'est-il passé ?

– Qu'est-ce que vous croyez ? » J'ai rempli de nouveau mon verre.
« Je suis tombée follement amoureuse de lui. Totalement, fanatiquement, abjectement amoureuse.

– Mais cet homme avait une femme et trois enfants.

– On était en 1970, Hamid. En Allemagne. Dans une université allemande. Sa femme s'en fichait. Je l'ai beaucoup fréquentée pendant un temps. Je l'aimais bien. Elle s'appelait Irmgard. »

J'ai repensé à Irmgard Kleist – aussi grande que Karl-Heinz, ses longs cheveux passés au henné et balayant sa poitrine, son air très travaillé de langueur extrême, fatale. Regardez-moi, semblait-elle dire, je suis si détendue que j'en suis pratiquement comateuse – pourtant j'ai un mari célèbre et coureur, trois enfants, j'édite des bouquins politiques dans une maison d'édition gauchiste à la mode, et néanmoins je me soucie à peine d'aligner trois mots à la suite. L'attitude d'Irmgard était contagieuse – un moment, j'ai même imité certaines de ses affectations. Pendant un temps, rien ne pouvait me tirer de ma torpeur nombriliste. Rien, sauf Karl-Heinz.

« Elle se fichait de ce que Karl-Heinz faisait, ai-je repris. Elle savait, avec une certitude absolue, qu'il ne la quitterait jamais, alors elle lui permettait ses petites aventures. Je n'étais pas la première et je n'ai pas été la dernière.

– Et puis arrive Jochen.

– Je suis tombée enceinte. Je ne sais pas – peut-être étais-je trop bourrée un soir et j'ai oublié de prendre ma pilule. Karl m'a aussitôt proposé d'organiser un avortement par un médecin de ses amis. Mais je me suis dit : Papa est mort, ma mère est un ermite jardinier que je ne vois jamais… je veux ce bébé.

– Vous étiez très jeune.

143

– C'est ce que tout le monde répétait. Mais je ne me sentais pas jeune, je me sentais très adulte, très aux manettes. Ça paraissait la juste chose et une chose intéressante. Je n'avais pas besoin d'une autre justification. Jochen est né. Aujourd'hui, je sais qu'il n'aurait rien pu m'arriver de mieux. Jamais. » J'ai ajouté ça instantanément, soucieuse de devancer Hamid et de l'empêcher de me demander si j'avais eu des regrets – ce que, je l'ai deviné, il s'apprêtait à faire. Je ne voulais pas qu'il me pose la question. Je refusais de considérer la possibilité du moindre regret.

« Jochen est donc né.

– Jochen est né. Karl-Heinz était très content – il l'a dit à tout le monde. Il a raconté à ses enfants qu'ils avaient un nouveau petit frère. Nous vivions dans mon petit appartement. Karl-Heinz m'aidait pour le loyer. Il passait quelques nuits par semaine avec moi. Nous partions en vacances ensemble : Vienne, Copenhague, Berlin. Et puis, il s'est ennuyé et il a entamé une liaison avec une des productrices de son émission de télé. Dès que je l'ai découvert, j'ai quitté Hambourg avec Jochen sous le bras et je suis rentrée à Oxford finir ma thèse. » J'ai écarté les mains. « Et voilà !

– Combien de temps êtes-vous restée en Allemagne ?

– Presque quatre ans. Je suis revenue en janvier 75.

– Avez-vous essayé de revoir ce Karl-Heinz ?

– Non. Je ne le reverrai sans doute jamais. Je ne veux pas le voir. Je n'en ai nul besoin. C'est fini. Terminé.

– Peut-être que Jochen voudra le voir.

– Pas de problème pour moi. »

Hamid, le sourcil froncé, réfléchissait dur, je le voyais, tentant de réconcilier la Ruth qu'il connaissait avec cette autre Ruth qui venait de lui être révélée. Je me sentais en fait très contente de lui avoir raconté mon histoire de cette manière : j'en avais vu la beauté. J'avais compris qu'elle était achevée.

Il a réglé l'addition, nous avons quitté le restaurant et repris Woodstock Road dans la nuit chaude et humide. Hamid a fini par tomber veste et cravate.

« Et Ludger ?

– Ludger était là, dans les parages. Il passait beaucoup de temps à

144

Berlin. Il était dingue. Il se droguait, volait des motos. Il avait toujours des ennuis. Karl-Heinz le flanquait dehors et il repartait pour Berlin.

– C'est une triste histoire, a dit Hamid. C'était un méchant homme avec qui vous êtes tombée amoureuse.

– Enfin, ce n'était pas si mal. Il m'a beaucoup appris. J'ai changé. Vous ne pouvez pas imaginer ce que j'étais quand j'ai filé à Hambourg. Timide, nerveuse, pas sûre de moi. »

Hamid a ri : « Non, ça, je ne le crois pas.

– C'est pourtant vrai. Lorsque je suis repartie, j'étais une personne différente. Karl-Heinz m'a appris une chose importante : il m'a appris à être intrépide, à n'avoir peur de rien. Grâce à lui, je n'ai foutrement plus peur de quiconque – flics, fliquettes, juges, skinheads, professeurs d'université, poètes, intellos, voyous, emmerdeurs, garces, directeurs d'école, avocats, journalistes, ivrognes, politiciens, prédicateurs… » Je me suis trouvée à court de catégories de personnes qui ne m'effrayaient foutrement plus. « Ce fut une précieuse leçon.

– Je suppose.

– Il disait que toutes nos actions devraient contribuer peu ou prou à la destruction du grand mythe – le mythe du système tout-puissant.

– Je ne comprends pas.

– Que notre vie, dans tous ses détails, devrait être une sorte d'action de propagande pour exposer ce mythe comme un mensonge et une illusion.

– Donc, vous devenez un criminel.

– Non, pas nécessairement. Certains le sont devenus, très peu. Mais ça fait sens, réfléchissez-y. Personne n'a besoin d'avoir peur de quiconque ni de quoi que ce soit. Le mythe du système tout-puissant est une imposture, du vide.

– Peut-être que vous devriez aller en Iran. Raconter ça au shah. » J'ai ri. Nous avions atteint mon allée dans Moreton Road.

« Juste. Peut-être est-ce facile de n'avoir peur de rien dans ce bon vieil Oxford si confortable. » Je me suis tournée vers lui et j'ai pensé : je suis ronde comme une queue de pelle, j'ai trop bu, je parle trop. « Merci, Hamid. C'était épatant. J'ai vraiment passé une excellente soirée. J'espère que vous ne vous êtes pas trop ennuyé.

– Non, c'était merveilleux, fascinant. »

Il s'est penché en avant très vite et m'a embrassée sur les lèvres. J'ai senti sa barbe douce sur mon visage avant de le repousser.

« Hé, Hamid, non…

– Je vous ai posé toutes ces questions parce que j'ai quelque chose à vous dire.

– Non, Hamid, non, s'il vous plaît. Nous sommes amis : vous l'avez dit vous-même.

– Je suis amoureux de vous, Ruth.

– Non, vous ne l'êtes pas. Allez dormir. On se verra lundi.

– Je le suis, Ruth, je le suis. Désolé. »

Je n'ai rien dit de plus, j'ai tourné les talons et je l'ai laissé planté sur le gravier, tandis que je longeais à grands pas le côté de la maison pour gagner l'escalier à l'arrière. Le vin m'était tellement monté à la tête que je me suis sentie vaciller et que j'ai dû m'arrêter et toucher le mur de brique sur ma gauche pour garder mon équilibre, alors qu'en même temps j'essayais d'ignorer la confusion croissante provoquée dans mon esprit par la déclaration de Hamid. Un peu titubante, et calculant mal la position de la première marche, je me suis cogné le mollet contre un barreau de la rampe et des larmes de douleur m'ont piqué les yeux. En boitillant, j'ai grimpé l'escalier en jurant et, une fois dans la cuisine, j'ai relevé mon jean et découvert que le coup avait traversé la peau – de petites bulles de sang jaillissaient à la surface – et déjà un bleu se formait. Mon mollet m'élançait et vibrait comme une sorte de diapason malveillant – le tibia devait être atteint. J'ai recommencé à jurer comme un charretier ; curieux comme un torrent de merde, putain et con agit à la manière d'un calmant immédiat. Au moins, la douleur avait chassé Hamid de mon esprit.

« Oh, salut, Ruth. C'est toi. »

Encore sonnée, j'ai regardé autour de moi pour découvrir Ludger en jean mais torse nu, avec, derrière lui, une fille à l'air sale, en T-shirt et petite culotte. Cheveux gras, une grande bouche molle, jolie dans le genre boudeur.

« Je te présente Ilse. Elle n'avait nulle part où loger. Qu'est-ce que je pouvais faire ? »

# L'histoire d'Eva Delectorskaya

## New York, 1941

Romer était un amant robuste et sans complication – hormis une seule particularité. À un moment donné, pendant l'amour, il se retirait, se balançait en arrière sur ses hanches, entraînant avec lui couvertures, draps et dessus-de-lit, pour regarder Eva nue, étendue en croix devant lui, puis contempler sa tumescence luisante, et, une seconde ou deux plus tard, se saisir de son pénis en érection, le positionner et pénétrer lentement Eva. Laquelle commença à se demander si la pénétration ne l'excitait pas plus que l'orgasme final. Un jour, lors d'une seconde reprise, elle lui avait dit : « Fais gaffe, je n'attendrai pas toujours. » Il se limitait donc dans l'ensemble à un seul de ces retraits contemplatifs par séance. Eva avait dû admettre que la manœuvre en soi était, tout bien considéré, aussi plutôt agréable de son côté de la barrière sexuelle.

Ce matin-là, ils avaient fait l'amour assez vite, de manière satisfaisante et sans interruption. Ils étaient à Meadowville, un patelin non loin d'Albany, dans l'État de New York, au Windermere Hotel & Coffee Shop sur Market Street. Eva s'habillait et Romer était encore allongé majestueusement nu, sur le lit, un genou relevé, les draps en paquet sur le bas-ventre, les doigts croisés derrière la tête. Eva attacha ses bas, enfila sa jupe et l'ajusta.

« Combien de temps seras-tu absente ?

– Une demi-heure.

– Vous ne vous parlez pas ?

147

– Pas depuis la première rencontre. Il croit que je viens de Boston et que je travaille pour NBC. »

Elle boutonna sa veste et vérifia sa coiffure.

« Peux pas rester couché toute la journée, déclara Romer en se glissant hors du lit pour gagner la salle de bain.

– À tout à l'heure à la gare », dit-elle.

Elle prit son sac et son *Herald Tribune* et lui lança un baiser. Mais dès qu'il eut refermé derrière lui, elle reposa son sac et son journal et inspecta très vite les poches de la veste pendue à la porte. Le porte-feuille était rempli de dollars mais ne contenait rien d'important. Elle inspecta aussi la serviette : cinq journaux différents (trois américains, un espagnol, un canadien), une pomme, un exemplaire de *Tess d'Urberville* et une cravate en boule. Pourquoi faisait-elle ça, elle ne savait pas vraiment, convaincue qu'elle était que Romer ne laisserait jamais rien traîner d'intéressant ou de confidentiel (et il ne prenait jamais de notes, semblait-il), mais elle sentait qu'il attendait d'elle pareil comportement, qu'il la jugerait coupable de négligence si elle ne saisissait pas l'occasion (elle était certaine qu'il la saisissait, lui, quand il s'agissait d'elle) et donc, dès qu'elle avait une minute ou deux devant elle, elle furetait, fouinait et farfouillait.

Elle descendit à la cafétéria, lambrissée de bois sombre et pour-vue, le long de deux murs, de petits boxes aux banquettes de cuir rouge. Elle avisa l'étalage de muffins, cakes, bagels et autres bis-cuits, et s'émerveilla une fois de plus de la prodigalité d'une géné-reuse Amérique en matière de nourriture et de boisson. Elle songea au petit déjeuner qui l'attendait ici au Windermere Hotel & Coffee Shop et le compara avec le dernier qu'elle avait eu en Angleterre, à Liverpool, avant de s'embarquer pour le Canada : une tasse de thé, deux tranches fines de pain grillé tartinées chichement de margarine et de confiture de framboises trop liquide.

Elle avait faim – tout ce sexe, se dit-elle – et commanda des œufs au plat à point, du bacon et des pommes de terre tandis que la femme du patron remplissait sa tasse de café fumant.

« Autant de café que vous voulez, mademoiselle », lui rappela-t-elle sans qu'il en fût besoin – partout, des pancartes proclamaient la même largesse.

148

« Merci », répliqua Eva avec plus d'humilité et de gratitude qu'elle ne l'aurait voulu.

Elle dévora son repas à toute allure, comme une affamée, et demeura dans le box à boire deux autres tasses de café gratis avant que Wilbur Johnson apparaisse à la porte. C'était le propriétaire et directeur de la station de Meadowville, WNLR, une des deux radios dont elle « s'occupait ». Elle le vit entrer, chapeau à la main, promener son regard avant de la repérer, hésiter un instant puis s'avancer dans la cafétéria comme n'importe quel client à la recherche d'un endroit où se poser. Eva se leva, quitta sa banquette en y laissant son *Tribune*, et alla à la caisse régler son addition. Un instant plus tard, Johnson prit sa place dans le box. Eva paya, sortit dans le soleil d'octobre et gagna tranquillement la gare par Market Street.

Le *Tribune* contenait un communiqué de presse polycopié issu d'une agence appelée Transoceanic, celle pour laquelle Eva travaillait. Il faisait état d'articles de journaux allemands, français et espagnols relatant le retour à La Rochelle, après une mission réussie, du sous-marin U 549, celui-là même qui avait, la semaine précédente, torpillé le contre-torpilleur *USS Kearny*, tuant onze marins américains. Le *Kearny*, méchamment amoché, avait réussi cahin-caha à gagner Reykjavik, en Islande. Très visibles sur le kiosque du U 549 alors qu'il jetait l'ancre dans le port de La Rochelle, précisait le flash d'info d'Eva, s'étalaient onze drapeaux américains fraîchement peints. Les auditeurs de WNLR seraient les premiers à l'apprendre. Wilbur Johnson, un ardent partisan du New Deal, fan de Roosevelt et admirateur de Churchill, se trouvait justement être marié à une Anglaise.

Dans le train pour New York, Eva et Romer étaient assis face à face.

« Un sou pour tes dégoûtantes pensées, lança Eva à Romer qui la dévisageait, rêveur, la tête appuyée sur un poing.

– À quand ton prochain voyage ? »

Elle réfléchit : son autre station de radio se situait loin au nord, dans une ville appelée Franklin Forks près de Burlington, au voisinage de la frontière canadienne. Le directeur était un Polonais taciturne du nom de Paul Witoldski, qui avait perdu plusieurs membres

de sa famille à Varsovie en 1939, d'où son antifascisme bon teint
– elle devait lui rendre prochainement visite : elle ne l'avait pas vu
depuis quatre mois.

« D'ici une semaine ou deux, je pense.

– Restes-y deux nuits et réserve une chambre double.

– Oui, monsieur ! »

Ils passaient rarement une nuit ensemble à New York, trop de gens
auraient pu les voir ou l'apprendre, et Romer préférait donc l'accom-
pagner dans ses voyages et profiter de leur anonymat provincial.

« Que fais-tu aujourd'hui ? demanda Eva.

– Grande réunion à l'agence centrale. Développements intéressants
en Amérique du Sud, semble-t-il… Et toi ?

– Je déjeune avec Angus Woolf.

– Ce bon vieil Angus. Salue-le de ma part. » Dans Manhattan, le
taxi déposa Romer au Rockefeller Center où la British Security
Coordination occupait désormais deux étages entiers. Lors d'une
visite, Eva avait été étonnée par les lieux et le nombre d'employés
– séries de bureaux, longs couloirs, secrétaires, personnel s'agitant
dans tous les sens, machines à écrire, téléphones, téléscripteurs –, des
centaines et des centaines de personnes, comme dans une authentique
firme commerciale, une véritable société d'espionnage avec son quartier général à New York. Elle se demandait souvent quelle serait la
réaction du gouvernement anglais si des centaines d'agents des
services secrets américains occupaient plusieurs étages d'un
immeuble en plein Oxford Street, par exemple – à son sens, le niveau
de tolérance pourrait se révéler différent, mais les Américains, eux,
semblaient ne pas s'en formaliser, n'avaient élevé aucune objection,
et du coup la BSC ne cessait de croître. Cependant Romer, toujours
franc-tireur, s'efforçait de garder son unité dispersée ou à distance du
Rockefeller Center. Sylvia y travaillait mais Blytheswood opérait à la
station de radio WLUR, Angus Woolf (ex-Reuters) était maintenant
à l'Overseas News Agency (ONA), tandis qu'Eva et Morris Devereux
dirigeaient l'équipe de traducteurs de Transoceanic Press, la petite
agence américaine – une quasi-réplique de l'agence Nadal – spécialisée dans les communiqués de presse hispaniques et sud-américains,
une agence que la BSC avait discrètement achetée pour Romer

150

fin 1940. Lequel Romer était venu à New York en août de cette année-là pour tout organiser. Eva et l'unité avaient suivi un mois plus tard, d'abord au Canada, à Toronto, avant de s'installer à New York.

Incapable de déboîter à cause d'un autobus qui le doublait, le taxi cala. Tandis que le chauffeur redémarrait, Eva se tourna pour regarder par la vitre arrière Romer traverser à grandes enjambées le parvis devant l'entrée principale du bâtiment. Elle se sentit soudain inondée d'un flot d'affection pour lui. Il avançait rapidement en évitant les passants et les badauds et elle pensa, de manière un peu saugrenue : voilà comment il apparaît au reste du monde, un homme occupé, pressé, cravaté, portant un attaché-case, se dirigeant vers un gratte-ciel. Consciente du privilège de son intimité avec lui, de ce qu'elle savait de son étrange amant, elle éprouva un bref moment de bonheur. Lucas Romer, qui l'aurait cru ?

Angus Woolf avait proposé de la rencontrer dans un restaurant au coin de Lexington Avenue et de la 63ᵉ Rue. Elle était en avance et commanda un dry martini. L'arrivée d'Angus provoqua l'habituel remue-ménage : chaises déplacées, serveurs agités, tandis qu'Angus négociait l'entrée avec son corps tordu et ses cannes écartées, s'avançant résolument vers la table à laquelle Eva était assise. Il s'installa sur son siège avec force grognements et halètements, refusant toute offre d'assistance de la part du personnel, et suspendit avec soin ses cannes au dossier d'une chaise voisine.

« Eve, ma chère, vous avez l'air radieux. »

Eva rougit, ridiculement, comme si elle révélait quelque chose, et marmonna en s'excusant qu'elle couvait un rhume.

« Absurde ! Vous êtes positivement superbe ! »

Sur son petit torse tordu, Angus avait une grande belle tête. Spécialiste des compliments raffinés à outrance, il les prononçait avec un léger zozotement voilé, comme si l'effort requis pour gonfler et dégonfler ses poumons était une autre conséquence de son infirmité. Il alluma une cigarette et commanda un verre.

« On arrose ça, dit-il.

– Ah, oui ? Sommes-nous un succès tout à coup ?

– Je n'irais pas jusque-là, mais nous avons réussi à faire interdire à Philadelphie un meeting d'America First. Deux mille photos de Herr

Hitler découvertes dans le bureau des organisateurs. Dénégations furieuses, accusations de coup monté, mais, tout de même, une petite victoire. Tout ça va passer sur ONA aujourd'hui si vous, les enfants, souhaitez le repiquer.

Eva répliqua que ce serait sans doute le cas. Angus lui demanda comment les choses se passaient à Transoceanic et ils devisèrent librement du travail, Eva confessant une réelle déception devant la réaction à l'attaque du *Kearny* : tout le monde, à Transoceanic, avait vu en l'affaire une aubaine, pensé qu'elle provoquerait un vrai choc. Elle raconta à Angus ses articles de relance, tous conçus pour susciter un peu plus d'indignation. « Mais personne ne paraissait concerné. Un U-boat allemand tue onze Américains neutres. Et puis après ?

– Ils ne veulent tout bonnement pas être impliqués dans notre sale guerre européenne, ma chère. Regardons les choses en face. »

Ils commandèrent d'énormes entrecôtes avec frites – deux Anglais encore affamés – et parlèrent avec circonspection d'interventionnisme et d'isolationnisme, de Father Coughlin et du Comité d'America First, des pressions de Londres, de l'inertie exaspérante de Roosevelt, et autres sujets du même genre.

« Et notre chef estimé ? L'avez-vous vu ? s'enquit Angus.

– Ce matin, répliqua Eva sans réfléchir. Il allait au quartier général.

– Je croyais qu'il était en voyage.

– Il devait assister à une importante réunion, dit-elle sans relever l'insinuation d'Angus.

– J'ai l'impression qu'ils ne sont pas très contents de lui...

– Ils ne sont jamais très contents de lui, dit-elle de nouveau sans réfléchir. C'est ce qu'il aime. Ils ne voient pas que sa force, c'est d'être un joker.

– Vous êtes très loyale, vous m'impressionnez », commenta Angus d'un air un peu trop entendu.

Eva avait regretté ses mots dès qu'elle les avait prononcés. Elle s'agita soudain, et continua de parler au lieu de se tenir coite. « Enfin, tout simplement, il aime les défis, voyez-vous, il aime se montrer exigeant, ça oblige les gens à ne pas s'endormir. C'est ainsi qu'il fonctionne le mieux.

– Compris, Eve. Du calme : aucun besoin de vous défendre. Je suis d'accord. »

Mais elle se demanda si Angus soupçonnait quelque chose et s'inquiéta de ce que sa volubilité inhabituelle avait pu laisser deviner. À Londres, il avait été facile d'être discrets, de se cacher, mais ici, à New York, se rencontrer régulièrement et en toute sécurité devenait plus compliqué. Ici, les Anglais étaient plus visibles et, de surcroît, des objets de curiosité, menant leur guerre contre les nazis, avec, depuis cette année, leurs nouveaux alliés les Russes, pendant que l'Amérique regardait avec intérêt mais n'en continuait pas moins de mener sa petite vie.

« Comment vont les choses ? » dit-elle, désireuse de changer de sujet. Elle s'attaqua à son steak, soudain beaucoup moins affamée. Angus mâchonnait, réfléchissait, le sourcil froncé puis pensif, et enfin légèrement troublé comme s'il était le messager réticent de mauvaises nouvelles. « Les choses, répondit-il en se tapotant délicatement les lèvres avec sa serviette, les choses vont à peu près comme toujours. À dire vrai, je ne crois pas qu'il se passe quoi que ce soit. » Il reparla de Roosevelt et de sa répugnance à risquer de proposer au Congrès de voter l'entrée en guerre – il était absolument sûr de perdre. Tout devait donc rester confidentiel, être exécuté en douce, dans le dos. Le lobby isolationniste était d'une puissance incroyable, vraiment incroyable. « Gardons nos boys à l'écart de ce bourbier européen », dit-il, s'essayant et échouant à prendre un accent américain convaincant. « Ils nous donneront des armes et autant d'aide qu'ils le pourront, aussi longtemps que nous tiendrons le coup. Mais, vous comprenez… » Il retourna à son steak.

Eva se sentit d'un seul coup impuissante, presque démoralisée ; dans ce cas, quel intérêt avait donc ce qu'ils faisaient : toutes ces stations de radio, ces journaux, ces agences de presse, ces articles à longueur de colonnes – tout ce travail d'opinion et d'influence sur les pontes, les présentateurs célèbres, tout ce qui était destiné à amener l'Amérique à entrer en guerre, à la cajoler, la bousculer, la persuader, la convaincre –, si ça ne devait pas finir par pousser Roosevelt à agir ?

« Faut faire de notre mieux, Eve ! lança Angus avec entrain comme si, conscient de l'effet de son cynisme, il tentait de le compenser. Mais faute d'une déclaration de guerre unilatérale de la part d'Adolf, je ne vois pas les Yankees s'y coller. » Il sourit, tout content, comme s'il venait de recevoir une augmentation. « Il ne faut pas se voiler la face, dit-il en baissant la voix et en regardant de droite à gauche. Ils sont si nombreux à nous détester, à nous haïr. Ils détestent et haïssent FDR aussi – lui, il faut qu'il soit très prudent, très.

– Il vient d'être réélu pour la troisième fois, nom d'une pipe !

– Oui. Sur le slogan "Je nous éviterai la guerre." »

Elle soupira : elle refusait de se laisser abattre maintenant, alors que la journée avait si bien commencé. « Romer dit qu'il y a des développements intéressants en Amérique du Sud.

– Ah oui, vraiment ? » Angus affecta l'indifférence, mais Eva sentit son intérêt se ranimer. « Vous a-t-il donné plus de détails ?

– Non. Rien. » Eva se demanda si elle avait de nouveau gaffé. Que lui arrivait-il aujourd'hui ? Elle semblait avoir perdu sa maîtrise, sa contenance. Ils étaient tous comme des corbeaux après elle, tous intéressés par la charogne.

« Prenons un autre cocktail, suggéra Angus. Buvons, mangeons et oublions le reste. »

Mais Eva se sentit étrangement déprimée après son déjeuner avec Angus, et elle continua aussi de s'inquiéter d'avoir pu donner des informations en filigrane, des indications sur elle et Romer, des nuances qu'un homme au cerveau aussi agile qu'Angus serait capable de transformer en un tableau plausible. Tandis qu'elle regagnait Transoceanic, de l'autre côté de la ville, à travers les grandes avenues, Park, Madison, la V$^e$, les vastes panoramas, la précipitation, le bavardage, le bruit et l'assurance de la ville, des gens, du pays, elle songea que peut-être, elle aussi, si elle avait été une jeune Américaine, une habitante de Manhattan, heureuse dans son travail, chérissant sa sécurité, ses perspectives d'avenir, et la vie devant elle, peut-être qu'elle aussi, quelles que fussent sa sympathie et sa compassion à l'égard de l'Angleterre et de son combat pour la survie, elle se serait dit : pourquoi sacrifier tout cela, risquer les vies de nos

154

jeunes gens et s'impliquer dans une guerre sordide et mortelle se déroulant à cinq mille kilomètres d'ici ?

De retour à Transoceanic, elle trouva Morris au travail avec les traducteurs tchèques et espagnols. Il lui fit un signe de la main et elle regagna son bureau en pensant qu'il semblait exister toutes sortes de communautés aux États-Unis – irlandaise, hispanique, allemande, polonaise, tchèque, lituanienne, etc. – mais pas de communauté anglaise. Où étaient les Anglo-Américains ? Qui irait défendre leur cause et contrer les arguments des Irlando-Américains, des Germano-Américains, des Suédo-Américains et tous les autres ?

Pour se remonter le moral et détourner son esprit de ces pensées défaitistes, elle passa l'après-midi à compiler un petit dossier sur l'une de ses histoires. Trois semaines auparavant, au cours d'une conversation avec le correspondant à New York de l'agence Tass (son russe devenu soudain très utile), elle avait feint d'être pompette et laissé échapper que la Royal Navy terminait ses essais sur une nouvelle version de grenade sous-marine : plus ça allait profond, plus c'était puissant – fini les refuges pour les sous-marins. Le correspondant de Tass s'était montré très sceptique. Deux jours plus tard, Angus, par le biais de l'ONA, avait placé l'histoire dans le *New York Post*. Le correspondant de Tass avait téléphoné pour s'excuser et il avait télégraphié l'article à Moscou. Dès qu'il avait paru dans la presse russe, les journaux et les agences de presse britanniques l'avaient repiqué et les agences l'avaient renvoyé aux États-Unis. La boucle était bouclée : Eva aligna les coupures sur son bureau – le *Daily News*, le *Herald Tribune*, le *Boston Globe*. « Une nouvelle grenade sous-marine plus puissante destinée à annihiler la menace des U-boats. » Les Allemands allaient maintenant le savoir puisqu'il s'agissait d'un article américain. Peut-être les U-boats seraient-ils incités à se montrer plus prudents à l'approche des convois. Peut-être les sous-mariniers allemands seraient-ils démoralisés. Peut-être les Américains encourageraient-ils un peu plus les braves Anglais. Peut-être... peut-être. D'après Angus, tout ça n'était qu'une perte de temps.

Quelques jours plus tard, Morris Devereux surgit dans le bureau d'Eva à Transoceanic et lui tendit une coupure du *Washington Post*. L'article était titré : « Un professeur russe se suicide dans un hôtel de la capitale. » Elle le parcourut rapidement : le Russe s'appelait Alexandre Nekich. Émigré aux États-Unis en 1938 avec sa femme et ses deux filles, il avait été professeur de Relations internationales à l'université John Hopkins. La police ne comprenait pas la raison qui l'avait conduit à se donner la mort dans un hôtel visiblement miteux.

« Ça ne me dit rien, commenta Eva.

– Jamais entendu parler de lui ?

– Non.

– Vos copains de Tass ne l'ont jamais mentionné ?

– Non. Mais je pourrais leur demander. » Il y avait quelque chose d'atypique dans le ton des questions de Morris. Un ton dur au lieu de l'élégante nonchalance habituelle. « Pourquoi est-ce important ? »

Morris s'assit et parut se détendre un peu. Nekich, expliqua-t-il, était un officier haut gradé du NKVD qui était passé aux États-Unis après les purges de Staline en 1937.

« On en a fait un professeur pour la forme ; il n'a jamais enseigné. Apparemment, il est – était – une mine d'informations quant à la pénétration soviétique dans ce pays. » Il se tut puis reprit : « Et en Angleterre. C'est pourquoi il nous intéressait un max.

– Je croyais qu'on était tous du même côté maintenant, dit Eva, sachant à quel point sa réflexion était naïve.

– Eh bien, on l'est. Mais regardez-nous : que fabriquons-nous ici ?

– Espion, un jour ; espion, pour toujours.

– Exactement. On est en permanence intéressé par ce que font nos amis. »

Une pensée la frappa. « En quoi ce Russe mort vous concerne-t-il ? Ce n'est pas votre rayon, si ? »

Morris reprit la coupure. « J'étais censé le rencontrer la semaine prochaine. Il devait nous raconter ce qui s'était passé en Angleterre. Les Américains avaient tiré tout ce qu'ils voulaient de lui – apparemment, il avait des nouvelles très intéressantes pour nous.

– Trop tard ?

– Oui... très embêtant.

– Que voulez-vous dire ?

– Qu'il semble que quelqu'un ne souhaitait pas qu'il nous parle.

– Alors il s'est suicidé. »

Morris émit un petit gloussement. « Ils sont fichtrement bons, ces Russes. Nekich s'est tué d'une balle dans la tête, revolver à la main, dans une chambre d'hôtel fermée de l'intérieur, la clé encore dans la serrure, les fenêtres verrouillées. Mais quand ça a l'air d'un vrai suicide grand teint de première classe, on peut en général être sûr que ça n'en est pas un. »

Pourquoi me raconte-t-il tout ça ? songea Eva.

« Ils étaient après lui depuis 1938, poursuivit Morris. Et ils l'ont eu. Dommage qu'ils n'aient pas attendu une semaine de plus... » Il eut un sourire feignant le regret. « J'étais très impatient de rencontrer Mr Nekich. »

Eva ne commenta pas. Tout ceci était nouveau pour elle : Romer était-il impliqué dans ces rencontres ? Pour ce qu'elle en savait, Morris et elle n'étaient censés se préoccuper que de Transoceanic. Mais après tout, se dit-elle, en suis-je si sûre ?

« Les gens de Tass n'ont pas parlé de nouvelles têtes dans le coin ?

– Pas à moi.

– Rendez-moi un service, Eve : passez quelques coups de fil à vos amis russes. Voyez un peu ce qu'on dit de la mort de Nekich.

– D'accord. Mais ce sont simplement des journalistes.

– Personne n'est "simplement" quelque chose.

– Une des lois de Romer. »

Morris claqua des doigts et se leva. « Votre histoire de manœuvres allemandes au large de Buenos Aires marche très fort. Toute l'Amérique du Sud enrage, les protestations se multiplient partout.

– Bien, dit Eva d'un ton neutre. Chaque petite chose aide, je suppose.

– Souriez, Eve ! À propos, le seigneur tout-puissant veut vous voir. L'Eldorado Cafétéria, dans quinze minutes. »


Eva attendit une heure à la cafétéria avant que Romer n'arrive. Elle trouvait ces rencontres professionnelles très étranges : elle aurait voulu l'embrasser, lui caresser le visage, lui tenir la main, mais il leur fallait observer la plus formelle des courtoisies.

« Désolé d'être en retard, dit-il en s'asseyant en face d'elle. Voyez-vous, c'est la première fois à New York, mais je crois qu'un type me file. Peut-être deux. J'ai dû passer par le parc pour être sûr de les avoir semés.

– Qui pourrait bien vous faire filer ? » Elle étendit sa jambe sous la table et lui frotta le mollet du bout de sa chaussure.

« Le FBI. » Romer lui sourit. « Je pense que Hoover s'inquiète de l'importance que nous avons prise. Vous avez vu la BSC. Le monstre de Frankenstein. Tu ferais mieux de t'arrêter, ça va m'exciter. »

Il commanda un café, Eva demanda un second Pepsi-Cola.

« J'ai un travail pour vous », annonça-t-il.

Elle se couvrit la bouche de ses doigts et dit doucement : « Lucas… Je veux te voir. »

Romer la regarda fixement. Elle se redressa sur son siège. « Je veux que vous alliez à Washington, reprit-il. Je veux que vous fassiez la connaissance d'un homme du nom de Mason Harding. Il travaille au bureau de presse de Harry Hopkins. »

Elle savait qui était Harry Hopkins, le bras droit de Roosevelt. Ministre du Commerce, en principe, mais en réalité le conseiller, l'émissaire, le combinard, les yeux et les oreilles de FDR. Très probablement le deuxième homme le plus important en Amérique pour les Anglais.

« Je dois donc faire la connaissance de ce Mason Harding. Pourquoi ?

– Contactez le bureau de presse, dites que vous souhaitez interviewer Hopkins pour Transoceanic. Il y a toutes les chances qu'ils refusent, mais qui sait ? Vous pourriez rencontrer Hopkins. Le principal, c'est que vous fassiez la connaissance de Harding.

– Et ensuite ?

– Je vous dirai. »

Elle éprouva ce petit frémissement agréable d'anticipation. Le même que lorsque Romer l'avait envoyée à Prenslo. Une étrange pensée lui vint à l'esprit : peut-être ai-je toujours été destinée à être une espionne ?

« Quand dois-je partir ?

– Demain. Prenez vos rendez-vous aujourd'hui. » Il lui passa un bout de papier portant un numéro de téléphone à Washington. « C'est la ligne personnelle de Harding. Trouvez un bon hôtel. Peut-être viendrai-je faire un petit tour. Washington est une ville intéressante. »

La mention du nom rappela à Eva les questions de Morris.

« Savez-vous quelque chose au sujet de la mort de ce Nekich ? » Il y eut un très bref silence. « Qui vous a parlé de ça ?

– C'était dans le *Washington Post*. Morris m'a interrogée à ce propos. Il m'a demandé si mes amis de Tass avaient commenté l'affaire.

– En quoi cela concerne-t-il Morris ?

– Je ne sais pas. »

Elle entendait presque son cerveau travailler. Il avait repéré un lien, une connexion, un rapport qui lui paraissait bizarre. Son visage changea : ses lèvres firent la moue puis une sorte de grimace.

« Pourquoi Morris Devereux serait-il intéressé par un assassinat commis par le NKVD ?

– C'était donc un assassinat, pas un suicide. » Elle haussa les épaules. « Il m'a dit qu'il était sur le point de rencontrer cet homme, ce Nekich.

– Vous êtes sûre ? » Romer semblait trouver le fait bizarre. « Je devais moi-même le rencontrer.

– Peut-être étiez-vous censés le voir tous les deux. C'est ce qu'il m'a dit.

– Je lui passerai un coup de fil. Écoutez, il faut que je m'en aille. » Il se pencha en avant. « Téléphonez-moi dès que vous aurez établi le contact avec Harding. » Il porta sa tasse de café à ses lèvres, et par-dessus le bord, il mima un mot, un terme d'affection, espérat-elle, mais elle ne put le déchiffrer. Toujours couvrir votre bouche quand vous avez quelque chose d'important à dire – une autre loi de Romer – afin de contrecarrer les gens qui pourraient lire sur les lèvres. « On appellera ça Opération Eldorado, ajouta-t-il. Harding sera "Or". » Il posa sa tasse et partit régler l'addition.

# 7

# Super-jolie nana

J'espérais beaucoup que Hamid annulerait sa leçon, voire ferait une demande de changement d'enseignant, mais OEP n'ayant pas appelé, j'ai entamé mon travail, un rien distraitement, avec la session de Hugues, tout en tentant d'éviter de penser à l'heure suivante, quand Hamid et moi nous rencontrerions de nouveau. Hugues n'a pas semblé remarquer ma vague agitation et a passé une bonne partie de sa répétition à me raconter, en français, sa visite, autrefois en Normandie, d'un vaste abattoir dont le personnel se composait presque exclusivement de grosses dames.

Je l'ai raccompagné jusque sur le palier à l'extérieur de la cuisine, et nous sommes restés un petit moment à contempler le jardin en dessous. Mon nouveau mobilier – une table et quatre chaises en plastique plus un parasol cerise et pistache encore fermé – était installé dans le fond sous le grand faux platane. Mr Scott pratiquait ses sautillements autour des plates-bandes, tel un Rumplestiltskin en blouse blanche essayant d'atteindre à coups de pied le magma bouillonnant sous la surface de la terre. Il moulinait des bras et sautait puis se déplaçait sur le côté et répétait l'exercice.

« Qui est ce fou ? s'est enquis Hugues.

– Mon propriétaire et mon dentiste.

– Vous laissez ce cinglé toucher à vos dents ?

– C'est l'homme le plus sain d'esprit que j'ai jamais connu. »

Hugues a pris congé et a descendu à grand bruit l'escalier. J'ai appuyé mes fesses contre la balustrade et j'ai observé Mr Scott poursuivre ses exercices, cette fois avec son rituel de respiration profonde (toucher les genoux, rejeter les bras en arrière et gonfler les

161

poumons), puis j'ai entendu Hugues se cogner à Hamid dans l'allée qui longe le côté de la maison. Un phénomène d'acoustique – le ton de leurs voix et la proximité du mur de briques – a porté leurs mots jusqu'à moi sur le palier.

« *Bonjour**, Hamid. *Ça va** ?

– *Ça va.*

– Elle est d'humeur bizarre aujourd'hui.

– Ruth ?

– Ouais. Elle est un peu à côté de la plaque.

– Oh. »

Silence. J'ai entendu Hugues allumer une cigarette.

« Elle te plaît ?

– Sûr.

– Je la trouve sexy. D'une manière anglaise, enfin, tu vois.

– Elle me plaît beaucoup.

– Belle silhouette, vieux. *Super-jolie nana**.

– Silhouette ? » Hamid était ailleurs.

« Comme ça. » Là, Hugues a dû faire un geste. J'ai pensé qu'il traçait dans l'air la taille de mes seins.

Hamid a ri nerveusement. « Je ne remarque jamais en fait. »

Ils se sont séparés et j'ai attendu que Hamid prenne l'escalier. Tête baissée, on l'aurait cru montant à l'échafaud.

« Hamid ! ai-je lancé. Bonjour. »

Il a levé les yeux. « Ruth, je suis venu m'excuser et j'irai ensuite à OEP demander un nouveau professeur. »

Je l'ai calmé, je l'ai emmené dans le bureau et je l'ai assuré que je n'étais pas offensée, que ce genre de complication surgissait souvent entre enseignants et étudiants adultes, surtout dans le cas des leçons en tête à tête, étant donné aussi les relations prolongées que le programme d'enseignement d'OEP nécessitait. Une de ces choses, sans rancune, continuons comme si rien ne s'était passé. Il m'a écoutée patiemment avant de répondre : « Non, Ruth, je vous en prie. Je suis sincère. Je suis amoureux de vous.

– À quoi bon ? Vous partez pour l'Indonésie dans quinze jours. Nous ne nous reverrons jamais. Oublions tout ça – nous sommes amis. Nous serons toujours amis.

– Non, je dois être honnête avec vous, Ruth. C'est mon sentiment. C'est ce que je sens dans mon cœur. Je sais que vous ne sentez pas comme moi, mais je suis obligé de vous dire ce que mes sentiments est.

– Sont.

– Sont. »

Nous sommes demeurés silencieux un moment, Hamid sans jamais me quitter des yeux.

« Qu'allez-vous faire ? ai-je dit finalement. Voulez-vous continuer les leçons ?

– Si ça ne vous ennuie pas.

– De toute façon, voyons comment on se débrouille. Voulez-vous du thé ? Je meurs d'envie d'une tasse de thé. »

Comme à un mystérieux signal, on a frappé à la porte, Ilse a surgi. « Pardon, Ruth. Où est thé ? Je regarde mais Ludger est encore dormant. »

Nous sommes allés dans la cuisine et j'ai préparé du thé pour Hamid, Ilse, moi et, le moment venu, pour un Ludger ensommeillé.


Bobbie York a feint un immense étonnement – main sur le front, recul de quelques pas en titubant –, quand je suis passée le voir sans m'annoncer.

« Qu'ai-je donc fait pour mériter ça ? s'est-il exclamé tout en me versant un de ses "minuscules" whiskies. Deux visites en une semaine ! J'ai l'impression que je devrais, je ne sais pas, danser la gigue, traverser tout nu en courant la cour du collège, tuer une vache ou quelque chose.

– J'ai besoin de vos conseils, ai-je dit, aussi flatteuse que possible.

– Où publier votre thèse ?

– Je crains que non. Comment organiser une rencontre avec Lord Mansfield of Hampton Cleeve.

– Ah, l'affaire se corse. Écrivez-lui, tout bonnement.

– Ça ne marche pas comme ça dans la vie, Bobbie. Il faut une raison. Il est retraité, il a plus de soixante-dix ans, on le dit plutôt reclus. Pourquoi accepterait-il de me rencontrer moi, une parfaite inconnue ?

– Très juste. » Bobbie m'a tendu mon verre et s'est assis lentement. « À propos, comment va cette brûlure ?

– Beaucoup mieux, merci.

– Eh bien, pourquoi ne pas lui dire que vous écrivez un essai… sur
quelque chose dans quoi il a été impliqué. L'édition, le journalisme.

– Ou ce qu'il a fait pendant la guerre.

– Ou ce qu'il a fait pendant la guerre – encore plus fascinant. »
Bobbie n'était pas idiot. « Je soupçonne que c'est ce qui vous
intéresse. Vous êtes une historienne après tout ; dites-lui que vous
préparez un livre et que vous souhaitez l'interviewer. »

J'ai réfléchi. « Ou bien un papier pour un journal.

– Oui. Encore mieux. Faites appel à sa vanité. Dites que c'est pour
le *Telegraph* ou le *Times*. Ça peut le faire sortir du bois. »

Sur le chemin du retour, je me suis arrêtée chez un marchand de
journaux et j'ai acheté toute la grande presse, histoire de me rafraî-
chir la mémoire. Je me suis dit : peut-on juste prétendre qu'on écrit
un article pour le *Times* ou le *Telegraph* ? Oui, me suis-je répondu,
ce n'est pas un mensonge – n'importe qui peut faire un papier pour
ces publications mais rien ne garantit qu'elles l'accepteront. Ce ne
serait un mensonge que si l'on prétendait qu'il vous avait été
commandé. J'ai choisi le *Telegraph*, pensant qu'il tenterait davantage un noble lord, mais j'ai tout de même acheté les autres – voilà
un bout de temps que je ne m'étais pas plongée dans un tas de quotidiens britanniques. Alors que je les rassemblais, j'ai avisé un
exemplaire du *Frankfurter Allgemeine*. En une figurait la photo de
l'homme que j'avais vu à la télévision, Baader, ce type que Ludger
affirmait avoir connu à son époque porno. Le titre parlait du procès
de la bande Baader-Meinhof à Stammheim. 4 juillet – le procès en
était à son cent vingtième jour. Je l'ai ajouté à la pile. D'abord
Ludger qui débarque, puis maintenant la mystérieuse Ilse ; j'ai senti
que j'avais besoin de me recycler côté terrorisme urbain allemand.
Je suis rentrée à la maison avec mes lectures et, ce soir-là, après
avoir couché Jochen (Ludger et Ilse étaient allés au pub), j'ai écrit
une lettre à Lucas Romer, baron Mansfield of Hampton Cleeve, aux
bons soins de la Chambre des lords, demandant une interview pour
un article que je rédigeais pour le *Daily Telegraph* sur les services

secrets britanniques pendant la Seconde Guerre mondiale. Écrire « Cher Lord Mansfield », écrire à cet homme qui avait été l'amant de ma mère, m'a fait tout drôle. J'ai été très brève et précise. Il serait intéressant de voir ce qu'il répondrait – à supposer qu'il le fasse.

# L'histoire d'Eva Delectorskaya

Eva Delectorskaya appela Romer à New York.

« J'ai trouvé une mine d'or », dit-elle avant de raccrocher aussitôt.

Fixer un rendez-vous avec Mason Harding s'était révélé très simple. Arrivée par le train à Washington, Eva était descendue au London Hall Apartment Hotel entre la 11ᵉ et M Street. Soudain consciente de son attraction pour les hôtels avec un certain écho anglais, elle avait pensé que, si ça devenait une habitude, alors il lui fallait en changer – une autre loi de Romer –, mais son appartement d'une pièce avec sa minuscule kitchenette, sa glacière et sa douche étincelante lui ayant beaucoup plu, elle le réserva pour deux semaines. Sa valise défaite, elle appela le numéro que Romer lui avait donné.

« Mason Harding. »

Elle se présenta, expliqua qu'elle travaillait pour Transoceanic Press à New York et qu'elle souhaitait interviewer Mr Hopkins.

« Je crains que Mr Hopkins soit souffrant, répondit Harding avant d'ajouter : Vous êtes anglaise ?

– Dans un sens. À moitié russe.

– Le mélange paraît dangereux.

– Puis-je passer à votre bureau ? Il y a sans doute d'autres histoires que nous pourrions diffuser. Transoceanic a une large audience en Amérique latine. »

Harding fut très facile à convaincre : il suggéra le lendemain en fin d'après-midi.

La petite trentaine, selon Eva, des cheveux bruns épais coupés et coiffés comme ceux d'un garçonnet, avec une raie bien droite, Mason Harding avait tendance à prendre du poids : une couche de graisse sur ses joues et sa mâchoire amollissait la régularité de ses traits. Il portait un costume en seersucker caramel clair, et sur son bureau un petit panneau annonçait : MASON HARDING III.

« Ainsi, dit-il en offrant un siège à Eva, tout en l'examinant des pieds à la tête, vous êtes de Transoceanic Press. Crois pas avoir entendu parler de vous. »

Eva lui décrivit en gros l'importance et la clientèle de Transoceanic ; il hocha la tête, l'air de fort bien comprendre. Elle expliqua qu'elle avait été envoyée à Washington pour interviewer les pontes de la nouvelle administration.

« Certes. Où êtes-vous descendue ? »

Elle le lui dit. Il lui posa quelques questions sur Londres, la guerre, le Blitz (l'avait-elle vécu ?). Puis il regarda sa montre.

« Voulez-vous qu'on aille prendre un verre ? Je crois qu'on ferme aux environs de cinq heures, ces jours-ci. »

Ils quittèrent le ministère du Commerce, un monstre de bâtiment, aussi classique qu'immense (et une façade de musée plus que de ministère), pour aller à pied jusqu'à la 15ᵉ Rue, dans un bar obscur que Mason – « Appelez-moi Mason, je vous en prie » – connaissait et où, aussitôt installés, ils commandèrent, à l'initiative de Mason, deux whiskies mac. La journée était froide : se réchauffer un peu ne serait pas du luxe.

Eva posa dûment quelques questions au sujet de Hopkins, et Mason lui fit part de quelques faits sans intérêt, hormis celui que Hopkins avait eu « la moitié de l'estomac enlevé » lors de l'opération d'un cancer plusieurs années auparavant. Mason eut soin de mentionner l'admiration de son ministère et de l'administration Roosevelt pour la détermination et le courage des Anglais.

« Vous devez comprendre, Eve, dit-il savourant son deuxième whisky mac, qu'il est incroyablement difficile pour Hopkins et FDR d'en faire davantage. Si ça ne dépendait que de nous, on serait à vos côtés, au coude à coude, à combattre ces sacrés nazis. Z'en voulez un autre ? Garçon ! Monsieur ? » Il fit signe pour un autre verre. « Mais avant de partir en guerre il faut obtenir le vote du Congrès. Roosevelt sait qu'il ne l'obtiendra jamais. Pas aujourd'hui. Il faut qu'il se passe quelque chose pour que l'attitude des gens change. Avez-vous jamais assisté à un rassemblement d'America First ?

« Oui », dit Eva. Elle s'en souvenait très bien : un prêtre américano-irlandais haranguant la foule sur l'iniquité et la duplicité britanniques. Quatre-vingts pour cent des Américains étaient contre l'entrée en guerre. Les États-Unis étaient intervenus dans la dernière et n'y avaient rien gagné sinon la crise de 1929. Le pays était à l'abri d'une attaque ; nul besoin d'aider de nouveau l'Angleterre. Laquelle Angleterre était ruinée, finie : inutile d'aller gaspiller de l'argent et des vies américaines pour tenter de lui sauver la peau. Et ainsi de suite – le tout sous des applaudissements et des hurlements de joie gigantesques.

« Enfin, vous voyez le problème écrit en toutes lettres, dit Mason sur un ton d'excuse résigné, tel un médecin diagnostiquant une maladie incurable. Je ne veux pas d'une Europe nazie, Dieu nous en garde – nous serons les prochains sur la liste, pour sûr. L'ennui, c'est que ceux qui voient la chose ainsi sont peu nombreux. »

Ils continuèrent à bavarder et, au cours de la conversation, il apparut que Mason était marié, avait deux enfants – des garçons : Mason junior et Farley – et qu'il habitait à Alexandria. Après son troisième whisky mac, il demanda à Eva ce qu'elle faisait le samedi suivant. Elle répliqua qu'elle n'avait pas de projet, et il se proposa de lui faire visiter la ville – il devait de toute manière passer au bureau terminer deux ou trois broutilles.

Et donc, le samedi matin, dans son élégante berline verte, Mason vint prendre Eva au London Hall Hotel pour un grand tour des attractions principales de la ville. Elle eut droit à la Maison Blanche, au monument de Washington, au mémorial de Lincoln, au Capitol et enfin à la National Gallery. Ils déjeunèrent dans un restaurant appelé Du Barry sur Connecticut Avenue.

« Écoutez, je ne veux pas vous retarder davantage, dit Eva aussitôt que Mason eut réglé l'addition. Ne devez-vous pas aller au bureau ?

– Oh, la barbe, ça peut attendre lundi. De toute façon, je veux vous emmener à Arlington. »

Il la déposa à son hôtel avant six heures du soir. Il lui demanda de passer à son bureau le lundi après-midi lorsque, ayant eu des nouvelles de la santé de Hopkins, il saurait si et quand celui-ci serait éventuellement disponible pour une interview. Ils se serrèrent la main, Eva le remerciant chaleureusement pour sa « formidable journée », après quoi elle rentra à l'hôtel et téléphona à Romer.

Mason Harding essaya de l'embrasser le lundi soir. Après leur rencontre – « Toujours pas de Harry, j'en ai peur » –, ils étaient retournés dans son bar et il avait trop bu. À la sortie, il pleuvait et ils attendirent sous l'auvent d'un magasin que l'averse cesse. Dès que la pluie faiblit, ils se précipitèrent sur la voiture. Elle trouva un peu bizarre que Mason se recoiffe avant de démarrer et de la reconduire à l'hôtel. C'est au moment où ils se disaient au revoir qu'il se jeta sur elle et, tournant son visage juste à temps, elle sentit ses lèvres sur sa joue, son menton, son cou.

« Mason ! Pour l'amour du ciel ! » Elle le repoussa.

Il se recroquevilla sur son siège, l'air furibard, les yeux fixés sur le volant.

« Je suis très attiré par vous, Eve », dit-il d'une voix étrangement boudeuse, sans la regarder, comme si c'était là la seule explication requise.

« Je suis certaine que votre épouse est également très attirée par vous. »

Il soupira et son corps mima la fatigue, donnant l'impression d'encaisser une rebuffade usée et rabâchée.

« Nous savons tous deux de quoi il s'agit, dit-il en se tournant enfin vers elle. Ne nous comportons pas comme des innocents. Vous êtes une femme ravissante. Ma situation personnelle n'a rien à voir avec ça.

– Je vous téléphonerai lundi prochain », répliqua Eva en ouvrant la portière.

Il lui saisit la main avant qu'elle puisse sortir et l'embrassa. Elle tenta de se dégager mais il refusa de lâcher prise.

« J'ai un petit voyage à faire demain. Je dois aller passer deux jours à Baltimore. Retrouvez-moi là-bas : à l'Hôtel Allegany, dix-huit heures. »

Elle ne répondit pas, libéra sa main et se glissa hors de la voiture.

« L'hôtel Allegany, répéta-t-il. Je peux vous obtenir un entretien avec Hopkins. »

« L'"Or" est beau et il brille, dit Eva. On croirait presque qu'il irradie de la chaleur.

– Bien », répliqua Romer. Elle entendait à travers le récepteur un bruit de conversations autour de lui.

« Est-ce que tout va bien ? s'enquit-elle.

– Je suis au bureau.

– On veut me faire conclure une vente à l'Hôtel Allegany à Baltimore, demain mardi à dix-huit heures.

– Ne faites ni ne dites rien. Je viendrai vous voir dans la matinée. »

À dix heures, Romer arrivait à Washington. Eva descendit dans le hall quand la réception l'appela pour l'annoncer, et elle sentit son cœur battre et s'emballer à un tel point, tandis qu'elle le cherchait des yeux, qu'elle s'arrêta, surprise par elle-même, surprise de se voir réagir ainsi.

Il était assis dans un coin mais, chose assommante, un autre homme se trouvait avec lui, qu'il présenta simplement comme Bradley. Un petit homme mince, brun, avec un sourire qui clignotait à la manière d'une ampoule électrique défectueuse.

Romer se leva et vint à sa rencontre. Ils se serrèrent la main et il la conduisit d'un autre côté du hall. En s'asseyant, elle tendit subrepticement le bras pour le caresser.

« Lucas, chéri...

– Ne me touche pas.

– Qui est Bradley ?

– Un photographe qui travaille pour nous. Tu es prête ? Je pense que nous devrions y aller. »

Ils prirent un train à Union Station. Avec Bradley assis en face d'eux, ce fut un voyage laconique, presque muet. Chaque fois qu'Eva le regardait, le photographe la gratifiait de ce bref sourire qui tenait du tic nerveux. Elle préféra contempler par la fenêtre les feuilles d'automne. Elle fut reconnaissante au trajet d'être court.

À la gare de Baltimore, elle déclara avec emphase à Romer qu'elle avait envie d'un sandwich et d'un café, et Romer demanda donc à Bradley de les devancer à l'Allegany et de les y attendre. Enfin, ils se retrouvèrent seuls.

« Que se passe-t-il ? » demanda-t-elle alors qu'ils s'asseyaient dans un coin du buffet de la gare, connaissant à moitié la réponse. Du revers de son poignet, elle traça un hublot dans la buée de la vitre et vit une rue presque vide, quelques passants, un Noir qui vendait des petits bouquets de couleurs vives.

« Il nous faut une photo de toi et Harding entrant dans l'hôtel et en sortant le lendemain matin.

– Je vois… » Nauséeuse, en proie à une brusque envie de vomir, elle décida tout de même d'insister. « Pourquoi ? »

Romer soupira et regarda autour d'eux avant de lui prendre la main sous la table.

« Les gens ne trahissent leur pays que pour trois raisons, dit-il avec douceur et gravité, amenant la question suivante.

– Qui sont ?

– L'argent, le chantage et la vengeance. »

Elle réfléchit, se demandant si c'était là une autre des lois de Romer.

« L'argent, la vengeance… et le chantage.

– Tu sais ce qui se passe, Eva. Tu sais tout ce que ça exigera pour amener soudain Mr Harding à vouloir vraiment nous aider. »

Elle le savait et songea à Mrs Harding, l'héritière, au petit Mason junior et à Farley.

« C'est toi qui as organisé tout ça ?

– Non. »

Elle le regarda : menteur, disaient ses yeux.

« Ça fait partie du boulot, Eva. Tu ne mesures pas à quel point ça changerait tout. On aurait quelqu'un dans le bureau de Hopkins, quelqu'un proche de lui. » Il marqua une pause puis reprit : « Proche de Hopkins signifie proche de Roosevelt. »

171

Elle porta une cigarette à sa bouche – afin de déjouer toute lecture sur lèvres – et dit : « Je dois donc coucher avec Mason Harding pour que le SIS connaisse les intentions de Roosevelt et de Hopkins.

– Tu n'as pas besoin de coucher avec lui. Du moment que nous avons les photos, ça suffit. Tu peux jouer ça comme tu voudras, tout en finesse. »

Elle réussit à émettre un petit rire sec, mais sans conviction.

« "Finesse", un joli mot, dit-elle. Tiens, je sais, je pourrais lui raconter que j'ai mes règles. »

Romer ne trouva pas l'idée drôle. « Là, tu es stupide. Tu te dégonfles. Tout ceci n'a rien à voir avec tes sentiments, mais avec la raison pour laquelle tu nous as rejoints. » Il se renfonça sur son siège. « Mais si tu veux laisser tomber, dis-le-moi carrément. »

Elle ne répondit pas. Elle pensait à ce qui l'attendait. Était-elle capable de faire ce que Romer exigeait d'elle ? Et lui, que ressentait-il ? Il paraissait si froid, si terre à terre.

« Quel effet ça te ferait ? demanda-t-elle. Si j'obtempérais.

– Nous avons un travail à accomplir », répliqua-t-il aussitôt, catégorique.

Elle s'efforça de ne rien laisser voir de la blessure qui s'ouvrait en elle. Il y a tant d'autres choses que tu aurais pu dire, songea-t-elle, des choses qui auraient rendu l'affaire un peu plus facile.

« Il faut y penser comme à une mission, Eva, reprit-il d'un ton plus doux comme s'il lisait en elle. N'y mêle pas de sentiment. Tu auras peut-être des choses encore moins plaisantes à faire avant que cette guerre se termine. » Il se couvrit la bouche de la main. « Je ne devrais pas te le dire mais la pression de Londres est immense, énorme. » Il poursuivit. La BSC avait une seule tâche capitale : persuader l'Amérique qu'il était dans son intérêt de prendre part à la guerre en Europe. C'était purement et simplement y amener l'Amérique. Il lui rappela que plus de trois mois s'étaient écoulés depuis la première rencontre entre Churchill et Roosevelt. « Nous en avons tiré notre merveilleuse et très célébrée Charte atlantique, et que s'est-il passé ? Rien. Tu as vu la presse en Angleterre : "Où sont les Ricains ?" "Qu'est-ce qui retient les Yankees ?" Il faut aller plus loin. Il faut pénétrer à l'intérieur de la Maison Blanche. Tu peux y aider – aussi simple que ça.

– Mais que ressens-tu, toi, à ce sujet ? » C'était de nouveau la mauvaise question à poser, elle le comprit, et elle vit son visage changer, mais elle voulait être brutale, le confronter à la réalité de ce qu'il lui demandait. « Ça te fait quoi l'idée de moi et Mason Harding couchant ensemble ?

– Je veux simplement gagner cette guerre. Mes sentiments n'ont aucune importance.

– Très bien, dit-elle, se sentant tour à tour honteuse puis furieuse de se sentir honteuse. Je ferai ce que je pourrai. »


Elle attendait dans le hall de l'hôtel quand Mason arriva, à six heures. Il l'embrassa sur la joue et ils s'inscrivirent à la réception sous le nom de Mr et Mrs Avery. Elle le sentit tendu – l'adultère n'était pas dans les habitudes de vie de Mason Harding. Pendant qu'il signait le registre, elle regarda autour d'elle : quelque part, elle le savait, Bradley prenait des photos ; un peu plus tard, quelqu'un paierait le réceptionniste pour obtenir une copie du registre. Ils montèrent dans leur chambre et, dès que le groom eut tourné le dos, Mason l'embrassa avec plus de passion, lui caressa les seins, la remercia, lui déclara qu'elle était la plus belle femme qu'il ait jamais rencontrée.

Ils dînèrent tôt, au restaurant de l'hôtel, et Mason passa la plus grande partie du repas à dénigrer calmement mais avec force son épouse, sa belle-famille et leur emprise financière sur lui. Eva découvrit que cette mauvaise humeur, assommante, mesquine et égoïste, lui venait en aide en lui permettant d'écarter la vision de ce qui allait se passer. Elle reprenait son sang-froid. Les gens trahissent leur pays pour trois raisons seulement, avait dit Romer. Mason Harding s'apprêtait à faire le premier pas le long de cette route étroite et tortueuse.

Ils burent trop, pour des raisons différentes, sans doute, et, en remontant dans l'ascenseur, elle sentit la tête lui tourner. Mason l'embrassa fougueusement. Dans la chambre, il appela le service d'étage, commanda une bouteille de whisky et, dès qu'elle eut été apportée ou presque, il entreprit de déshabiller Eva. Laquelle passa au sourire fixe, but encore et songea : au moins, il n'est ni laid ni méchant, c'est juste un brave imbécile qui veut cocufier son épouse. Il s'agit d'un boulot, un boulot que moi seule peux faire.

Au lit, il ne put, malgré ses efforts, se contrôler et se montra honteux de la vitesse à laquelle il jouit, rejetant le blâme sur les préservatifs : « Foutues capotes ! » Eva le calma, affirma qu'être simplement ensemble était bien plus important. Il s'envoya un autre whisky et, un peu plus tard, fit une seconde tentative, mais sans succès.

Elle le consola de nouveau, le laissa l'enlacer et la caresser, nichée dans ses bras, alors qu'elle voyait la chambre rouler et tanguer sous l'effet de tout l'alcool qu'elle avait ingurgité.

« C'est toujours raté la première fois, dit-il. Tu ne trouves pas ?

– Toujours », approuva-t-elle. Non seulement elle ne le haïssait pas mais en fait elle avait un peu pitié de lui : que penserait-il d'ici un jour ou deux quand quelqu'un – pas Romer – l'aborderait et lui dirait : « Hello, Mr Harding, nous avons certaines photos dont nous pensons qu'elles intéresseraient beaucoup votre épouse et votre beau-père ? »

Il s'endormit très vite et elle s'écarta de lui. Elle réussit à s'endormir aussi, mais elle se réveilla tôt, fit couler un bain profond, s'y attarda puis commanda un petit déjeuner avant que Mason n'ouvre l'œil, de façon à prévenir toute démonstration amoureuse matinale ; mais il était de sale humeur et pas dans son assiette – peut-être se sentait-il coupable – et il se montra sombre et monosyllabique. Elle le laissa l'embrasser encore une fois dans la chambre avant de descendre dans le hall.

Il régla la facture, et elle se colla à lui pour ôter un fil du revers de sa veste tandis qu'il payait l'employé en liquide. Clic, clac. Elle entendait presque l'appareil de Bradley. Dehors, devant la station de taxis, Mason parut tout à coup gêné, crispé.

« J'ai des réunions, dit-il. Et toi ?

– Je vais rentrer à Washington. Je t'appellerai. Ça sera mieux la prochaine fois, ne t'en fais pas. »

La promesse sembla le ranimer et il lui adressa un sourire chaleureux.

« Merci, Eve. Tu as été épatante. Tu es belle. Téléphone-moi la semaine prochaine. Je dois emmener les gosses... » Il s'arrêta. « Appelle-moi la semaine prochaine. Mercredi. »

Il l'embrassa sur la joue et, dans sa tête, elle entendit retentir un autre « clic » de Bradley.

À son retour au London Hall, elle trouva un message – une note glissée sous sa porte.

« Eldorado est terminée », annonçait-elle.


« Ah, tiens, tu es de retour ! s'écria Sylvia en rentrant du bureau et découvrant Eva dans la cuisine de l'appartement. Comment était Washington ?

– Assommant.

– Je te croyais partie pour quinze jours.

– Il n'y avait rien à faire. Une série interminable de conférences de presse sans intérêt.

– T'as rencontré des beaux mâles ? » Sylvia prit un air concupiscent grotesque.

« J'aurais bien voulu. Seulement un gros sous-secrétaire d'État à l'Agriculture, ou je ne sais quoi, qui a essayé de me tripoter.

– Je pourrais me contenter de ça », répliqua Sylvia en partant vers sa chambre se débarrasser de son manteau.

Eva s'étonnait parfois de la facilité et de la spontanéité avec lesquelles elle pouvait mentir. Pensez que tout le monde vous ment tout le temps, disait Romer, c'est sans doute la manière la plus sûre de procéder.

Sylvia revint, ouvrit la glacière et en sortit un petit broc de martini.

« On a un truc à fêter, dit-elle avant de faire une grimace d'excuse. Pardon. Ce n'est pas le mot qui convient. Les Allemands ont coulé un autre contre-torpilleur yankee, le *Reuben Jones*. Cent cinquante disparus. Il n'y a vraiment pas de quoi se réjouir, je sais. Mais...

– Bon Dieu ! Cent cinquante...

– Exactement. Ça devrait tout changer. Ils ne peuvent plus rester sur la touche, à présent. »

Autant pour Mason Harding, se dit Eva. Elle eut une brusque vision de Mason, se débarrassant de son slip, son pénis en érection pointant à l'abri de sa brioche naissante, venant s'asseoir sur le lit, s'attaquant à l'emballage d'aluminium du préservatif. Elle se rendit compte qu'elle pouvait y penser sans passion, froidement, objectivement. Romer aurait été fier d'elle.

Tout en servant leurs martinis, Sylvia lui raconta que Roosevelt avait prononcé un excellent discours, vibrant, agressif, le plus agressif depuis 1939, et avait évoqué le commencement de la « lutte armée ».

« Ah oui, et en plus, dit-elle en sirotant son verre, il est aussi en possession de cette merveilleuse carte – une carte de l'Amérique du Sud, qui montre comment les Allemands ont l'intention de la diviser en cinq immenses nouveaux pays. »

Eva n'écoutait qu'à moitié mais l'enthousiasme de Sylvia suscita en elle un petit élan de confiance – un étrange sentiment de joie passagère. Elle avait connu des moments de ce genre, de temps à autre, au cours des deux années écoulées au sein de l'unité de Romer. Bien qu'elle s'efforçât de traiter ces réactions instinctives avec méfiance, elle ne pouvait s'empêcher de les laisser s'épanouir en elle – comme si prendre ses désirs pour des réalités était inhérent à la qualité d'être humain, et que l'idée que les choses devaient obligatoirement finir par s'améliorer était imprimée dans la conscience humaine. Elle but une gorgée de son martini glacé – peut-être est-ce là simplement la définition d'un optimiste, songea-t-elle. Peut-être est-ce tout bonnement ce que je suis : une optimiste.

« Dans ce cas, on pourrait bien être en train d'y arriver », répliqua-t-elle, cédant à son optimisme, se disant : si les Américains s'allient à nous, nous devons obligatoirement gagner. L'Amérique, l'Angleterre et l'Empire, plus la Russie – ça ne devrait plus être alors qu'une question de temps.

« Dînons dehors demain, proposa-t-elle à Sylvia tandis qu'elles regagnaient chacune leur chambre. On a droit à une petite fiesta.

– N'oublie pas qu'on dit au revoir à Alfie. »

Eva se rappela que Blytheswood quittait leur radio pour retourner à Londres, à Electra House, la station d'interception située au sous-sol des bureaux de Cable & Wireless, sur l'Embankment. « Eh bien, on pourra aller danser après ! » Elle avait envie de danser, songea-t-elle, alors qu'elle se déshabillait et tentait de chasser de son esprit Mason Harding et ses mains sur son corps.

Le lendemain, au bureau, Morris Devereux lui montra une transcription du discours de Roosevelt. Elle la feuilleta jusqu'à ce qu'elle atteigne le passage pertinent : « J'ai en ma possession, lut-elle, une carte secrète dressée en Allemagne par le gouvernement de Hitler. Il s'agit d'une carte de l'Amérique du Sud telle que Hitler se propose de la réorganiser. Les experts géographes de Berlin l'ont divisée en cinq États vassaux… Ils ont aussi décidé que l'un de ces États fantoches inclurait la république de Panama et notre grande artère vitale, le canal de Panama… Cette carte éclaire parfaitement les desseins nazis non seulement à l'encontre de l'Amérique du Sud mais des États-Unis. »

« Eh bien, lança-t-elle à Devereux, il n'y va pas de main morte, vous ne trouvez pas ? Si j'étais américain, je commencerais à ne pas me sentir très à l'aise. Un rien inquiet, non ?

– Espérons qu'ils partagent vos sentiments – et avec en plus l'attaque du *Reuben Jones*… Je ne sais pas : on pourrait penser qu'ils ne dorment plus tout à fait sur leurs deux oreilles. » Il lui sourit. « Comment ça s'est passé à Washington ?

– Bien. Je crois avoir établi un bon contact dans le bureau de Hopkins, répondit-elle d'un air dégagé. Un attaché de presse. Je pense qu'on peut lui refiler nos trucs.

– Intéressant. A-t-il lâché des indications ?

– Non, pas vraiment, dit-elle prudente. En fait, il s'est montré très décourageant. Le Congrès s'est rangé dans le camp anti-guerre. FDR a pieds et poings liés, etc. Mais je vais lui passer des traductions de toutes nos histoires espagnoles.

– Bonne idée », approuva-t-il d'un ton distrait avant de s'éloigner.

Eva réfléchit. Morris paraissait s'intéresser de plus en plus à ses mouvements et à son travail. Mais pourquoi ne lui avait-il pas demandé le nom de l'attaché de presse qu'elle avait pris au lasso ? Voilà qui était bizarre… Savait-il déjà de qui il s'agissait ?

Elle regagna son bureau pour dépouiller son courrier. Un journal de Buenos Aires, *Critica*, s'était emparé de son histoire de manœuvres navales allemandes au large de la côte atlantique sud-amé-

177

ricaine. Elle tenait maintenant son ouverture : elle retranscrivit l'article mais en le datant de Buenos Aires et l'expédia à tous les abonnés de Transoceanic. Elle appela Blytheswood à WRUL et, utilisant leur code verbal prioritaire – « Mr Blytheswood, Miss Dalton à l'appareil » –, l'informa qu'elle avait reçu d'Argentine une histoire fascinante. Blytheswood répondit qu'ils pouvaient certes être intéressés mais qu'il fallait que la dépêche parvienne d'Amérique avant de pouvoir être retransmise dans le monde entier. Elle envoya donc un câble à Johnson à Meadowville et à Witoldski à Franklin Forks, simplement signé Transoceanic, plus une copie des points importants du discours de Roosevelt. Elle pensa qu'ils devineraient que ça venait d'elle. Si Johnson ou Witoldski retransmettait le papier de *Critica*, elle pourrait le remanier une fois de plus en en faisant un reportage d'une station de radio américaine indépendante. Et ainsi l'histoire fictive progresserait régulièrement à travers les médias, accumulant au passage du poids et de la signification – la multiplication des dates et des sources confirmant d'une certaine manière son statut de fait, sans révéler nulle part son origine, à savoir la tête d'Eva Delectorskaya. En fin de compte, un des grands quotidiens américains la reprendrait (peut-être avec un petit coup de main d'Angus Woolf) et l'ambassade d'Allemagne la câblerait à Berlin. Des démentis seraient alors publiés, des ambassadeurs appelés à donner explications et réfutations, ce qui fournirait matière à un autre article ou une série d'articles pour distribution par Transoceanic sur ses téléscripteurs. Eva éprouva un vague sentiment de puissance et d'orgueil en songeant à l'existence future de son mensonge : elle se vit, telle une minuscule araignée au centre d'une toile croissante et compliquée d'insinuations, de demi-vérités et d'invention. Une vision suivie soudain d'une brûlante bouffée d'embarras au souvenir de sa nuit avec Mason Harding, et de ses pathétiques maladresses. Ce serait toujours une sale guerre, répétait Romer, rien ne pouvait être négligé tant qu'on la faisait.

Elle rentrait à pied en longeant Central Park sud, l'œil sur les arbres déjà aux couleurs de l'automne, jaune et orange, quand elle prit conscience d'un bruit de pas avançant exactement à la même allure que les siens. Une des astuces qu'elle avait apprises à Lyne – et presque aussi efficace qu'une tape sur l'épaule. Elle s'arrêta pour ajuster la lanière de sa chaussure et, jetant un regard nonchalant autour d'elle, aperçut Romer à trois mètres derrière, le nez sur la vitrine d'un bijoutier. Il tourna les talons et, après un bref instant, elle le suivit dans la VI$^e$ Avenue où il entra dans une grande boutique de traiteur. Elle prit la queue au comptoir pas très loin de lui et le vit commander un sandwich et une bière avant d'aller s'installer dans un coin très animé. Elle commanda à son tour un café et alla vers lui.

« Hello, dit-elle. Puis-je me joindre à vous ? » Elle s'assit et ajouta : « On nage dans la clandestinité.

– Il faut qu'on prenne encore plus de précautions, répliqua-t-il. Doubles, triples vérifications. À dire vrai, nous nous inquiétons un peu de l'excès d'intérêt que certains de nos amis américains portent à nos activités. Je pense que nous avons trop grandi – impossible d'ignorer désormais l'échelle de l'affaire. Donc : un effort supplémentaire, attention aux traquenards, surveiller les filatures, les agents amis, les bruits bizarres au téléphone. Une simple impression – mais nous nous sommes tous laissés un peu aller.

– Compris. » Elle le regarda mordre dans son énorme sandwich. On n'avait jamais rien vu de cette taille dans les Îles britanniques, songea-t-elle. Il mâcha et avala avant de reparler.

« Je tenais à te dire que tout le monde est très content de Washington. J'ai récolté tous les compliments mais je voulais te répéter que tu as été très bien, Eva. Très bien. Ne crois pas que je prenne ça comme allant de soi. Ne crois pas que nous le prenions comme allant de soi.

– Merci. » Elle ne ressentit pas exactement un chaleureux élan de satisfaction.

« Cet "Or" fera notre fortune.

– Bien », dit-elle. Puis, réfléchissant : « Est-il déjà…

– Il a été activé hier.

– Oh. » Eva eut la vision de quelqu'un étalant des photos devant un Mason atterré. Elle le voyait même en larmes. Je me demande ce qu'il pense de moi à cette heure, songea-t-elle, mal à l'aise. « Et s'il m'appelle ?

— Il ne t'appellera pas. » Romer se tut puis reprit : « Nous n'avons jamais été aussi près du chef. Grâce à toi.

— Peut-être n'aurons-nous pas besoin de lui très longtemps, suggéra-t-elle vaguement, comme pour calmer son sentiment de culpabilité croissant, diminuer un temps la sensation de salissure.

— Pourquoi dis-tu ça ?

— Le naufrage du *Reuben Jones*.

— Ça ne paraît pas avoir fait la moindre différence sur l'opinion publique, dit Romer un rien sarcastique. Les gens semblent plus intéressés par le résultat du match Armée-Notre Dame. »

Ce qu'elle n'arrivait pas à comprendre. « Pourquoi donc ? Il y a une centaine de jeunes marins disparus, nom d'un chien !

— Des U-boats envoyant par le fond des navires américains les ont fait entrer dans la dernière guerre, rétorqua-t-il en abandonnant, vaincu, les deux tiers de son sandwich. Ils ont la mémoire longue. » Il lui adressa un sourire déplaisant. Il était d'humeur étrange ce soir, presque en colère. « Ils ne veulent pas y aller cette fois, Eva, quoi que leur président, Harry Hopkins ou Gale Winant puissent penser. » Il désigna d'un geste la foule dans la boutique : hommes, femmes, enfants, tous rieurs et bavards, leur journée de travail terminée, en train d'acheter leurs énormes sandwiches et leurs boissons pétillantes. « La vie est belle, ici. Ils sont heureux. Pourquoi tout gâcher en allant faire la guerre à cinq mille kilomètres d'ici ? Tu t'y risquerais toi ? »

Elle n'avait pas de réponse immédiate et convaincante.

« Oui, mais et cette carte ? dit-elle, consciente de perdre le débat. Est-ce que ça ne change pas les choses ? » Puis, comme pour tenter de se persuader elle-même : « Et le discours de Roosevelt ? Ils ne peuvent nier que ça se rapproche. Panama, c'est dans leur jardin. »

Romer se permit un petit sourire devant cette ardente ferveur. « Oui, eh bien, je dois avouer que nous sommes très contents de ça. Nous ne pensions pas que ça marcherait aussi efficacement ni aussi vite. »

Elle attendit une seconde avant de poser sa question, essayant de paraître aussi peu concernée que possible : « Tu veux dire que ça vient de chez nous ? La carte est à nous : c'est ce que tu veux dire ? »

Romer la regarda avec un peu de reproche dans le regard, élève trop lente, traînant derrière le reste de la classe. « Naturellement. L'histoire est la suivante : un courrier allemand a eu un accident de voiture à Rio de Janeiro. Un type imprudent. Il a été emmené à l'hôpital. Dans sa serviette se trouvait cette fascinante carte. Un peu cousu de fil blanc, tu ne crois pas ? J'ai beaucoup hésité à m'engager dans cette affaire, mais nos amis semblent l'avoir avalée toute cru. » Une pause. « À propos, je veux que tu fasses passer tout ça à Transoceanic demain. Partout – provenance gouvernement américain, Washington DC. Tu as de quoi écrire ? »

Eva farfouilla dans son sac pour trouver bloc-notes et crayon et prit en sténo la liste que lui dicta Romer : cinq pays nouveaux dans le continent sud-américain, comme indiqués sur la carte secrète de Roosevelt. L'« Argentine » incluait maintenant l'Uruguay, le Paraguay et la moitié de la Bolivie ; le « Chili » absorbait l'autre moitié de la Bolivie et le Pérou en entier. La « Nouvelle Espagne » se composait de la Colombie, du Vénézuela, de l'Équateur et, chose capitale, du canal de Panama. Seuls le « Brésil » et la « Guyane » restaient en gros tels quels.

« Je dois dire que c'est un bien beau document : *"Argentinien, Brasilien, Neu Spanien"*, le tout traversé en long et en large par des projets de routes aériennes de la Lufthansa. » Il eut un petit rire.

Eva rangea son bloc-notes et en profita pour rester un moment silencieuse, le temps de digérer ces informations et de se rendre compte que sa crédulité, son émotivité demeuraient un problème – était-elle trop facile à berner ? Ne croyez jamais quoi que ce soit, disait Romer, jamais, jamais. Cherchez toujours les autres explications, les autres options, l'autre aspect des choses.

Elle leva les yeux et découvrit qu'il la regardait différemment. Avec tendresse, semblait-il, et au-delà du désir.

« Tu me manques, Eva.

– Toi aussi, Lucas. Mais que pouvons-nous y faire ?

– Je vais t'envoyer suivre un cours au Canada. Sur la conservation des documents, le classement, ce genre de choses, vois-tu. »

Elle savait que cela signifiait « la Station M » – un laboratoire de faux de la BSC, fonctionnant sous le couvert de la Canadian Broadcasting Company. La Station M produisait toute leur fausse documentation, la carte devait provenir de là-bas aussi.

« Pour combien de temps ?

– Quelques jours. Mais, en récompense de ton excellent travail, tu peux prendre un peu de repos avant de partir. Je suggère Long Island.

– Long Island ? Vraiment ?

– Oui. Je recommanderais le Narragansett Inn, dans St James. Un Mr et Mrs Washington y ont une chambre réservée pour le week-end. »

Elle sentit monter en elle une envie de sexe. Un relâchement puis une contraction du bas-ventre.

« Ça paraît épatant, répondit-elle, les yeux dans les siens. Quels veinards, ces Mr et Mrs Washington. » Elle se leva. « Il faut que je parte. Sylvia et moi, on va faire la fête.

– Eh bien, sois prudente, fais attention, dit-il d'un ton grave, celui d'un parent brusquement anxieux. Triple vérification. »

À ce moment précis, Eva se demanda si elle était amoureuse de Lucas Romer. Plus que tout au monde, elle aurait voulu l'embrasser, elle aurait voulu caresser son visage.

« D'accord. On y veillera. »

Il se leva à son tour et laissa quelques pièces sur la table en guise de pourboire. « As-tu un lieu sûr ?

– Oui. » Son « lieu sûr » à New York consistait en une chambre sans chauffage dans Brooklyn. « J'ai quelque chose en dehors de la ville. » C'était presque vrai.

« Parfait. » Il sourit. « Profite bien de ton week-end. »


Le vendredi soir, Eva prit un train pour Long Island. Elle descendit à Farmingdale et repartit aussitôt en sens inverse, en direction de Brooklyn. Elle quitta la gare et se promena autour pendant dix minutes avant d'attraper un train sur la ligne secondaire ayant pour terminus Port Jefferson. De là, elle prit un taxi jusqu'à la gare d'autobus de St James. Au départ de Port Jefferson, elle fut attentive aux voitures, dont une qui semblait les suivre à distance régulière mais quand Eva demanda au taxi de ralentir, elle les doubla à toute allure. Elle alla à pied de la gare d'autobus au Narragansett Inn – sans être filée, autant qu'elle pût en juger. Elle obéissait ainsi à la lettre aux ordres de Romer.

Elle fut ravie de découvrir que l'auberge était une vaste et confortable maison de bardeaux couleur crème située aux abords de la ville, au milieu d'un jardin bien entretenu, avec vue au loin sur les dunes. Un vent froid soufflait du Sound et elle se félicita d'avoir gardé son manteau. Romer l'attendait dans le salon de l'hôtel où, dans la cheminée, crépitait un feu de bois flotté. Mr et Mrs Washington montèrent tout droit à leur chambre et n'en ressortirent que le lendemain matin.

# 8

# Brydges'

J'ai lu la lettre à voix haute à ma mère :

Chère Ms Gilmartin,
Lord Mansfield vous remercie de votre intérêt mais regrette de ne pas être en mesure d'accéder à votre demande d'interview en raison de sa charge de travail.
Sincèrement vôtre,

Anna Orloggi
(Assistante de Lord Mansfield)

« C'est sur du papier à en-tête de la Chambre des lords », ai-je ajouté.

Ma mère a traversé la pièce et s'est emparée de la feuille pour la scruter avec une attention inhabituelle, remuant les lèvres tandis qu'elle relisait le bref message de refus. Impossible de deviner si elle était excitée ou pas. Elle paraissait plutôt calme.

« Anna Orloggi... J'adore, a-t-elle dit. Je parie qu'elle n'existe pas. » Puis, après un silence : « Regarde. Il y a le numéro de téléphone. » Elle s'est mise à faire les cent pas dans ma salle de séjour. Elle était venue pour un rendez-vous avec Mr Scott – une couronne branlante – et elle avait surgi chez moi sans prévenir. La lettre était arrivée le matin même.

« Veux-tu un verre de quelque chose ? ai-je proposé. Jus de fruits ? Coca-Cola ? » C'était l'heure de ma pause déjeuner : Bérangère venait de partir et Hamid devait arriver à deux heures. Ludger et Ilse avaient filé à Londres « voir un ami ».

185

« Je veux bien un Coca.

– Quand t'es-tu arrêtée de boire ? ai-je demandé en allant à la cuisine. Tu buvais pas mal pendant la guerre.

– Je pense que tu sais pourquoi », a-t-elle répliqué sèchement en me suivant. Elle m'a pris le verre des mains et a bu une gorgée, mais j'ai bien vu qu'elle avait l'esprit ailleurs. « En fait, appelle-moi ce numéro maintenant, a-t-elle dit, le visage soudain animé. Appelle et dis que tu veux lui parler des SAC. Ça devrait marcher.

– Tu es sûre de ce que tu fais ? Tu risques d'ouvrir une horrible boîte de Pandore.

– Oui, c'est exactement l'idée. »

J'ai composé le numéro de Londres avec une certaine hésitation et je l'ai écouté sonner à plusieurs reprises. J'allais raccrocher quand une voix de femme a répondu.

« Le bureau de Lord Mansfield. »

J'ai expliqué qui j'étais et que je venais de recevoir une lettre de Lord Mansfield.

« Ah oui. Je suis tout à fait désolée mais Lord Mansfield est à l'étranger et, de toute manière, il n'accorde pas d'interviews. »

Ainsi, il n'« accorde » pas d'interviews, me suis-je dit. La voix de la femme était sèche et distinguée. S'agissait-il d'Anna Orloggi soi-même ?

« Auriez-vous la bonté de lui dire, ai-je rétorqué, décidant de mettre en valeur les qualités aristocratiques de ma propre voix, que j'aimerais lui poser quelques questions au sujet des SAC.

– J'ai peur que cela ne fasse aucune différence.

– J'ai peur que ça en fasse une, et en particulier quant à la pérennité de votre emploi. Je tiens pour certain qu'il voudra me parler. Les SAC – c'est très important. Vous avez mon numéro de téléphone sur ma lettre. Je vous serais infiniment reconnaissante. Merci beaucoup.

– Je ne peux rien promettre.

– Je répète : les SAC. Assurez-vous, je vous prie, de lui en faire part. Merci. Au revoir. » J'ai raccroché.

« Bravo, petite, a dit ma mère. Je détesterais t'avoir au bout du fil. »

Nous sommes revenues dans la cuisine. J'ai montré mes nouveaux meubles de jardin à ma mère qui les a dûment mais distraitement admirés.

« Je sais que maintenant il te recevra, a-t-elle dit, pensive. Il ne pourra pas résister. » Puis elle s'est tournée et m'a souri. « Comment s'est passé ton dîner ? »

Je lui ai raconté Hamid et sa déclaration d'amour.

« Comme c'est merveilleux ! s'est-elle écriée. Est-ce qu'il te plaît ?

– Oui. Beaucoup. À ceci près que je ne suis pas amoureuse de lui.

– Dommage. Est-il gentil ?

– Oui. Mais il est musulman, Sal, et il va aller travailler en Indonésie. Je vois où tu veux en venir. Non, il ne deviendra pas le beau-père de Jochen. »

Elle a refusé de rester déjeuner mais m'a demandé de l'appeler dès que j'aurais des nouvelles de Romer. Hamid est arrivé pour sa leçon. Il semblait en forme, plus calme. Nous avons passé l'heure sur un nouveau chapitre des Amberson – revenus à présent de leurs décevantes vacances à Corfe Castle pour faire face à une fugue de Raspoutine – et nous avons exploré les mystères de la forme progressive du passé composé. « Raspoutine *has been acting* un peu étrangement ces derniers temps. » « Les voisins *have been complaining* de ses aboiements. » La peur de l'empoisonnement s'insinuait dans le monde clos de Darlington Crescent.

En partant, Hamid m'a demandé de dîner à nouveau avec lui chez Browns vendredi soir ; j'ai aussitôt répliqué que j'étais prise. Il m'a crue sur parole : il paraissait avoir perdu l'enthousiasme de nos précédentes conversations mais j'ai bien noté la nouvelle invitation – à l'évidence, l'affaire n'était pas encore terminée.


Veronica et moi – les mères célibataires-souillons – nous attendions nos enfants devant Grindle's tout en en grillant une.

« Comment va Sally ? s'est enquise Veronica. Un peu mieux ?

– Je pense. Mais il y a encore des signes inquiétants. Elle a acheté un fusil.

– Merde…

– Pour tuer les lapins, prétend-elle. Et l'histoire de ce qu'elle a fait pendant la guerre devient de plus en plus… extraordinaire.

– Tu la crois ?

– Oui, je la crois », ai-je lâché carrément, comme si je confessais un crime. J'y avais pensé régulièrement, à plusieurs reprises, mais l'histoire d'Eva Delectorskaya était trop étoffée, détaillée et précise pour être le produit d'un esprit en proie à des reconstructions fantastiques, et encore moins au bord de la sénilité précoce. J'avais trouvé dérangeante la lecture du feuilleton parce que les personnages d'Eva/Sally refusaient encore de se fondre dans ma tête. Quand j'avais lu qu'Eva avait couché avec Mason Harding de façon à le faire chanter, je m'étais découverte incapable d'associer ce fait historique, cet acte de sacrifice personnel, cette abjuration délibérée d'un code moral intime, à la grande belle femme qui allait et venait dans ma salle de séjour quelques heures avant. Qu'exigeait de coucher avec un étranger pour votre pays ? Peut-être n'était-ce pas compliqué – une décision logique. Était-ce très différent d'un soldat tuant son ennemi pour sa patrie ? Ou, plus précisément en l'occurrence, de mentir à vos plus proches alliés pour votre pays ? Peut-être étais-je trop jeune ; peut-être aurais-je dû vivre pendant la Seconde Guerre mondiale ? J'avais le sentiment que je ne pourrais jamais vraiment comprendre.

Jochen et Avril ont déboulé de l'école et, tous les quatre, nous avons repris Banbury Road en sens inverse.

« On a une vague de chaleur, a déclaré Jochen.

– Une vague de chaleur tropicale, voilà ce que c'est.

– Est-ce que ça ressemble à une vague dans la mer ? Une vague de chaleur qui nous passe par-dessus ? » Il a fait un grand geste en piqué de la main.

« Ou bien est-ce le soleil qui en nous saluant souffle la chaleur sur la terre ? ai-je suggéré.

– Ça, c'est juste idiot, Maman », a-t-il protesté, mécontent.

J'ai présenté mes excuses et nous avons continué à marcher tranquillement en bavardant. Veronica et moi avons décidé de dîner ensemble samedi soir.

De retour, je m'apprêtais à donner son goûter à Jochen quand le téléphone a sonné.

« Ms Gilmartin ?

– Elle-même.

– Ici Anna Orloggi. » La même femme – elle a prononcé son nom sans la moindre trace d'un accent italien, comme si elle appartenait à l'une des plus vieilles familles d'Angleterre.

« Oui, ai-je dit à tout hasard. Hello.

– Lord Mansfield vous recevra à son club, vendredi soir à dix-huit heures. Avez-vous de quoi écrire ? »

J'ai noté les indications : le nom du club – Brydges', pas Brydges Club, juste Brydges' – et une adresse dans St James.

« Dix-huit heures, ce vendredi, a répété Anna Orloggi.

– J'y serai. »

J'ai raccroché et j'ai éprouvé une exultation immédiate à l'idée que notre ruse avait réussi, mais aussi une nervosité agaçante en songeant que je serais finalement celle qui rencontrerait Lucas Romer. Tout était devenu réel, brusquement, et j'ai senti l'allégresse le céder à un rien de nausée ; ma bouche a paru soudain à court de salive alors que j'imaginais cette rencontre. J'ai compris que je connaissais un sentiment contre lequel je proclamais être blindée : j'avais tout bonnement un peu peur.

« Tu vas bien, Maman ? a demandé Jochen.

– Oui, bien, mon chéri. Juste une dent qui m'élance. »

J'ai appelé ma mère pour lui faire part de la nouvelle.

« Ça a marché. Tout comme tu l'avais dit.

– Bon, a-t-elle répliqué, très calme. Je le savais. Je te dirai exactement quoi dire et faire. »

Au moment où je raccrochais, on a frappé à la porte qui mène de l'appartement au cabinet de dentisterie du dessous. J'ai ouvert pour trouver Mr Scott planté là, le sourire épanoui, comme si, à travers le plancher, il m'avait entendu dire « une dent qui m'élance » et s'était précipité à l'étage pour me soigner. Mais, derrière lui, se tenait un jeune homme en sueur, cheveux courts et costume sombre bon marché.

« Hello, hello, Ruth Gilmartin ! s'est écrié Mr Scott. Grande excitation. Ce jeune homme est un policier – un inspecteur, rien de moins –, il désire vous dire un mot. À tout à l'heure... peut-être... »

J'ai fait entrer l'inspecteur dans la salle de séjour. Il s'est assis, m'a demandé la permission de tomber la veste – un vrai bain de vapeur, dehors –, et m'a informée qu'il était l'inspecteur de police Frobisher, un nom que Dieu sait pourquoi j'ai trouvé rassurant, tandis que ledit inspecteur déposait sa veste avec soin sur le bras d'un fauteuil et se rasseyait.

« Juste quelques questions, a-t-il annoncé en sortant et feuilletant son bloc-notes. Nous avons une requête de la police métropolitaine. Elle s'intéresse aux mouvements d'une jeune femme nommée... Ilse Bunzl. » Il a appuyé sur le nom. « Il semble qu'elle ait appelé votre numéro ici depuis Londres. Est-ce exact ? »

J'ai gardé un visage impassible. S'ils savaient qu'Ilse avait appelé ici, c'est donc, ai-je raisonné, qu'un des téléphones était sur écoutes.

« Non. Je n'ai jamais eu d'appel. Quel est son nom, déjà ?

– Ilse Bunzl. » Il a épelé.

« J'enseigne à des étudiants étrangers, voyez-vous. Ils sont si nombreux à aller et venir. »

L'inspecteur Frobisher a pris note – « enseigne à des étudiants étrangers », sans doute –, a posé encore quelques questions (Y avait-il parmi mes élèves quelqu'un qui pourrait connaître cette fille ? Y avait-il beaucoup d'Allemands inscrits à l'OEP ?) et s'est excusé d'avoir abusé de mon temps. Je l'ai fait sortir par la porte de derrière, soucieuse de ne pas ajouter à la jubilation de Mr Scott. Je n'avais pas menti – tout ce que j'avais dit au policier était vrai.

Je suis rentrée, et je me demandais où Jochen pouvait bien être quand j'ai entendu sa voix – basse, presque inaudible – venant de la salle de séjour : il avait dû s'y glisser au moment où nous en sortions. Je me suis arrêtée à la porte et j'ai regardé par la fente de l'huisserie : il était assis sur le canapé, un livre ouvert sur ses genoux. Mais il ne lisait pas, il se parlait à lui-même et faisait de petits gestes des mains, comme s'il triait des tas de haricots invisibles ou jouait à un jeu de société imaginaire.

Bien entendu, je me suis sentie aussitôt submergée, emportée par un élan presque intolérable d'amour pour lui, d'autant plus aigu que voyeuriste, et que Jochen n'avait aucune idée que je l'observais – il n'aurait pas pu être plus naturel. Il a mis son livre de côté avant

190

d'aller à la fenêtre, toujours marmonnant mais à présent montrant du doigt des choses à l'intérieur de la pièce et puis dehors. Que faisait-il ? Que diable se passait-il dans sa petite tête ? Qui a dit que les « gens mènent leur vraie, leur plus intéressante vie sous le couvert du secret » ? Je connaissais Jochen mieux que tout être au monde, pourtant, dans un certain sens, à un certain degré, l'enfant candide commençait à développer les opacités de l'adolescent, du jeune, de l'adulte, cet état où les voiles de l'ignorance et de l'inconnu existent même entre les êtres dont vous êtes les plus proches. Visez ma mère, ai-je pensé, avec ironie, il s'agit moins d'un voile que d'une couverture de laine épaisse. Et sans doute pouvait-elle dire la même chose de son côté… J'ai toussé très fort avant d'entrer dans le séjour.

« Qui était cet homme ? a demandé Jochen.

– Un inspecteur.

– Un inspecteur ? Il voulait quoi ?

– Il était à la recherche d'un dangereux cambrioleur de banques appelé Jochen Gilmartin et voulait savoir si je connaissais quelqu'un de ce nom.

– Maman ! » Il a éclaté de rire, pointant son doigt plusieurs fois sur moi, un geste qu'il avait quand il était soit particulièrement content soit extrêmement en colère. Il était ravi ; j'étais inquiète.

Je suis retournée dans l'entrée, j'ai pris le téléphone et j'ai appelé Bobbie York.

# L'histoire d'Eva Delectorskaya

*New York, 1941*

C'est vers la mi-novembre qu'Eva Delectorskaya reçut l'appel de Lucas Romer. Elle se trouvait dans les bureaux de Transoceanic, un matin, travaillant sur les ramifications de son histoire de manœuvres navales – tous les journaux d'Amérique du Sud l'avaient reprise d'une manière ou d'une autre – quand Romer lui-même téléphona et suggéra qu'ils se rencontrent sur les marches du Metropolitan Museum. Elle prit le métro jusqu'à la 86ᵉ Rue et descendit la Vᵉ Avenue, traversant en face des grands immeubles pour être plus près de Central Park. Il faisait un petit froid vif ; elle enfonça son chapeau sur les oreilles et renoua l'écharpe autour de son cou. Les feuilles d'automne s'éparpillaient sur les trottoirs, les marchands de marrons étaient en poste au coin des rues, leurs braseros lui soufflant parfois au visage des bouffées d'une fumée douce-amère tandis qu'elle avançait nonchalamment vers le grand bâtiment du musée.

Elle vit Romer qui l'attendait sur les marches, sans chapeau et vêtu d'un long pardessus gris foncé qu'elle ne lui connaissait pas. Elle sourit machinalement, heureuse, repensant à leurs deux jours à Long Island. Vivre à New York en 1941 et aller à la rencontre de son amant sur les marches du Metropolitan Museum paraissait la plus normale et la plus naturelle des activités du monde – comme si toute sa vie l'avait en quelque sorte menée dans la direction de ce moment particulier. Mais les réalités qui s'entassaient par ailleurs derrière cette rencontre – les nouvelles de la guerre qu'elle avait lues ce matin dans les journaux, l'avance allemande sur Moscou – l'obligeaient à

192

l'admettre : ce que Romer et elle expérimentaient était, en vérité, complètement absurde et surréel. Nous sommes peut-être amants, se dit-elle, mais nous sommes aussi des espions : par conséquent, tout est entièrement différent de ce qu'il paraît.

Il l'aperçut et descendit les marches pour venir à sa rencontre. Elle eut envie d'embrasser son visage sévère, ses sourcils froncés, d'aller immédiatement dans cet hôtel de l'autre côté de l'avenue et de faire l'amour tout l'après-midi – mais ils ne se frôlèrent même pas, ils ne se serrèrent même pas la main. Il désigna du doigt le parc. « Allons faire une promenade, dit-il.

– Je suis contente de te voir. Tu m'as manqué. »

Il lui jeta un regard qui signifiait : nous ne pouvons pas nous parler ainsi.

« Désolée. Il fait frisquet, non ? » lança-t-elle avant de partir devant lui d'un bon pas vers le parc.

Il accéléra son allure et la rattrapa. Ils longèrent le sentier en silence pendant un moment puis il demanda : « Que dirais-tu d'un peu de soleil en hiver ? »

Ils trouvèrent un banc avec vue sur une petite vallée et quelques rochers déchiquetés. Un garçonnet lançait un bâton à un chien qui refusait de courir après. Alors le gamin allait rechercher le bâton, revenait vers le chien et recommençait.

« Du soleil en hiver ?

– Un simple boulot de courrier pour la BSC. Au Nouveau-Mexique.

– Si c'est si simple pourquoi ne s'en chargent-ils pas eux-mêmes ?

– Depuis la carte du Brésil, ils veulent paraître tout à fait casher. Ils s'inquiètent un peu, car le FBI pourrait les surveiller. Alors ils m'ont demandé si quelqu'un de Transoceanic pouvait le faire. J'ai pensé à toi. Tu n'as aucune obligation d'y aller si tu n'en as pas envie. Je demanderai à Morris si ça ne te dit rien. »

Mais ça lui disait, et elle savait qu'il savait qu'elle accepterait.

Elle haussa les épaules. « Je suppose que je pourrais y aller.

– Je ne te fais pas une faveur, dit-il. Je sais que tu feras un bon travail. Un bon travail sécurisé. C'est ce qu'ils veulent. Tu prends un paquet, tu le donnes à quelqu'un et tu reviens.

– Qui me contrôlera ? Pas BSC.

– Transoceanic.

– D'accord. »

Il lui passa une feuille de papier et lui demanda de la lire jusqu'à ce qu'elle en ait mémorisé tous les détails. Elle étudia les mots inscrits, se rappelant Mr Dimarco à Lyne, et ses astuces : assortir des couleurs aux mots, des souvenirs aux nombres. Elle rendit le papier à Romer.

« Code téléphonique habituel à la base ? s'enquit-elle.

– Oui. Toutes les variations.

– Où vais-je, après Albuquerque ?

– Le contact là-bas te le dira. Ce sera le Nouveau-Mexique. Peut-être le Texas.

– Et ensuite ?

– Reviens ici et continue comme d'habitude. Ça devrait te prendre trois ou quatre jours. Tu auras du soleil, tu verras une partie intéressante du pays – c'est grand. »

Il glissa sa main le long du banc et entrelaça son petit doigt à celui d'Eva.

« Quand pourrais-je te revoir ? dit-elle doucement, le regard ailleurs. J'ai adoré Narragansett Inn. Peut-on y retourner ?

– Probablement pas. C'est difficile. Les choses se précipitent. Londres panique. Tout est plutôt... » Il marqua une pause comme si prononcer ces mots était déplaisant. « ... plutôt hors de contrôle.

– Comment va l'"Or" ?

– L'"Or" est notre seul rayon de soleil. Très utile, vraiment. Ce qui me fait penser : l'opération que tu vas entreprendre s'appelle "Cannelle". Toi, tu es "Sauge".

– "Sauge".

– Tu sais combien ils aiment la procédure. Ils ont dû ouvrir un dossier et inscrire dessus "Cannelle". "Top secret". » Il sortit de sa poche une épaisse enveloppe marron et la lui tendit.

« C'est quoi, ça ?

– 5 000 dollars. Pour le type en bout de ligne, où qu'il se trouve. À ta place, je partirais demain.

– D'accord.

– Tu veux un revolver ?

– Aurai-je besoin d'un revolver ?

– Non. Mais je pose toujours la question.

– En tout cas, j'ai mes ongles et mon bec », dit-elle en mimant des griffes et en montrant les dents.

Romer éclata de rire, la gratifiant de son large sourire dents blanches, et elle eut soudain sous les yeux Paris et ce jour de leur première rencontre. Une brusque vision de lui traversant la rue pour venir vers elle. Ses genoux faiblirent.

« Au revoir, Lucas, dit-elle en le regardant avec insistance. Il faut que nous arrangions quelque chose à mon retour. » Elle se tut puis reprit : « Je ne sais pas si je vais pouvoir continuer ainsi ; ça commence à peser. Tu vois ce que je veux dire… Je crois… »

Il l'interrompit : « On arrangera quelque chose, ne t'en fais pas. » Il lui serra la main.

Elle le dirait, tant pis : « Je crois que je suis amoureuse de toi, Lucas, voilà pourquoi. »

Il ne releva pas le propos, se contenta d'un petit pincement de lèvres. Il lui pressa de nouveau la main puis la relâcha.

« *Bon voyage**, dit-il. Sois prudente.

– Je suis toujours prudente, tu le sais. »

Il se leva, tourna les talons et s'éloigna à grandes enjambées le long du sentier. Eva le regarda partir, se murmurant à elle-même : je t'ordonne de te retourner, j'insiste pour que tu te retournes sur moi une fois encore. Et il le fit – il se retourna, revint quelques pas en arrière, sourit et lui fit son habituel geste d'adieu, mi-bras tendu mi-signe de la main.

Le lendemain matin, Eva se rendit à Penn Station et prit un billet pour Albuquerque, Nouveau-Mexique.

# 9

# Don Carlos

« Les gens vont croire que nous avons une liaison ! s'est écrié Bobbie York. Toutes ces visites impromptues. Je ne me plains pas. Je me montrerai très discret.

– Merci, Bobbie, ai-je dit, refusant de participer à son badinage. Vous êtes mon directeur de thèse, après tout. Je suis censée venir solliciter votre avis.

– Oui, oui, oui. Certes, certes. Mais comment puis-je conseiller quelqu'un d'aussi compétent que vous ? »

J'avais différé la leçon de Bérangère de façon à aller voir Bobbie dans la matinée. Je ne voulais pas me retrouver dans ses appartements abreuvée de whisky par ses soins.

« J'ai besoin de parler à quelqu'un qui pourrait me renseigner sur les services secrets britanniques pendant la Seconde Guerre mondiale. MI5, MI6, ce genre d'organisations. SIS, SOE, BSC, vous voyez.

– Ouiiii, a répliqué Bobbie, hésitant. Pas mon point fort. Je sens que Lord Mansfield a mordu à l'hameçon. »

Malgré ses efforts pour s'en donner l'air, Bobbie était loin d'être un aimable crétin.

« En effet. Je le rencontre vendredi, à son club. Je sens simplement qu'il me faut être un peu mieux informée.

– Eh bien, quelle affaire ! Il faudra tout me raconter un de ces jours, Ruth, j'insiste. C'est du splendide roman de cape et d'épée !

– Je le ferai. Je promets. Je suis plutôt dans le noir moi-même, à dire vrai. Dès que je saurai, je vous dis tout. »

Bobbie est allé à son bureau chercher parmi des papiers.

197

« Un des rares avantages de vivre à Oxford, c'est qu'il y existe à votre porte un expert sur à peu près tous les sujets au monde. Des astrolabes médiévaux aux accélérateurs de particules, nous pouvons en général vous en dégoter un. Ah, voilà notre homme. Un professeur associé de All Souls appelé Timothy Thoms.

– Timothy Thoms.

– Oui. Thoms avec un H. Je sais que ça sonne comme le nom d'un personnage de conte pour enfants ou celui d'un rond-de-cuir harassé dans Dickens, mais il est en fait cent fois plus intelligent que moi. Remarquez, vous aussi. Par conséquent, Timothy Thoms et vous devriez vous entendre comme les proverbiaux larrons en foire. Tenez : Docteur T.C.L. Thoms. Je l'ai rencontré deux ou trois fois. Un type très plaisant. Je vais vous organiser un rendez-vous. » Il s'est emparé de son téléphone.

Bobbie m'a obtenu un rendez-vous avec le docteur Thoms deux jours plus tard en fin d'après-midi. J'ai déposé Jochen chez Veronica et Avril, et je suis allée à All Souls où l'on m'a dirigée vers l'escalier du docteur Thoms. L'après-midi était étouffant, oppressant, menaçant, le soleil paraissait nager dans une brume sulfureuse, émettant une lumière jaunâtre bizarre qui amplifiait l'ocre des pierres des murs du collège, et je me suis demandé un moment si une tempête allait éclater – ou plutôt j'ai prié pour qu'elle le fasse. L'herbe de la cour avait la couleur du sable du désert.

J'ai frappé à la porte du docteur Thoms qu'a ouvert un jeune homme baraqué en jean et T-shirt, frôlant la trentaine, avec une masse de cheveux bruns bouclés dégringolant sur les épaules et une barbe taillée presque douloureusement, tout en angles et rebords bien nets.

Je me suis présentée : « Ruth Gilmartin. J'ai rendez-vous avec le docteur Thoms.

– Vous l'avez trouvé. Entrez. » Il avait un fort accent du Yorkshire ou du Lancashire – je n'ai pas pu distinguer. « Aintrez », avait-il dit.

Nous nous sommes assis dans son bureau et j'ai refusé son offre d'un café ou d'un thé. J'ai remarqué qu'il avait un ordinateur avec un écran genre télévision sur sa table de travail. Thoms, m'avait dit Bobbie, avait fait sa thèse de doctorat sur l'amiral Canaris et l'infiltration de l'Abwehr par le MI5 durant la guerre. Il écrivait maintenant un « énorme bouquin » pour d'« énormes sommes d'argent » sur l'histoire des services secrets britanniques de 1909 à nos jours. « Je crois qu'il est votre homme », avait déclaré Bobbie, très satisfait de son efficacité.

Thoms m'a demandé en quoi il pouvait m'aider et j'ai donc commencé à le lui dire dans les termes les plus circonspects et vagues possibles, étant donné ma connaissance limitée du sujet. J'ai raconté que j'allais interviewer un homme qui avait occupé une position importante dans les services de renseignements pendant la guerre. J'avais simplement besoin d'informations de fond, en particulier sur ce qui s'était passé en Amérique en 1940-1941, avant Pearl Harbour.

Thoms n'a pas cherché à cacher son intérêt croissant.

« Vraiment. Ainsi, il était haut placé dans la BSC ?

– Oui. Mais j'ai l'impression qu'il était plus ou moins un électron libre ; il menait sa propre opération. »

Thoms a paru encore plus intrigué. « Il y en avait quelques-uns. Des irréguliers. Mais ils ont tous été ramenés au bercail à mesure que la guerre se prolongeait.

– J'ai une source qui a travaillé pour cet homme.

– Fiable ?

– Oui. Cette source a travaillé pour lui en Belgique puis en Amérique.

– Je vois, a dit Thoms, impressionné et me regardant avec une certaine fascination. Votre source pourrait bien être assise sur une mine d'or.

– Que voulez-vous dire ?

– Il pourrait se faire une fortune s'il racontait son histoire. »

Il. Intéressant, ai-je pensé – conservons le « il ». Et je n'avais jamais songé à l'argent non plus.

« Êtes-vous au courant de l'incident de Prenslo ? ai-je demandé.

– Oui. Un désastre. Ça a tout fichu en l'air.

– Cette source y était. »

Thoms n'a pas commenté – il a simplement hoché plusieurs fois la tête. Son excitation était palpable.

J'ai poursuivi : « Avez-vous entendu parler d'une organisation appelée les SAC ?
— Jamais.
— Le nom de "Mr X" vous aide-t-il à identifier quelqu'un ?
— Non.
— Transoceanic ?
— Non plus.
— Savez-vous qui était C en 1941 ?
— Oui, bien sûr. Ces noms commencent à sortir maintenant que l'affaire Enigma/Bletchley Park est parfaitement connue. De vieux agents parlent – ou du moins parlent de manière qu'on puisse lire entre les lignes. Mais…, il se pencha vers moi, ce qui est fascinant – et me tracasse un peu, pour être totalement honnête –, c'est ce que l'Intelligence Service faisait vraiment aux États-Unis dans les premiers jours ; ce que la BSC faisait en son nom, c'est là la plus grise des zones d'ombre. *Personne* ne veut aborder le sujet. Votre source est la première dont j'entends parler – celle d'un agent sur le terrain.
— C'est un coup de chance, ai-je dit, prudente.
— Puis-je rencontrer votre source ?
— Non, je crains que non.
— Parce que j'ai un million de questions, comme vous pouvez l'imaginer. » Une étrange lueur brillait dans ses yeux – celle d'un savant chasseur qui hume les traces fraîches, qui sait qu'il y a là-bas une piste vierge à explorer.
« Ce que je peux faire, ai-je proposé, toujours avec prudence, c'est transcrire en gros ses propos, voir s'ils ont un sens pour vous.
— Formidable. Ravi d'accepter », a-t-il répliqué en se renfonçant dans son fauteuil, comme s'il s'avisait que j'étais un membre du sexe féminin, par exemple, et pas simplement une mine d'informations exclusives. « Que diriez-vous d'aller prendre un verre au pub ? »
Nous avons traversé la grand-rue pour gagner un petit pub dans une venelle près d'Oriel, et il m'a fait un résumé des activités du SIS, de la BSC et des opérations précédant Pearl Harbour telles qu'il les interprétait. J'ai commencé à saisir le contexte de l'aventure particulière de ma mère. Thoms parlait avec aisance et une certaine passion de ce monde secret avec son réseau de duplicités

réciproques – un système britannique de renseignements complet en plein Manhattan, des centaines d'agents, tous s'efforçant de persuader l'Amérique de participer à la guerre en Europe malgré les objections expresses et fermes de la majorité de la population des États-Unis.

« Stupéfiant, au demeurant, quand vous y songez. Sans parallèle… » Il s'est tout à coup interrompu. « Pourquoi me regardez-vous ainsi ? a-t-il demandé, un peu décontenancé.

– Vous voulez que je vous réponde sans détour ?

– Oui, je vous en prie.

– Je n'arrive pas à décider si ce sont les cheveux qui ne vont pas avec la barbe ou la barbe qui ne va pas avec les cheveux. »

Il s'est marré : il paraissait presque ravi de mon franc-parler.

« En fait, d'habitude, je ne porte pas de barbe. Mais je l'ai laissé pousser pour un rôle.

– Un rôle ?

– Dans *Don Carlos*. Je joue un noble espagnol appelé Rodrigo. C'est un opéra.

– Ouais. De ce monsieur Verdi, hein ? Vous chantez donc ?

– Il s'agit d'une production d'amateurs. On donne trois représentations au Playhouse. Vous voulez venir y assister ?

– Dans la mesure où je pourrais trouver une baby-sitter », ai-je répondu. En général, ça les faisait fuir. Pas Thoms, en tout cas, et j'ai commencé à sentir que son intérêt à mon égard pouvait s'étendre plus loin qu'aux secrets en ma possession concernant la BSC.

« J'en conclus que vous n'êtes pas mariée, a-t-il dit.

– Exact.

– Quel âge a l'enfant ?

– Cinq ans.

– Amenez-le. On n'est jamais trop jeune pour commencer à fréquenter l'opéra.

– Alors, peut-être. »

Nous avons bavardé encore un peu et je lui ai promis de l'appeler dès que j'aurais terminé mon résumé – j'attendais des informations supplémentaires. Je l'ai laissé au pub et j'ai regagné High Street où j'avais garé ma voiture. Des étudiants, vêtus de leurs robes et armés de bouteilles de champagne, sont sortis en trombe de University College, en braillant une chanson avec un refrain absurde. Ils ont descendu la rue en gambadant, à grand renfort de hurlements et de rires. Fin des examens, ai-je pensé, le trimestre est terminé et un bel été de liberté s'annonce. Soudain, je me suis sentie vieille, en me remémorant ma propre euphorie post-exam et mes fêtes – il y avait des siècles, me semblait-il –, et l'idée m'a déprimée pour les raisons habituelles. Quand j'avais passé mes derniers examens et fêté leur fin, mon père était encore en vie ; il est mort trois jours avant les résultats, et il n'a donc jamais su que sa fille avait obtenu une mention très bien. Tout en allant reprendre ma voiture, je me suis surprise à repenser à lui durant le dernier mois de sa vie, cet été-là, il y avait six ans déjà. Il paraissait en forme, mon immuable papa, il ne se portait pas mal, il n'était pas vieux, mais, dans les ultimes semaines, il avait commencé à se comporter de manière bizarre. Un après-midi, il a déterré une rangée entière de pommes de terre nouvelles, des tonnes et des tonnes de patates, sur cinq mètres de long. Je me rappelais ma mère lui demandant : Pourquoi as-tu fait ça, Sean ? Je voulais juste voir si elles étaient mûres, a-t-il répondu. Puis il a abattu, et brûlé sur un feu de joie, un jeune citronnier de trois mètres qu'il avait planté l'année précédente. Pourquoi, Papa ? Je ne pouvais tout bonnement pas supporter l'idée qu'il pousse. Telle a été sa réponse, aussi simple que déconcertante. Encore plus étrange, au demeurant, la manie dont il a été saisi, au cours de ses derniers jours parmi nous, et qui consistait à éteindre toutes les lumières, partout. Il parcourait la maison à l'affût de la moindre ampoule allumée et l'éteignait. Je quittais la bibliothèque pour aller faire une tasse de thé et je la trouvais plongée dans l'obscurité à mon retour. Je l'ai surpris attendant de se glisser dans les pièces que nous allions quitter, prêt à s'assurer que les lumières étaient éteintes à la seconde où elles n'étaient plus nécessaires. Ce qui a failli nous rendre folles, ma mère et moi. Je me souvenais lui avoir crié à la figure : Qu'est-ce qui se passe, bordel ? Et il m'avait répondu, avec une docilité inhabituelle : Ça me paraît un gaspillage si terrible, Ruth, un horrible gaspillage d'une électricité précieuse.

Je crois aujourd'hui qu'il savait qu'il allait bientôt mourir, mais le message était devenu pour lui plus ou moins brouillé, voire inintelligible. Nous sommes des animaux, après tout, et je suis persuadée que nos vieux instincts d'animaux se cachent encore au fond de nous. Les animaux semblent capables de lire les signaux – peut-être nos grands cerveaux hyper-intelligents ne supportent-ils pas, eux, de les déchiffrer. Je suis certaine maintenant que le corps de mon père l'alertait subtilement de la fermeture imminente, du mauvais fonctionnement final du système, mais il ne savait plus, lui, où il en était. Deux jours après mon algarade à propos des lumières, il s'est effondré, mort, dans le jardin, après le déjeuner. Il ôtait les fleurs mortes des rosiers – rien de très fatigant – et il est mort sur le coup, nous a-t-on affirmé, un fait qui m'a consolée, mais j'ai continué à détester m'attarder sur ses quelques ultimes semaines désorientées, affolées de *timor mortis*.

J'ai ouvert ma voiture et me suis installée au volant, cafardeuse. Il me manquait tout à coup terriblement. Et je me demandais ce qu'il aurait pensé des révélations époustouflantes de ma mère – sa femme. Bien entendu, tout aurait été différent s'il avait été en vie – une hypothèse gratuite – et, donc, histoire de me débarrasser l'esprit de ce sujet déprimant, j'ai tenté d'imaginer Timothy Thoms sans sa barbe d'hidalgo. « Rodrigo » Thoms. Je préférais ça. Peut-être l'appellerais-je Rodrigo.

# L'histoire d'Eva Delectorskaya

## Nouveau-Mexique, 1941

Eva Delectorskaya descendit rapidement du train à la gare Santa Fe d'Albuquerque. Il était huit heures du soir et elle arrivait un jour plus tard que prévu – mais mieux valait être parfaitement sûre. Elle regarda les passagers débarquer – une douzaine environ – et attendit que le train reparte en direction d'El Paso. Aucun signe des deux types qu'elle avait semés à Denver. Malgré tout, elle fit à pied le tour de trois pâtés d'immeuble au voisinage de la gare puis, certaine de ne pas être filée, entra dans le premier hôtel venu – Le Commercial – et paya 6 dollars d'avance pour une chambre à un lit, trois nuits. Une chambre, petite et qui aurait pu être plus propre, avec une jolie vue sur un puits d'aération, mais elle ferait l'affaire. Eva y laissa sa valise, retourna à pied à la gare et demanda à un taxi de la conduire à l'Hôtel De Vargas, sa destination originelle, où elle était censée rencontrer son premier contact. Le De Vargas se révéla situé à dix minutes de là, dans le centre des affaires, mais, après l'incident de Denver, elle avait besoin d'un lieu de repli. Une ville : deux hôtels – les instructions standard de Lyne.

Le De Vargas était aussi prétentieux que son nom.Trop décoré, il comptait cent chambres et un bar-salon. Eva passa une alliance à son annulaire avant d'aller remplir sa fiche et d'expliquer au réceptionniste que sa valise avait été égarée à Chicago et que la compagnie des chemins de fer la lui ferait suivre. Pas de problème, Mrs Dalton, dit le réceptionniste, nous ne manquerons pas de vous aviser dès qu'elle arrivera. La chambre donnait sur une petite cour de style faux pueblo avec une fontaine sussurante. Eva fit un brin de toilette, descendit au bar-salon, sombre et quasiment désert, et commanda un Tom Collins à une serveuse rondouillarde court-vêtue d'une minirobe orange. Eva n'était pas contente, son cerveau travaillait trop dur. Elle grignota des cacahuètes, but son cocktail et s'interrogea sur la meilleure manière de procéder.

De New York, elle avait débarqué à Chicago où elle avait passé une nuit, ratant délibérément la correspondance pour Kansas City. Elle voyait la trajectoire de son voyage comme celle d'une pierre lancée vers l'ouest puis retombant peu à peu sur le Nouveau-Mexique. Le lendemain, elle était partie pour Kansas City, avait raté une autre correspondance pour Denver et attendu la suivante trois heures dans la gare. Elle avait acheté un journal et découvert en page 9 quelques lignes sur la guerre. Les Allemands étaient près de Moscou mais l'hiver retardait leur avance – pas un mot quant à ce qui se passait en Angleterre. À l'étape suivante, tandis que le train approchait de Denver, elle se livra à une petite promenade vérification dans les wagons. Elle avait repéré les « corbeaux » sur la plate-forme d'observation. Ils étaient assis côte à côte, une négligence idiote : s'ils avaient été séparés, elle ne les aurait peut-être pas remarqués, mais à Chicago elle avait déjà vu ces deux costumes gris anthracite ainsi que les deux cravates, une ambre foncé, l'autre marron. Sur la marron, un dessin à carreaux lui rappela une cravate qu'elle avait autrefois offerte à Kolia pour Noël – il la portait, elle s'en souvenait, avec une chemise bleu ciel. Elle lui avait fait promettre que ce serait sa cravate « préférée » et il avait solennellement promis – La cravate des cravates, avait-il dit en essayant de garder une mine sérieuse, comment pourrais-je jamais te remercier ? C'est ainsi qu'elle s'était souvenue des corbeaux : un homme jeune aux joues creuses et un plus vieux à la moustache et aux cheveux gris. Elle était passée devant eux et s'était assise pour contempler le paysage. Dans le reflet de la vitre, elle les avait vus se séparer aussitôt. Joues Creuses était redescendu, tandis que Moustache feignait de se plonger dans son journal.

De Denver, elle avait prévu de repartir droit sur Santa Fe et Albuquerque, mais, maintenant qu'à l'évidence elle était filée, il lui fallait d'abord semer ses ombres. Une fois encore, elle fut reconnaissante à

Lyne de ce qu'elle y avait appris : des voyages interrompus facili-
taient toujours le repérage d'une filature. Personne n'aurait emprunté
son itinéraire – donc toute coïncidence était exclue. Il ne lui serait pas
difficile de se débarrasser de ses suiveurs, s'était-elle dit – ils étaient
soit incompétents, soit trop confiants, soit les deux.

À la gare de Denver, elle prit un casier à la consigne, y laissa
sa valise, partit en ville et entra dans le premier grand magasin venu.
Elle affecta d'y flâner, se déplaça entre les étages jusqu'à ce qu'elle
trouve ce qu'elle cherchait : un ascenseur à côté d'un escalier au
troisième étage. Elle redescendit lentement au premier, achetant
un rouge à lèvres et un poudrier en chemin. Elle s'attarda près de
l'ascenseur, laissant passer les gens pendant qu'elle examinait
la liste des rayons, puis s'y faufila à la dernière minute. Moustache
qui rôdait dans les parages fut pris de court. « Cinquième », lança-
t-elle au liftier, mais elle sortit au troisième. Elle attendit derrière
un portemanteau près de la porte. Quelques secondes après, Moustache et Joues Creuses débouchèrent en trombe de l'escalier,
inspectèrent rapidement du regard l'étage et, ne la voyant pas alors
que l'ascenseur continuait de monter, filèrent de nouveau à toute
allure. Eva se retrouva au rez-de-chaussée et dans la rue en moins
d'une minute. Elle revint vers la gare et zigzagua alentour, mais ils
avaient disparu. Elle récupéra sa valise, prit un bus pour Colorado
Springs, à quatre stations de Santa Fe, et y passa la nuit dans un hôtel
face à la gare.

Ce soir-là, elle appela d'une cabine publique dans le hall. Elle
laissa sonner trois fois, raccrocha, refit le numéro, raccrocha après la
première sonnerie et rappela encore. Elle voulait entendre la voix de
Romer.

« Transoceanic. Puis-je vous aider ? » C'était Morris Devereux.
Elle maîtrisa sa déception, furieuse contre elle-même d'être déçue
de ne pas entendre Romer.

« Vous savez la réception à laquelle j'ai assisté…
– Oui.
– Il y avait deux personnes non invitées.
– Inhabituel. Aucune idée de leur identité ?
– Des corbeaux locaux, je dirais.

– Encore plus inhabituel. Vous êtes sûre ?

– Certaine. Je les ai semés, de toute façon. Puis-je parler au patron ?

– Je crains que non. Le patron est rentré chez lui.

– Chez lui ? » Ceci voulait dire l'Angleterre. « C'est un peu soudain.

– Oui.

– Je me demandais ce que je devais faire.

– Si ça vous convient, je procéderais normalement.

– D'accord. Au revoir. »

Elle raccrocha. Ce n'était pas raisonnable, mais Dieu sait pourquoi elle se sentait moins en sécurité à l'idée que Romer avait été rappelé au loin. Procédez normalement du moment que ça vous convient. Aucune raison de ne pas le faire, supposait-elle. Procédure opérationnelle standard. Qui étaient ces deux hommes ? FBI ? Romer avait dit que le FBI s'inquiétait de plus en plus de l'importance et de l'étendue de la présence britannique. Peut-être était-ce là le premier signe d'infiltration… En tout cas, elle avait changé deux fois de train en allant à Albuquerque, au prix d'un certain retard.

Elle soupira et commanda un autre cocktail à la barmaid. Un homme s'approcha et lui demanda la permission de se joindre à elle, mais il n'utilisa pas les mots de passe : il voulait simplement la draguer. Elle lui expliqua qu'elle était en voyage de noces, attendait son époux, et il s'éloigna, à la recherche d'un matériau plus prometteur. Elle termina son verre et alla se coucher. En dépit de ses efforts pour se calmer, elle passa une très mauvaise nuit.

Le lendemain, elle se promena dans la vieille ville, entra dans une église sur la plazza et fit une courte balade dans le Rio Grande Park sous les grands cotonniers. Elle contempla la vaste rivière agitée et les montagnes d'un mauve brumeux à l'ouest et, comme souvent, elle s'émerveilla de se trouver là, à cette étape de sa vie, dans cette ville, à ce moment précis. Elle déjeuna au De Vargas, et, alors qu'elle traversait le foyer peu après, le réceptionniste suggéra qu'elle apprécierait peut-être une visite de l'université dont la bibliothèque était « magnifique ». Elle lui répondit qu'elle se réservait de le faire un autre jour. Elle prit un taxi, regagna son autre hôtel et s'étendit sur son lit pour lire un roman – *The Hollow Mountain,* de Sam Goodforth – avec une concentration têtue, tout le reste de l'après-midi.

À six heures, elle était de retour dans un box du bar-salon, en train de déguster avec plaisir son dry martini, quand un homme se glissa sur le siège en face d'elle.

« Salut, content de vous voir en si bonne forme. » Il avait une figure pouponne, blanchâtre, et une cravate tachée de graisse. Il tenait un journal local à la main et portait un chapeau de paille effrangée qu'il n'ôta pas.

« Je rentre tout juste de quinze jours de vacances, dit-elle.

– À la montagne ?

– Je préfère la mer. »

Jusque-là, tout allait bien. « Vous avez quelque chose pour moi ? »

Il déposa avec soin le journal sur le siège à côté de lui. Très BSC, pensa-t-elle, nous adorons déposer des journaux – n'importe qui peut se promener avec un journal. Rester simple.

« Allez à Las Cruces, dit-il. Un dénommé Raul prendra contact avec vous. À l'Alamogordo Inn.

– Combien de temps suis-je censée attendre là-bas ?

– Jusqu'à ce que Raul se montre. Ravi de bavarder avec vous. » Il se glissa hors du box et fila. Elle se pencha pour s'emparer du journal. Il contenait une enveloppe marron fermée avec du papier collant. Elle monta dans sa chambre, s'assit et regarda le paquet pendant dix minutes avant de l'ouvrir et d'y trouver une carte du Mexique intitulée : Luftverkehrsnetz von Mexiko. Hauptlinen.

Elle appela Transoceanic.

« Sauge, salut. » C'était Angus Woolf. Elle fut surprise d'entendre sa voix.

« Hello. On fait des heures sup ?

– Dans le genre. Comment se passe la réception ?

– Intéressante. J'ai pris contact mais mon cadeau est particulièrement mystérieux. Du matériel de mauvaise qualité, dirais-je.

– Il vaut mieux en parler au directeur. »

Devereux vint au téléphone. « Mauvaise qualité ?

– Pas immédiatement détectable mais ça ne vous prendrait pas longtemps. »

La carte, à première vue officielle, était imprimée en noir et blanc, bleu et rouge. Le Mexique était divisé en quatre secteurs : Gau 1, Gau 2, Gau 3 et Gau 4, et des traits bleus reliant les villes (en rouge) indiquaient des routes aériennes : Mexico-Monterrey, Mexico-Torreón, Guadalajara-Chihuahua, etc. Plus extraordinaire, certaines lignes s'étendaient au-delà des frontières du pays : une au sud « für Panama », deux au nord « für San Antonio, Texas » et une autre « für Miami, Florida ». L'implication, se dit immédiatement Eva, était trop claire, où était la subtilité ? Mais plus inquiétantes encore étaient les erreurs : HAUPTLINEN aurait dû être HAUPT-LINIEN, et « für » dans le sens de « vers » n'était pas correct non plus – ç'aurait dû être « nach » – « nach Miami, Florida ». À ses yeux, la première impression, positive, était vite ébranlée et renversée par ces facteurs. Les fautes d'orthographe pouvaient s'expliquer si le typographe ne connaissait pas l'allemand (peut-être la carte avait-elle été imprimée au Mexique) mais les autres erreurs, plus les ambitions territoriales contenues dans les routes aériennes, lui paraissaient en rajouter des masses, s'efforcer exagérément de faire passer un message.

« Êtes-vous sûr qu'il s'agisse de notre produit ? demanda-t-elle à Devereux.

– Oui, pour autant que je sache.

– Voulez-vous dire au patron ce que j'en pense et que j'appellerai plus tard.

– Allez-vous continuer ?

– Avec la prudence requise.

– Où allez-vous ?

– Dans un endroit du nom de Las Cruces », répliqua-t-elle instantanément avant de se dire : pourquoi suis-je si franche ? Trop tard, maintenant.

Elle raccrocha et alla demander à la réception où louer une voiture.

209

Las Cruces se situait plein sud par le Highway 85, à environ trois cents kilomètres sur le vieux Camino Real qui longeait la vallée du Rio Grande jusqu'au Mexique. Une route à deux voies goudronnée pour la plus grande partie avec quelques sections en béton sur lesquelles Eva roula vite et régulièrement dans sa Cadillac décapotable bronze qu'elle ne se soucia pas de décapoter. Elle regardait à peine le paysage mais ne demeurait pas moins consciente des chaînes de montagnes qui se découpaient à l'est et à l'ouest, des *ranchitos* avec leurs carrés de melon et de maïs regroupés autour du fleuve. Ici et là, elle apercevait de la route les étendues rocheuses de désert et les champs de lave de la légendaire *Jornada del muerte* – par-delà la vallée, la terre était dure et aride.

Elle arriva à Las Cruces en fin d'après-midi et prit la rue principale à la recherche de l'Alamogordo Inn. Ces petites villes – elle en avait traversé près d'une demi-douzaine au cours de son voyage vers le sud – lui paraissaient désormais familières : Las Lunas, Socorro, Hatch – elles se fondaient toutes en une image homogène du provincialisme du Nouveau-Mexique. Après les ranches en adobe venaient les stations-service et les concessionnaires automobiles, puis la banlieue résidentielle chic, puis les dépôts de marchandises, les silos à grains et les minoteries. Chaque ville possédait sa large rue principale avec ses devantures tapageuses et ses enseignes au néon, ses bannes et ses allées piétonnières, ses voitures poussiéreuses garées à un angle des deux côtés de la route. Las Cruces était pareille : il y avait les magasins Woolworth, un bijoutier avec un seul énorme diamant en plastique de la taille d'un ballon de foot clignotant en vitrine, des publicités pour les chaussures Florsheim, Coca-Cola, les meubles Liberty, le drugstore, la banque et, au bout de la rue, en face d'un petit parc et d'un bosquet de peupliers ombreux, la façade en béton de l'Alamogordo Inn.

Eva se gara dans le parking derrière l'hôtel, et elle pénétra dans le hall. Deux ventilateurs de plafond brassaient l'air au-dessus d'un canapé trois places au cuir craquelé. Des tapis indiens élimés ornaient le plancher. Un cactus couvert de toiles d'araignée se dressait dans un pot de sable piqué de mégots, sous un signe annonçant : INTERDIT AUX RÔDEURS. LUMIÈRE ÉLECTRIQUE DANS CHAQUE CHAMBRE. Le réceptionniste, un jeune type avec un menton fuyant et un col de chemise trois fois trop grand, regarda Eva avec curiosité quand elle lui demanda une chambre.

« Vous êtes sûre que vous voulez descendre dans cet hôtel ? s'enquit-il gentiment. Y en a plein d'autres bien mieux juste aux abords de la ville.

– Ça me convient, merci, répliqua-t-elle. Où puis-je trouver quelque chose à manger ? »

Prenez à droite en sortant pour un restaurant et à gauche pour une cafétéria, dit-il. Elle choisit la cafétéria et commanda un hamburger. L'endroit était vide : deux femmes aux cheveux gris s'occupaient de la buvette tandis qu'un Indien au beau visage sévère et mélancolique balayait le plancher. Eva mangea son hamburger et but son Coca. Elle éprouvait une étrange forme d'inertie, une lourdeur presque palpable, comme si le monde s'était arrêté de tourner et que seul le bruit du balai de l'Indien sur le sol de ciment marquait le passage du temps. Quelque part, dans une arrière-salle, la radio diffusait du jazz et Eva songea : qu'est-ce que je fais ici ? Quel destin particulier suis-je en train d'accomplir ? Elle avait l'impression qu'elle aurait pu rester dans cette cafétéria de Las Cruces pour l'éternité – l'Indien balayerait le plancher, son hamburger demeurerait à moitié entamé, l'air léger de jazz continuerait de résonner. Elle laissa l'impression s'attarder, s'en enveloppa, trouvant étrangement apaisante cette pause vespérale, sachant que tout ce qu'elle ferait ensuite déclencherait une série d'événements hors de son contrôle. Mieux valait savourer ces quelques moments de calme où l'apathie régnait, suprême.

Elle gagna la cabine téléphonique de la cafétéria, à côté de quelques étagères garnies de boîtes de conserve, et appela Transoceanic. C'est Devereux qui répondit.

« Puis-je parler au patron ?

– Hélas, non. Mais je lui ai parlé hier soir.

– Et qu'a-t-il dit ? » Sans savoir pourquoi, Eva fut soudain certaine que Romer était à côté de Devereux, avant d'écarter l'idée comme absurde.

« Il dit que c'est à vous de décider. C'est votre fête. Si vous voulez partir, partez. Si vous voulez changer la musique, allez-y. Fiez-vous à votre instinct.

LA VIE AUX AGUETS

– Vous lui avez fait part ce que je pensais de mon cadeau ?

– Oui. Il a vérifié. C'est bien notre produit, c'est donc qu'ils doivent le vouloir là-bas. »

Elle raccrocha et réfléchit très fort. Ainsi, c'était à elle de décider. Elle rentra lentement à l'Alamogordo en restant du côté ombragé de la rue. Un gros camion passa, chargé d'énormes troncs d'arbre, suivi d'un coupé rouge très chic avec un homme et une femme à l'avant. Eva s'arrêta et regarda derrière elle : des enfants bavardaient avec une fille juchée sur une bicyclette. Pourtant, elle avait la très étrange sensation d'être filée – ce qui était fou, elle le savait. Elle alla s'asseoir dans le petit parc un moment et lut son guide, histoire de chasser ces démons de sa tête. Las Cruces – Les Croix – ainsi appelée après le massacre, au XVIIIᵉ siècle, par des Apaches du coin d'une caravane de marchandises en route pour Chihuahua, et à cause des grandes croix érigées ensuite sur les tombes des victimes. Elle espéra que ce n'était pas un mauvais présage.

Le petit coupé rouge repassa devant elle : plus d'homme – seule la femme au volant.

Non, elle se montrait nerveuse, naïve, peu professionnelle. Si elle était inquiète, il y avait des procédures à suivre. C'était son affaire. Fiez-vous à votre instinct, avait dit Romer. Très bien. Elle s'y fierait. Elle retourna à l'Alamogordo, prit avec sa voiture la Mesa Road en direction de la faculté et trouva le nouveau motel indiqué dans son guide : le Mesilla Motor Lodge. Elle loua une case au bout d'une passerelle en bois et cacha la carte au fond de l'armoire, derrière un panneau qu'elle dégagea avec sa lime à ongles. Le motel n'avait qu'un an d'existence, lui avait affirmé le chasseur en la conduisant à sa case. Ça sentait le neuf : l'odeur de créosote, de mastic et de copeaux semblait encore traîner dans la chambre. La pièce était propre et moderne, les meubles de couleur pâle et sans ornements. Un tableau semi-abstrait, représentant un pueblo, était accroché au-dessus du bureau, lequel était pourvu d'un bol de fruits enveloppé de cellophane, d'un minuscule yucca dans un pot en terre cuite, d'un sous-main avec buvard, papier à lettres, enveloppes, cartes postales et une demi-douzaine de crayons gravés au nom de l'hôtel. Tout est offert à titre gracieux, souligna le chasseur. Avec nos compliments. Eva se déclara ravie. De nouveau seule, elle sortit 2 000 dollars de l'enveloppe et planqua le reste avec la carte.

Elle retourna en voiture à Las Cruces, se gara derrière l'Alamogordo et pénétra dans le hall. Vêtu d'un costume de coton bleu ciel, un homme était assis sur le canapé. Il avait des cheveux blond blanc et un visage d'un rose inhabituel – un quasi-albinos, pensa-t-elle ; avec son costume bleu ciel, on aurait dit un gros poupon.

« Salut ! lança-t-il en se levant. Ça fait plaisir de vous voir en si bonne forme.

– Je rentre tout juste de quinze jours de vacances.

– À la montagne ?

– Je préfère la mer. »

Il lui tendit la main et elle la serra. Il avait une voix rauque, agréable.

« Je m'appelle Raul. » Il se tourna vers le réceptionniste. « Hé, fiston, on peut prendre un verre, ici ?

– Non. »

Ils sortirent et cherchèrent en vain un bar pendant cinq minutes.

« Faut que je me trouve de la bière », dit-il. Il entra dans un magasin de spiritueux et reparut avec une canette dans un sac de papier brun. Ils gagnèrent le parc et s'assirent sur un banc sous les peupliers. Raul ouvrit sa bière avec un ouvre-boîtes tiré de sa poche et la but à grandes lampées, sans sortir la canette du sac. Je me souviendrai toujours de ce petit parc de Las Cruces, songea Eva.

« Excusez, dit Raul en laissant échapper, dans un sifflement poussif, l'air de son estomac. Je crevais de soif. » Eva remarqua que la voix était beaucoup moins voilée. « L'eau ne me convient pas, ajouta-t-il en manière d'explication.

– Il y a eu un problème, annonça Eva. Un retard.

– Oh, ouais ? » Il parut soudain fuyant, mécontent. « Personne ne m'a rien dit. » Il se leva, alla jusqu'à la poubelle et y jeta son sac. Il demeura planté les mains sur les hanches, regardant autour de lui comme s'il avait été piégé.

« Je dois revenir la semaine prochaine, reprit Eva. On m'a demandé de vous donner ceci en attendant. »

Elle ouvrit son sac et lui laissa entrevoir l'argent. Il vint très vite s'asseoir à côté d'elle. Elle lui passa la liasse de billets.

« Deux mille. Le reste la semaine prochaine.

– Ouais ? » Il fut incapable de dissimuler sa surprise et son plaisir. Il ne s'attendait pas à recevoir de l'argent, se dit-elle : que se passait-il donc ici ?

Raul fourra les billets dans la poche de sa veste.

« Quand, la semaine prochaine ? s'enquit-il.

– On vous contactera.

– OK. » Il se leva de nouveau. « Salut. » Il s'éloigna sans hâte.

Eva attendit cinq minutes, histoire de vérifier une fois de plus une filature éventuelle. Elle remonta la grand-rue et entra chez Woolworth où elle acheta un paquet de Kleenex. Elle tourna dans une ruelle étroite, entre la banque et une agence immobilière, puis revint immédiatement à toute allure sur ses pas. Rien. Elle procéda à quelques autres manœuvres, et se convainquit en fin de compte que personne n'avait ou n'aurait pu la suivre. Elle regagna l'Alamogordo et annula sa réservation – pas de remboursement, désolé.

Elle repartit en voiture vers le Mesilla Motor Lodge. Le soir tombait à présent, et le soleil couchant frappait les pics des montagnes à l'est, les teintant d'un dramatique orange fissuré de noir. Demain, elle retournerait à Albuquerque d'où elle prendrait un avion pour Dallas avant de rentrer – le plus tôt serait le mieux.

Elle dîna dans le restaurant du motel, commanda un steak – dur – et des épinards à la crème – froids – arrosés d'une bouteille de bière (« Nous ne servons pas de vin, maam »). Il y avait quelques clients dans la salle à manger : un couple âgé entouré de guides et de cartes, un gros type qui, ayant installé son journal devant lui, ne le quitta plus des yeux, et une famille mexicaine élégamment habillée avec deux fillettes silencieuses, fort bien élevées.

Eva prit l'allée conduisant à sa cabine, repensant à sa journée. Romer approuverait-il ce que son instinct l'avait conduite à faire ? Elle leva les yeux vers les étoiles et sentit l'air froid du désert sur sa peau. Quelque part, un chien aboya. Elle inspecta systématiquement les environs avant d'ouvrir sa porte : aucune voiture nouvelle, toutes déjà vues. Elle tourna la clé et entra.

L'homme était assis sur le lit, les cuisses largement ouvertes, le revolver braqué sur elle.

« Ferme la porte, ordonna-t-il. Mets-toi par là. » L'accent était marqué, mexicain. Il se leva. Un grand type costaud avec un gros ventre en avant. Une large moustache épaisse, un costume vert mat.

Tandis qu'il lui secouait son revolver sous le nez, elle traversa la chambre, lui obéissant, l'esprit agité de questions sans réponses.

« Où est la carte ? dit-il.

– Comment ? Qui ? » Elle crut qu'il avait dit : « Où est le gars ? »

« La carte. » Son C explosa. Des postillons jaillirent.

Comment pouvait-il savoir qu'elle avait une carte ?

D'un rapide coup d'œil aux quatre coins de la pièce, elle nota que sa chambre et sa valise avaient été fouillées. À la manière d'une calculatrice surpuissante, son cerveau examina les permutations et implications de cette rencontre. Il lui devint instantanément évident qu'elle devait donner la carte à ce personnage.

« Elle est dans la penderie », répliqua-t-elle en faisant mine de s'y diriger. Elle entendit l'homme armer son revolver.

« Je ne suis pas armée », dit-elle en quémandant d'un geste la permission d'avancer et, quand il la lui eut accordée d'un hochement de tête, elle ôta la planche descellée, en retira la carte et les 3 000 dollars restants. Elle les tendit au Mexicain. La manière dont il s'en empara et les inspecta, tout en la gardant sous la menace du revolver, lui fit penser que c'était un policier et pas un corbeau. Il avait l'habitude de ces gestes, il les accomplissait constamment ; il était très calme. Il posa la carte et l'argent sur la table.

« Déshabille-toi », ordonna-t-il.

Elle obtempéra, le cœur au bord des lèvres. Non, pas ça, s'il vous plaît, non. Elle eut un horrible pressentiment : la corpulence, le professionnalisme, l'aisance de cet homme – rien à voir avec Raul ou le type d'Albuquerque – lui firent penser qu'elle allait très bientôt mourir.

« OK, stop. » Elle était en culotte et soutien-gorge. « Rhabille-toi. » Rien de concupiscent, rien de lubrique.

Il alla à la fenêtre et tira le rideau. Elle entendit une voiture démarrer quelque part au loin puis s'approcher de la cabine et s'arrêter

215

devant. Une portière claqua, le moteur continua de tourner. Il y avait donc d'autres gens. Elle se rhabilla plus vite que jamais dans sa vie. Ne t'affole pas, se dit-elle, rappelle-toi ce que tu as appris, peut-être ne veut-il que la carte.

« Mets la carte et l'argent dans ton sac. »

Elle sentit sa gorge se serrer, sa poitrine se contracter. Elle essayait de ne pas penser à ce qui pourrait arriver, de demeurer totalement dans l'instant présent, mais elle comprit l'horrible conséquence de ce qu'il venait de dire. Ce n'était pas après la carte et l'argent qu'il en avait – c'était après elle : elle était le gros lot.

Elle se rapprocha du bureau.

Pourquoi avait-elle refusé le revolver que Romer lui avait proposé ? Non que ça aurait fait la moindre différence maintenant. Une simple mission de messager, avait-il dit. Romer ne croyait pas aux revolvers. « Tu as ton bec et tes ongles, répétait-il, ton instinct animal. » Elle avait besoin de beaucoup plus pour combattre ce gros type sûr de lui : il lui fallait une arme.

Elle mit la carte et les 3 000 dollars dans son sac tandis que le Mexicain continuait de la couvrir tout en ouvrant la porte et en jetant un œil dehors. Elle se déplaça un peu. Elle disposait d'une seule seconde et elle l'utilisa.

« Viens, dit-il et, la voyant ajuster le peigne qui retenait ses cheveux en un chignon très lâche, il ajouta : T'occupe pas de ça. » Il passa son bras sous le sien, lui chatouillant les côtes du bout du revolver, et ils avancèrent vers la voiture. Devant la cabine voisine, elle aperçut les petites Mexicaines en train de jouer sur la véranda – elles ne lui prêtèrent aucune attention, pas plus qu'à son compagnon.

Il la poussa dans la voiture et l'y suivit en l'obligeant à se mettre au volant. Les phares étaient allumés. Aucune trace de la personne qui avait livré le véhicule.

« Démarre », ordonna-t-il, glissant son bras derrière le siège avant, le canon du revolver maintenant enfoncé dans les côtes d'Eva. Elle embraya – le changement de vitesse se trouvait sur la direction – et ils s'éloignèrent lentement du Mesilla Motor Lodge. Au moment de quitter l'enceinte du motel et de bifurquer pour prendre la route de Las Cruces, Eva crut voir l'homme faire un signe – un mouvement de la main, un pouce levé – à quelqu'un dans l'ombre, sous un peuplier au bord du chemin. Elle jeta un rapide coup d'œil et aperçut deux silhouettes près d'une voiture, tous feux éteints, qui ressemblait à un coupé, mais il faisait trop noir pour en distinguer la couleur. Ils les dépassèrent et le Mexicain lui ordonna de traverser Las Cruces et de filer sur le Highway 80 vers la frontière du Texas. Ils roulèrent pendant près d'une demi-heure. Au moment où apparaissaient les lumières de Berino, il lui ordonna de tourner à droite sur une route de gravier qui, d'après un panneau indicateur, menait à Leopold. Une route en mauvais état dont les nids-de-poule multiples et variés faisaient sauter et trembler la voiture, tandis que le revolver cognait douloureusement contre la hanche d'Eva.

« Ralentis », dit l'homme. Elle réduisit sa vitesse à quinze kilomètres à l'heure et, au bout de quelques minutes, il lui ordonna de s'arrêter.

Ils se trouvaient à l'amorce d'un virage en épingle à cheveux. Devant eux, les phares éclairaient une aire de broussailles et de terrain pierreux traversée par ce qui ressemblait à un arroyo plongé dans l'ombre.

Consciente du flot d'adrénaline qui l'envahissait, Eva se sentait remarquablement lucide. Selon tout calcul raisonnable, elle serait morte d'ici une minute ou deux. Fie-toi à ton instinct animal. Elle savait exactement ce qu'elle avait à faire.

« Descends, dit le Mexicain. On va rencontrer des gens. »

Il ment, pensa-t-elle. Simplement, il ne veut pas que je croie que c'est la fin.

Elle tendit la main gauche vers la poignée de la porte et, de la droite, remit derrière son oreille une mèche folle de cheveux qui s'en était échappée. Un geste naturel, un réflexe féminin.

« Éteins les phares », ordonna-t-il.

Elle avait besoin de lumière.

« Écoutez, dit-elle. J'ai encore de l'argent. »

Les doigts de sa main droite dans ses cheveux caressèrent la gomme sur le crayon du Mesilla Motor Lodge qu'elle avait glissé dans les replis bouclés de sa chevelure – un des six crayons neufs offerts par l'hôtel et posés sur le sous-main, près du bloc-notes et des

LA VIE AUX AGUETS

cartes postales. Neufs et très bien taillés, avec MESILLA MOTOR LODGE – LAS CRUCES gravé en doré sur le côté. Le crayon qu'elle avait pris et glissé dans ses cheveux pendant que le Mexicain jetait un rapide coup d'œil par la porte pour s'assurer de la présence de sa voiture.

« Je peux vous avoir encore 10 000 dollars. Facile. En une heure. »

Il ricana : « Descends ! »

Elle saisit le crayon pointu dans ses cheveux et l'enfonça dans l'œil gauche de l'homme.

Le crayon pénétra en douceur, instantanément et sans rencontrer de résistance, sur presque toute sa longueur de quinze centimètres.

L'homme produisit une sorte de halètement ravalé et laissa tomber le revolver dans un cliquetis métallique. Il tenta de porter ses mains tremblantes à son œil comme pour en retirer le crayon mais s'affaissa contre la portière. Environ deux centimètres du crayon et de sa gomme émergeaient de la gelée percée du globe oculaire gauche. Pas une goutte de sang. À l'immobilité absolue du corps, Eva comprit aussitôt que l'homme était mort.

Elle éteignit les phares et descendit de voiture. Elle frissonnait mais sans excès, se disant qu'elle avait été probablement à une minute ou deux de sa propre mort – de ce moment d'échange entre la vie et le néant. Elle ne ressentait aucun choc, aucune horreur devant ce qu'elle avait fait à cet homme. Elle se forçait d'ailleurs à ne pas y penser et tentait de se montrer rationnelle : et maintenant ? Que faire ? Fuir ? Peut-être y avait-il quelque chose à sauver de ce désastre : une chose à la fois, utilise ton cerveau, réfléchis. Réfléchis.

Elle remonta dans la voiture qu'elle conduisit à quelques mètres hors de la route, derrière un massif de plantes grasses. Assise dans le noir à côté du Mexicain mort, elle passa méthodiquement en revue ses options. Elle alluma la lumière au-dessus du rétroviseur et ramassa le revolver avec son mouchoir pour ne pas laisser d'empreintes. Elle ouvrit la veste du Mexicain et replaça le revolver dans son étui. La blessure ne saignait toujours pas, pas la moindre goutte, juste le bout d'un crayon surgissait de l'œil grand ouvert.

Elle fouilla les poches, trouva un portefeuille et des papiers d'identité : Inspecteur adjoint Luis De Baca. Elle trouva aussi de l'argent, une lettre et la facture d'une quincaillerie de Ciudad Juárez. Elle remit le tout en place. Un policier mexicain aurait donc été son assassin : ça n'avait aucun sens. Elle éteignit de nouveau la lumière et continua à réfléchir : elle était à l'abri pour un petit moment, elle le savait – elle pouvait maintenant d'une manière ou d'une autre fuir, se réfugier chez ses amis – mais il lui fallait d'abord couvrir ses traces.

Elle redescendit de la voiture et marcha de long en large, réfléchissant, élaborant des plans. La lune en faucille n'émettait aucune clarté, et il faisait de plus en plus froid. Eva serra les bras autour de sa poitrine, s'accroupit un instant quand un camion passa en cahotant sur la route de Leopold mais en ne balayant ses phares que très loin. Un plan commença à se former peu à peu dans sa tête, un plan qu'elle examina dans tous les sens, anticipant, objectant, considérant avantages et inconvénients. Elle ouvrit le coffre de la voiture et y trouva un jerrycan d'essence, une corde et une pelle. Dans la boîte à gants, il y avait une lampe électrique, des cigarettes et du chewing-gum. La voiture semblait appartenir au policier lui-même.

Eva fit quelques pas sur la route jusqu'au virage et constata, à l'aide de la lampe de poche, que l'arroyo n'était guère plus qu'une ravine étroite de six mètres environ de profondeur. Elle démarra la voiture, alluma les phares et roula jusqu'au bord, accélérant très fort en quittant la route, les roues qui tournoyaient dispersant le gravier. Une fois à l'extrême bord de l'arroyo, elle mit le frein à main. Elle procéda à une ultime vérification, ramassa son sac et descendit, tout en desserrant le frein. La voiture commença à avancer doucement. Eva courut à l'arrière et poussa. La voiture bascula par-dessus bord et Eva entendit le bruit lourd et déchirant du métal heurtant le fond du ravin. Elle entendit aussi le pare-brise exploser, puis une pluie de verre brisé.

Avec sa torche, elle se fraya un chemin jusqu'à l'épave. Un phare continuait à fonctionner, la capote s'était gauchie et ouverte. Une odeur d'essence s'échappait de la carcasse inclinée à quarante-cinq degrés du côté passager. Elle réussit à ouvrir la porte du côté conducteur et à passer la vitesse en quatrième. Luis De Baca était tombé en avant pendant la chute et s'était écrasé le front sur le tableau de bord. Un petit filet de sang coulait maintenant de son œil à sa moustache. La moustache saturée dégoulinait sur la chemise. Eva hissa le Mexicain sur le siège du conducteur et remarqua qu'il semblait avoir une jambe pliée en un drôle d'angle, sans doute cassée. Parfait, se dit-elle.

Elle sortit la carte de son sac et en déchira avec soin un gros bout, y laissant les lettres LUFTVERK et le tracé des lignes aériennes pour San Antonio et Miami. Elle remit le reste dans son sac puis prit un stylo, étala le morceau déchiré sur le capot et écrivit en allemand : « *Wo befinden sich die Ölreserven für den transatlantischen Verkehr ?* » et « *Der dritte Gau scheint zu gross zu sein* »[1]. Elle ajouta dans la marge la somme de deux nombres : 150 000 + 35 000 = 185 000 puis des lettres et des chiffres dénués de sens – LBF/3, XPD 77. Elle frotta le papier contre la chemise rougie de sang de De Baca et le froissa avant de le glisser sous la chaussure de la jambe intacte du cadavre. Elle mit les 3 000 dollars dans la boîte à gants sous une carte routière et un manuel d'entretien. Avec son mouchoir, elle essuya les surfaces et le volant, apportant un soin particulier au levier des vitesses. Enfin, elle hissa De Baca et l'appuya contre le volant de façon à ce qu'elle puisse voir son visage. Ce qui lui restait à faire à présent était le plus dur, elle le savait, mais elle était si absorbée dans la composition de l'accident qu'elle opérait presque automatiquement, avec une efficacité systématique. Elle éparpilla des éclats de verre sur le corps, cassa un essuie-glace tordu et en arracha la lame de caoutchouc.

Elle saisit le crayon dans l'œil et tira. Il sortit facilement, comme huilé, et le sang gicla sur les paupières. Elle enfonça le bout de l'essuie-glace dans la blessure et recula. Elle laissa la portière ouverte et procéda à une dernière inspection avec la lampe électrique. Puis elle ramassa son sac, remonta tant bien que mal la paroi du ravin et reprit à pied le chemin menant au Highway 80. Au bout de huit cents mètres, elle quitta la route et enterra le reste de la carte, la lampe et le crayon sous un rocher. Elle apercevait les phares des voitures sur l'autoroute et la lueur des lumières de la rue principale de Berdino.

---

1. « Où trouvez-vous vos réserves de fuel pour vos vols transatlantiques ? » et « La troisième région paraît trop grande pour vous. »

Elle se remit en marche. Elle savait ce qu'elle devait faire maintenant : appeler la police et signaler anonymement une voiture accidentée dans un ravin entre l'autoroute et Leopold. Un taxi la ramènerait au Mesilla Motor Lodge. Elle réglerait sa facture et gagnerait Albuquerque dans la nuit en voiture. Elle avait fait tout ce qu'elle pouvait mais elle ne put s'empêcher d'y réfléchir tandis qu'elle pénétrait dans une station d'essence Texaco aux abords de Berdino. Il fallait voir la vérité en face : quelqu'un, quelque part, l'avait trahie.

# 10

# Rencontre avec Romer

Je suis restée plantée pendant vingt bonnes minutes devant le portrait de Lucas Romer par David Bomberg, à la recherche d'indices, je suppose, et pour tenter aussi d'identifier l'homme que ma mère avait connu en 1939 afin de le distinguer de celui que j'étais sur le point de rencontrer aujourd'hui, en 1976.

Le portrait était pratiquement grandeur nature – un buste sur une toile d'environ 30 x 45 cm. La simplicité du cadre, une large baguette de bois noir, rendait le petit tableau plus imposant mais il était encore, néanmoins, relégué dans un couloir au dernier étage de la National Portrait Gallery. L'artiste, en l'occurrence, importait plus que le modèle : la note sur le mur parlait surtout de David Bomberg – le modèle étant simplement identifié comme « Lucas Romer, un ami » – et donnait la date de « 1936 (?) », soit trois ans avant la rencontre Romer-Eva Delectorskaya.

Il s'agissait à l'évidence d'une esquisse, remarquable par sa surface d'impasto lisse – une étude peut-être, qui, avec d'autres séances de pose, aurait pu être travaillée en quelque chose de plus raffiné. Ça m'a paru être un bon tableau – un bon portrait – le caractère du modèle en ressortait avec force, encore que j'ignorais s'il était très ressemblant. Lucas Romer fixait le spectateur – plongeant droit dans les siens ses yeux gris-bleu pâle – et sa bouche figée, légèrement relevée d'un côté, traduisait la réticence, l'impatience suscitée par les contraintes de la pose, le temps perdu à demeurer immobile. Ses cheveux se raréfiaient sur le devant, ainsi que ma mère l'avait décrit, et il portait une chemise blanche, sous une veste bleue de la couleur ou presque de son regard, et ce qui semblait être une cravate

223

vert beigeasse. Seul le nœud de la cravate apparaissait dans le cadre.

Bomberg avait cerné la tête d'une épaisse ligne de noir qui avait pour effet de concentrer l'œil sur la surface peinte à l'intérieur de cette limite. Le style était puissant : bleu, vert-de-gris, chartreuse, roses vifs, bruns et gris foncés combinés pour rendre les tons de la chair et de la sombre barbe naissante. Les coups de pinceau étaient larges, impétueux, assurés, chargés de pigment. J'ai eu l'impression immédiate d'une personnalité – forte, voire arrogante –, et je n'ai pas pensé que les confidences reçues influaient sur mon jugement. De grands yeux aux paupières lourdes, un nez proéminent – le seul signe de faiblesse se trouvait peut-être dans la bouche : des lèvres pleines, plutôt molles, pincées en une expression de tolérance temporaire. Une brute ? Un intello trop sûr de lui ? Un artiste compliqué, névrosé ? Peut-être toutes ces qualités étaient-elles nécessaires pour devenir un chef des services secrets et diriger son propre réseau d'espions.

Je suis redescendue dans le hall de la galerie et j'ai décidé de me rendre à pied au Brydges'. Mais je suis d'abord passée par les toilettes et je me suis regardée dans la glace. Que racontait ce portrait-ci du présent modèle ? Mes cheveux, épais, longs et tout propres étaient coiffés flous, j'avais mis un rouge à lèvres rose pâle et mon habituel fard à paupières foncé. Je portais un ensemble pantalon noir, presque neuf, aux poches et coutures soulignées d'une surpiqûre blanche – et mes chaussures à talons compensés. Je me tenais très droite – je voulais en imposer aujourd'hui – et j'ai pensé que j'avais foutrement bonne allure. L'attaché-case en cuir usé que je trimballais ajoutait à mon sens une jolie note incongrue au tableau.

J'ai traversé Trafalgar Square en direction de Pall Mall puis j'ai coupé par St James Square pour pénétrer dans le dédale de petites rues entre le square et Jermyn Street où se situait Brydges'. Porte discrète, laquée noire – pas de plaque, juste un numéro – avec une imposte au dessin compliqué tout en fioritures. J'ai appuyé sur la sonnette de cuivre et j'ai été accueillie avec suspicion par un portier vêtu d'un manteau bleu marine orné de revers rouges. J'ai annoncé que j'avais rendez-vous avec Lord Mansfield et l'homme s'est retiré dans une sorte de cabine téléphonique en verre pour consulter un registre.

« Ruth Gilmartin, ai-je précisé. Six heures.

– Par ici, Miss. »

Je l'ai suivi en haut d'un large escalier tournant, déjà consciente que l'entrée modeste cachait un bâtiment géorgien de vastes et élégantes proportions. Au premier étage, nous avons dépassé une salle de lecture – profonds canapés, sombres portraits, quelques vieillards en train de lire magazines et journaux –, puis un bar – d'autres vieillards en train de boire –, puis une salle à manger où de jeunes demoiselles, en jupe noire et blouse blanche immaculée, préparaient la table du dîner. J'ai compris qu'il était tout à fait inhabituel de rencontrer dans cette maison une femelle qui ne fût pas plus ou moins une servante. Nous avons ensuite pris un autre couloir, longé un vestiaire et des toilettes pour hommes (une odeur de désinfectant mâtinée de brillantine, le bruit de chasses d'eau discrètement tirées) d'où a émergé un vieux monsieur et sa canne, qui, en me voyant, a eu un sursaut d'incrédulité presque comique.

« Bonsoir », lui ai-je lancé, me sentant à la fois plus calme et plus irritée. Plus irritée, parce que je savais ce qui, de façon évidente et grossière, se passait ici ; plus calme, parce que je savais que Romer ne pouvait pas savoir que non seulement ça ne marcherait pas mais que ce serait de surcroît contre-productif. Nous avons viré dans un ultime couloir et nous sommes arrivés devant une porte sur laquelle était inscrit : SALON DES DAMES.

« Lord Mansfield vous verra ici, a annoncé le portier en m'invitant à entrer.

– Comment pouvez-vous être sûr que je sois une dame ? ai-je dit.

– Je vous demande pardon, Miss ?

– Oh, laissez tomber. »

Je suis passée devant lui pour pénétrer dans le Salon des Dames. Un salon exigu, obscur, meublé chichement et sentant la cire et le shampoing pour tapis, dont tout le décor respirait la désuétude. Rideaux de chintz, appliques murales munies d'abat-jour puce à franges safran ; sur la table basse, intact, un choix de « magazines pour dames » (*House & Garden*, *Woman's Journal* et *The Lady* soi-même) ; une plante grimpante mourait de soif sur le dessus d'une cheminée vide.

Le portier est parti et j'ai poussé le plus grand fauteuil de façon à ce que l'unique fenêtre se trouve derrière : je voulais être éclairée de dos, mon visage dans l'ombre, avec la lumière d'un soir d'été tombant sur celui de Romer. J'ai ouvert mon attaché-case et en ai sorti mon bloc-notes et mon stylo. J'ai attendu quinze puis vingt puis vingt-cinq minutes. De nouveau, j'ai compris que c'était un retard intentionnel, mais j'ai été contente de cette attente parce qu'elle m'a fait prendre conscience que, chose inhabituelle pour moi, j'étais plutôt nerveuse à l'idée de rencontrer cet homme – cet homme qui avait fait l'amour à ma mère, l'avait recrutée, l'avait « contrôlée », comme on disait, et à qui elle avait déclaré sa passion, par un jour glacial à Manhattan en 1941. Pour la première fois peut-être, j'ai senti qu'Eva Delectorskaya devenait réelle pour moi. Mais plus Lucas Romer me faisait attendre, plus il tentait de m'intimider dans ce bastion de vieillards machos, plus je me sentais fumasse et par conséquent moins anxieuse.

Finalement, le portier a ouvert la porte : une silhouette se dessinait derrière lui.

« Miss Gilmartin, mylord », a annoncé le portier avant de disparaître.

Romer est entré sans bruit, un sourire sur son visage maigre et sillonné de rides.

« Vraiment désolé de vous avoir fait attendre », a-t-il dit, la voix râpeuse et légèrement rauque, comme si son larynx était étouffé par des polypes. « D'assommants coups de téléphone. Lucas Romer. » Il a tendu sa main.

« Ruth Gilmartin. » Je me suis levée, aussi grande que lui, et je l'ai gratifié de mon plus ferme serrement de main, tout en essayant de ne pas le fixer ni de paraître trop curieuse, bien que j'eusse adoré pouvoir le scruter pendant quelques bonnes minutes à travers un miroir sans tain.

Il portait un costume droit bleu nuit parfaitement coupé avec une chemise crème et une cravate en tricot marron foncé. Son sourire était d'un blanc aussi immaculé que l'avait décrit ma mère, quoi qu'il y eût maintenant, dans les recoins de sa bouche, le reflet doré de bridges coûteux. Il était chauve, ses longs cheveux brillantinés ramenés en deux mèches grises souples au-dessus des oreilles. Bien que mince, il était un peu voûté, mais le bel homme qu'il avait été demeurait dans ce vieillard de soixante-dix-sept ans, comme un souvenir fantomatique : sous certains éclairages, il aurait été difficile de deviner son âge ; il était, à mon sens, un vieux monsieur encore séduisant. Je me suis assise dans mon fauteuil avant qu'il ne puisse le faire lui-même ou m'inviter à m'installer ailleurs. Il a choisi de se poser aussi loin de moi que possible et m'a proposé une tasse de thé.

« Je préférerais une boisson alcoolisée, ai-je répondu, si une telle chose est servie dans le Salon des Dames.

– Oh, certainement. Nous sommes très larges d'esprit à Brydges' » a-t-il répliqué. Il a pressé une sonnette au bord de la table basse et, presque aussitôt, un serveur en veste blanche a surgi dans la pièce un plateau d'argent sous le bras.

« Que prendrez-vous, Miss Martin ?

– Gilmartin.

– Pardonnez-moi – le gâtisme d'un vieil homme –, Miss Gilmartin Qu'aimeriez-vous boire ?

– Un grand whisky soda, s'il vous plaît.

– Tous les whiskies sont généreusement servis ici. » Il s'est tourné vers le serveur. « Un jus de tomate, pour moi, Boris. Un peu de sel de céleri. Pas de Worcestershire. » Il s'est retourné vers moi. « Nous n'avons que du J&B ou du Bell's comme marques.

– Un Bell's dans ce cas. » Je n'avais aucune idée de ce qu'était un J&B.

« Oui, mylord », a dit le serveur avant de se retirer.

« Je dois avouer que j'attendais cette rencontre avec impatience, a déclaré Romer avec un manque de sincérité manifeste. À mon âge on se sent totalement oublié. Et voilà que tout à coup un journal vous appelle qui veut vous interviewer. Une surprise mais gratifiante, je suppose. L'*Observer*, n'est-ce pas ?

– Le *Telegraph*.

– Splendide. Qui est votre rédacteur en chef, à propos ? Connaissez-vous Toby Litton-Fry ?

– Non, je travaille pour Robert York, ai-je répondu très vite et calmement.

– Robert York... J'appellerai Toby à son sujet. » Il a souri. « J'aimerais savoir qui va revoir votre papier. »

Nos boissons sont arrivées. Boris les a servies sur des dessous de verre en papier, accompagnées d'une soucoupe de cacahuètes salées.

« Vous pouvez remporter ça, Boris, a dit Romer. Whisky et cacahuètes – non, non, non. » Il a gloussé. « Apprendront-ils jamais ? »

Une fois Boris disparu, l'atmosphère a soudain changé. Je n'ai pas pu analyser précisément comment mais le charme affecté et la suavité de Romer semblaient avoir quitté la pièce avec Boris et les cacahuètes. Le sourire était toujours là mais le masque était tombé : le regard était direct, curieux, vaguement hostile.

« Avant que nous n'entamions cette interview exceptionnelle, et si vous n'y voyez pas d'inconvénient, je veux vous poser une question, Miss Gilmartin.

– Allez-y.

– Vous avez fait allusion aux SAC, auprès de ma secrétaire...

– Oui.

– D'où avez-vous tiré ce nom ?

– D'archives.

– Je ne vous crois pas.

– J'en suis désolée », ai-je répliqué, soudain sur mes gardes. Ses yeux me fixaient, glacés. J'ai soutenu son regard et j'ai poursuivi : « Vous n'avez aucune idée de ce qui a été mis à la disposition des chercheurs et des historiens au cours des dernières années depuis la révélation de l'Ultra-secret. Enigma, Bletchley Park – le couvercle a bel et bien été soulevé : chacun veut raconter son histoire maintenant. Et une bonne partie du matériel est, comment dirais-je ?, informelle, personnelle. »

Il a réfléchi.

« Une source écrite, vous dites ?

– Oui.

– L'avez-vous consultée ?

– Non, pas personnellement. » Brusquement un peu plus inquiète, j'essayais de gagner du temps. Bien que ma mère m'eût avertie qu'on montrerait une curiosité particulière au sujet des SAC, je me suis hâtée d'ajouter : « Je tiens cette information d'un professeur d'Oxford qui écrit une histoire des services secrets britanniques.

– Ah, vraiment ? » Romer a soupiré, un soupir qui disait : quelle totale et complète perte de temps. « Et ce professeur s'appelle ?

– Timothy Thoms. »

Romer a sorti de sa poche de veston un petit bloc-notes encadré de cuir, puis un stylo et il a inscrit le nom. J'ai été obligée d'admirer le bluff, le culot.

« Docteur T.C.L. Thoms. T H O M S. Il enseigne à All Souls, ai-je précisé.

– Bien… » Il a pris note de tout et a levé la tête. « Quel est exactement le sujet de cet article que vous vous proposez d'écrire ?

– La British Security Coordination. Et son action en Amérique avant Pearl Harbour. » C'est ce que ma mère m'avait dit de raconter : un vaste sujet attrape-tout.

« Pourquoi diable quiconque s'intéresserait-il à tout ça ? Pourquoi êtes-vous si fascinée par la BSC ?

– Je croyais que c'était moi qui vous interviewais, Lord Mansfield.

– Je veux simplement éclaircir un certain nombre de choses avant que nous commencions. »

Le serveur a frappé à la porte avant d'entrer. « Téléphone, Lord Mansfield. Sur la une. »

Romer s'est levé pour aller, un peu raide, jusqu'au téléphone posé sur le petit bureau dans le coin. Il a pris le récepteur. « Oui ? »

Il a écouté ce qu'on lui disait, et je me suis emparée de mon whisky, dont j'ai bu une grande gorgée tout en saisissant l'occasion d'étudier Romer d'un peu plus près. Il se tenait de profil, le récepteur dans la main gauche et je voyais le reflet de la chevalière à son petit doigt contre le noir de la bakélite. Du revers de son poignet droit, il lissait la mèche de cheveux au-dessus de son oreille.

« Non, je ne suis pas concerné, a-t-il dit. Pas le moins du monde. » Il a raccroché, puis est demeuré un moment à regarder le téléphone, pensif. Ses deux mèches de cheveux se rejoignaient sur sa nuque en une petite turbulence de boucles. Ça ne paraissait pas très soigné, mais bien entendu ça l'était. Ses chaussures étaient magnifiquement astiquées, comme par une ordonnance militaire. Il s'est tourné vers moi, les yeux un peu écarquillés, à croire qu'il venait soudain de se rappeler ma présence. Il s'est rassis.

« Ainsi, Miss Gilmartin, vous me parliez de votre intérêt à l'égard de la BSC.

— Mon oncle a fait partie de la BSC.

— Vraiment ? Comment s'appelait-il ? »

Ma mère m'avait dit de l'observer de près à ce moment-là.

« Morris Devereux. »

Romer a réfléchi, répétant le nom plusieurs fois. « Je ne crois pas le connaître. Non.

— Vous admettez donc avoir fait partie de la BSC.

— Je n'admets rien du tout, Miss Gilmartin », a-t-il répondu en me souriant. Il me souriait à profusion, ce Romer, mais aucun de ses sourires n'était sincère ou amical. « Voyez-vous, je suis désolé d'être assommant, mais j'ai décidé de ne pas vous accorder cette interview. » Il s'est levé de nouveau, est allé à la porte qu'il a ouverte.

« Puis-je vous demander pourquoi ?

— Parce que je ne crois pas un mot de ce que vous m'avez raconté.

— Je suis navrée. Que puis-je dire ? J'ai été totalement honnête avec vous.

— Alors disons que j'ai changé d'idée.

— C'est votre droit. » J'ai pris mon temps : j'ai bu une autre gorgée de whisky, j'ai rangé mon bloc-notes et mon crayon dans mon attaché-case, puis je me suis levée à mon tour et suis sortie avant lui. Ma mère m'avait prévenue que ça finirait sans doute ainsi. Contraint de me voir après la révélation SAC, il tenterait de déterminer quelles étaient mes intentions, et dès qu'il sentirait qu'elles n'avaient rien de menaçant – une simple curiosité journalistique, en d'autres termes – il refuserait d'avoir quoi que ce soit de plus à faire avec moi.

« Je peux retrouver mon chemin toute seule, ai-je dit.

— Hélas, vous n'y êtes pas autorisée. »

Nous sommes passés devant la salle à manger, à présent occupée par quelques dîneurs mâles, puis devant le bar – plus rempli qu'à mon arrivée, et d'où émanait le léger chuchotement des conversations – et enfin la salle de lecture où roupillait un vieux monsieur, avant de descendre le grand escalier et d'atteindre la simple porte de bois noir et son imposte tarabiscotée.

Le portier nous a ouvert. Romer n'a pas tendu sa main.

« J'espère ne pas vous avoir fait perdre trop de temps », a-t-il dit en faisant signe derrière moi à une belle grosse voiture – une Bentley, je crois – qui a démarré pour venir s'arrêter de notre côté de la rue.

« J'écrirai quand même mon article, ai-je répliqué.

– Certes, Miss Gilmartin, mais prenez bien soin de ne rien écrire de calomnieux. J'ai un excellent avocat – il se trouve être un membre de ce club.

– Est-ce une menace ?

– C'est un fait. »

Je l'ai regardé droit dans les yeux, avec l'espoir que mon regard lui dise : Je ne vous aime pas, je n'aime pas votre club dégueulasse et je n'ai pas la moindre peur de vous.

« Bonsoir », ai-je lancé avant de tourner les talons et de filer, en passant devant la Bentley d'où a surgi un chauffeur en uniforme qui a ouvert la portière.

Tandis que je m'éloignais de Brydges', un étrange mélange de sentiments m'a envahie : j'étais contente, contente d'avoir rencontré cet homme qui avait joué un rôle si important dans la vie de ma mère et qu'il ne m'ait pas impressionnée. Mais je m'en voulais aussi un peu, inquiète de ne pas avoir assez bien conduit ladite rencontre, de ne pas en avoir tiré le maximum, d'avoir permis à Romer d'en dicter le déroulement et le ton. J'avais trop réagi à son attitude au lieu du contraire – pour une raison ou une autre, j'aurais voulu l'agacer davantage. Mais ma mère avait beaucoup insisté : ne va pas trop loin, ne révèle rien de ce que tu sais – mentionne seulement les SAC, Devereux et la BSC –, ça suffira pour commencer à le faire réfléchir, l'empêcher de dormir comme un loir, avait-elle ajouté avec une certaine jubilation. J'espérais en avoir fait suffisamment pour elle.

Je suis rentrée à Oxford à neuf heures et j'ai été chercher Jochen chez Veronica.

« Pourquoi tu étais à Londres ? a-t-il voulu savoir tandis que nous montions l'escalier de la cuisine.

– Je suis allée voir un vieil ami de Granny.

– Granny dit qu'elle n'a pas d'amis.

– C'est quelqu'un qu'elle a connu il y a très longtemps, ai-je répliqué en allant vers le téléphone. Va te mettre en pyjama. » J'ai fait le numéro de ma mère. Pas de réponse. J'ai donc raccroché et j'ai refait le numéro, selon le stupide code qu'elle avait institué, mais elle n'a toujours pas décroché. J'ai reposé le récepteur.

« Que dirais-tu d'une petite aventure ? ai-je lancé à Jochen, en m'efforçant de garder un ton léger. Allons voir Granny, on lui fera une surprise.

– Elle ne sera pas contente, a rétorqué Jochen. Elle déteste les surprises. »

Dès mon arrivée à Middle Ashton, j'ai vu tout de suite que le cottage était plongé dans le noir et qu'il n'y avait pas trace de la voiture. Soudain très inquiète, j'ai pris la clé sous le troisième pot de fleurs à gauche de la porte et je suis entrée dans la maison.

« Qu'est-ce qui se passe, Maman ? a demandé Jochen. C'est un jeu ?

– Plus ou moins. »

À l'intérieur, tout paraissait en place : la cuisine était rangée, la vaisselle terminée, des vêtements séchaient dans la chaufferie. J'ai grimpé l'escalier menant à sa chambre, suivie de Jochen. Le lit était fait, et sur le bureau se trouvait une enveloppe marron avec Ruth inscrit dessus. J'allais la prendre quand Jochen s'est écrié : « Regarde, voilà une voiture ! »

C'était ma mère dans sa vieille Allegro blanche. Je me suis sentie bête et soulagée. Je suis descendue en courant, j'ai ouvert la porte et l'ai appelée au moment où elle sortait de la voiture.

« Sal ! C'est nous. On est venus te voir.

– Quelle bonne surprise, a-t-elle répliqué d'une voix chargée d'ironie, en se penchant pour embrasser Jochen. Je ne me souvenais pas d'avoir laissé la lumière en partant. Il y a des gens qui veillent tard.

– Tu m'avais dit de te téléphoner à la minute, à la seconde de mon retour, ai-je lancé sur un ton plus accusateur et plus mécontent que je n'en avais l'intention. Quand tu n'as pas répondu, que crois-tu que j'aie pu penser ?

– J'ai dû oublier de te l'avoir demandé, a-t-elle répondu, l'air dégagé, en me doublant pour entrer. Qui veut une tasse de thé ?

– J'ai vu Romer, ai-je annoncé en lui emboîtant le pas. Je lui ai parlé. Je pensais que ça t'intéresserait. Mais ça ne s'est pas bien passé. En fait, je dirais qu'il a été parfaitement désagréable.

– Je suis certaine que tu as été plus qu'à la hauteur. Je vous ai trouvés plutôt glacés au moment des adieux. »

Je me suis arrêtée net. « Que veux-tu dire ?

– J'étais dehors. Je vous ai vus tous les deux quitter le club, a-t-elle avoué, avec un air de sincérité, de franchise totale, comme si c'était la chose la plus naturelle au monde. Et puis je l'ai suivi jusque chez lui et maintenant je sais où il habite : 29 Walton Crescent, dans Knightsbridge. Une énorme baraque en stuc. Ça sera beaucoup plus facile de le retrouver la prochaine fois. »

# L'histoire d'Eva Delectorskaya

Eva appela Transoceanic d'une cabine dans la rue de Brooklyn où se trouvait son lieu sûr. Pendant les cinq jours écoulés depuis les événements de Las Cruces, elle avait repris lentement le chemin de New York, profitant de tous les moyens de transport possibles, avion, train, bus et automobile. Le premier jour à New York, elle avait d'abord fait le guet autour de son refuge. Une fois certaine que personne ne l'avait repérée, elle s'y était installée et avait gardé profil bas. Finalement, convaincue qu'on devait s'inquiéter de plus en plus de son silence, elle téléphona.

« Eve ! hurla presque Morris Devereux, oubliant toute procédure. Dieu soit loué ! Où êtes-vous ?

– Quelque part sur la côte Est. Morris, écoutez-moi : je ne rentre pas.

– Il le faut, dit-il. Il faut qu'on vous voie. Les circonstances ont changé.

– Vous ne savez pas ce qui s'est passé là-bas, répliqua-t-elle d'un ton venimeux. J'ai de la veine d'être encore en vie. Je veux parler à Romer. Il est de retour ?

– Oui.

– Dites-lui que je l'appellerai au numéro de Sylvia à la BSC. Demain après-midi, quatre heures. »

Elle raccrocha.

Dans une épicerie au bout de la rue, elle acheta de la soupe en boîte, une miche de pain, trois pommes et deux paquets de Lucky Strike avant de regagner sa chambre, au troisième étage d'une maison en grès brun sur Pineapple Street. Personne ne l'importuna, aucun de ses voisins anonymes ne parut s'apercevoir que Miss Margery Allerdice était là à demeure. Si elle ouvrait la fenêtre de la salle de bain et se penchait au maximum, le haut d'une des tours du pont de Brooklyn devenait visible – par beau temps. Elle avait un lit transformable, deux fauteuils, une radio, une kitchenette avec deux plaques électriques, un évier en stéatite avec un robinet d'eau froide, et des toilettes dissimulées derrière un rideau en plastique orné de poissons tropicaux nageant tous dans la même direction. Elle réchauffa sa soupe – aux champignons –, la dégusta avec du pain beurré, puis fuma trois cigarettes tout en se demandant que faire. Peut-être le mieux serait de s'enfuir sur-le-champ... Elle avait ses papiers d'identité, elle pouvait être Margery Allerdice et disparaître avant que quiconque ne le remarque. Mais où ? Le Mexique ? De là elle pourrait prendre un bateau pour l'Espagne ou le Portugal. Ou le Canada, peut-être ? Mais le Canada n'était-il pas trop proche ? De plus, la BSC avait aussi une organisation substantielle là-bas. Elle passa en revue les pour et les contre, se disant qu'elle se débrouillerait sans doute mieux au Canada, où il lui serait plus facile de ne pas se faire remarquer ; au Mexique, une jeune Anglaise sauterait aux yeux – bien que, de là, elle pourrait gagner le Brésil ou encore l'Argentine. Il y avait une importante communauté anglaise en Argentine : elle pourrait y trouver un travail, s'inventer un passé, devenir invisible, s'enfouir sous terre. Voilà ce qu'elle voulait faire : disparaître. Mais en réfléchissant plus avant, elle comprit que tous ces plans et conjectures, quelle que soit leur valeur, ne seraient pas praticables jusqu'à ce qu'elle ait vu et parlé à Romer : il fallait qu'elle lui raconte ce qui s'était passé – peut-être serait-il en mesure de démêler et de résoudre cette profusion de mystères. Après quoi, elle pourrait prendre une décision, mais pas avant.

Tandis que la nuit tombait, elle écouta de la musique à la radio et se repassa en esprit les événements de Las Cruces. « Les événements de Las Cruces » – l'euphémisme était plutôt réconfortant : comme si sa chambre d'hôtel avait été en double réservation ou que sa voiture fût tombée en panne sur l'autoroute. Elle n'éprouvait ni culpabilité ni remords à l'égard de De Baca. Si elle ne l'avait pas tué, il l'aurait tuée, elle, dans la minute suivante. Son plan avait été de le frapper dans l'œil et de s'enfuir. Elle ne disposait que d'un crayon bien taillé, après tout, et l'œil constituait la seule cible possible pour tenter d'immobiliser l'homme. Mais en repensant à ces quelques secondes dans la voiture, à la réaction de De Baca, sa paralysie totale, choquante, suivie de sa mort immédiate, elle comprenait que la force de son coup devait avoir fait traverser le globe oculaire et l'orbite à la pointe du crayon qui s'était enfoncée profondément dans le cerveau, perçant au passage la carotide – ou peut-être touchant le tronc cérébral et provoquant par là un arrêt cardiaque instantané. Il ne pouvait pas y avoir d'autre explication à cette mort soudaine. Même si elle avait raté l'artère et que le crayon ait pénétré dans le cerveau, De Baca aurait pu ne pas mourir, et elle aurait pu quand même s'enfuir. Néanmoins, la chance – sa chance à elle – et la pointe acérée du crayon l'avaient tué aussi vite et sûrement que s'il avait bu de l'acide prussique ou qu'il ait été ligoté sur une chaise électrique. Elle alla se coucher tôt et rêva que Raul essayait de lui vendre un petit coupé rouge.

Elle appela le numéro de Sylvia à la BSC à exactement 4 h 01. Elle parlait d'une cabine publique devant le Rockefeller Center sur la V\ :sup:`e` Avenue, avec une bonne vue sur l'entrée principale. Le téléphone de Sylvia sonna trois fois avant d'être décroché.

« Hello, Eva, dit Romer d'un ton égal, pas surpris. Nous voulons que vous reveniez.

– Écoutez bien, répliqua-t-elle. Quittez l'immeuble maintenant et descendez la V\ :sup:`e` côté sud. Je vous donne deux minutes, autrement il n'y aura pas de rencontre. »

Elle raccrocha et attendit. Au bout de trois minutes et demie, Romer sortit – suffisamment vite, pensa-t-elle : il n'avait pas eu le temps d'organiser une équipe. Il tourna immédiatement dans la V\ :sup:`e` Avenue. Elle le fila de l'autre côté de la chaussée, surveillant son dos, son comportement, le laissant prendre un peu d'avance pour s'assurer qu'il n'était suivi de personne. Elle portait un foulard et des lunettes, des chaussures plates et un manteau en poil de chameau acheté dans un décrochez-moi-ça le matin même. Elle traversa l'avenue à un carrefour et suivit Romer le long d'un ou deux pâtés de maisons. Il avait mis un vieil imper avec quelques reprises et noué une écharpe bleu marine autour de son cou. Il était tête nue. Il paraissait très à l'aise, marchant sans regarder autour de lui, attendant que le contact soit établi. Ils atteignirent la 39ᵉ Rue avant qu'elle vienne se poster à sa hauteur et lui dise : « Suivez-moi. »

Elle obliqua à l'est, sur Park Avenue, tourna de nouveau au nord en direction de la 42ᵉ et de Grand Central Station, pénétra dans la gare par l'entrée de Vanderbilt Avenue et prit la rampe menant au grand hall. Des milliers de passagers traversaient en tous sens l'immense espace, grouillant, se bousculant, se hâtant : c'était l'heure de pointe – un endroit probablement aussi sûr qu'aucun autre, raisonna Eva. Difficile de lui sauter dessus, facile de créer le désordre et de s'échapper. Elle ne regarda pas derrière elle mais se dirigea droit sur le kiosque d'information central. Ce n'est qu'en y parvenant qu'elle se retourna et enleva ses lunettes.

Il était sur ses talons, le visage sans expression.

« Détends-toi, dit-il. Je suis seul. Je ne suis pas si bête. » Il se tut, se rapprocha encore d'elle, baissa la voix : « Comment vas-tu, Eva ? »

À sa grande irritation, le souci sincère qu'exprimait la voix de Romer lui donna soudain envie de pleurer. Repenser à Luis De Baca lui fut suffisant pour récupérer sa dureté. Elle ôta son foulard, secoua ses cheveux.

« J'ai été vendue, dit-elle. Quelqu'un m'a donnée.

– Aucun de nous. J'ignore ce qui a cloché mais Transoceanic est fiable.

– Je pense que tu te trompes.

– Naturellement. Moi aussi, je penserais ça. Mais je le saurais, Eva. Je l'aurais découvert. Nous sommes totalement fiables.

– Et la BSC ?

– La BSC te donnerait une médaille si elle le pouvait. Tu as fait un brillant boulot. »

Désarçonnée, elle regarda autour d'elle les centaines d'individus se hâtant ici et là, comme pour y trouver de l'inspiration, leva les yeux vers l'immense voûte du plafond et ses constellations clignotantes. Elle se sentit faiblir : la pression des derniers jours la submergeait tout d'un coup. Plus que tout au monde, elle souhaitait que Romer la prenne dans ses bras.

« Descendons, suggéra-t-il. Ici, on ne peut pas parler convenablement. J'ai des tas de choses à te dire. »

Une rampe les mena au hall inférieur et ils prirent une place au comptoir d'un milk-bar. Soudain affamée de douceur, Eva commanda un milk-shake à la cerise garni d'une boule de glace à la vanille. En attendant d'être servie, elle examina les alentours.

« Pas besoin de vérifier, affirma Romer. Je suis seul. Il faut que tu rentres, Eva – pas à l'instant, pas aujourd'hui ni demain. Prends ton temps. Tu le mérites. » Il s'empara de sa main. « Ce que tu as réussi est étonnant. Raconte-moi ce qui s'est passé. Commence par ton départ de New York. » Il lui lâcha la main.

Et elle lui raconta. Elle lui raconta heure par heure tout son voyage, de New York à Las Cruces, et Romer écouta, immobile, sans dire un mot, lui demandant seulement, à la fin, de répéter ce qui s'était passé entre le moment où elle avait quitté Raul et sa rencontre avec De Baca.

« Et voici ce qui est arrivé les jours suivants, dit-il quand elle eut terminé. Le shérif de Dona Ana County a été appelé sur les lieux de l'accident après que tu l'as signalé. Ils ont trouvé le bout de carte et l'argent, et ils ont fait venir de Santa Fe l'agent local du FBI. La carte a atterri chez Hoover à Washington et Hoover lui-même l'a posée sur le bureau du président. » Il se tut puis reprit : « Personne ne parvenait vraiment à comprendre, mais comme ça paraissait avoir un lien avec la carte brésilienne, ils nous ont appelés, forcément. Comment expliquez-vous ça ? La mort d'un policier mexicain dans un accident de la route près de la frontière ? Il y a une somme d'argent considérable et ce qui semble être un morceau de carte de géographie en allemand, décrivant de possibles routes aériennes entre le Mexique et les États-Unis. Acte criminel ? Ou accident dû à la malchance ? Avait-il acheté la carte ? Ou bien essayait-il de la vendre et l'affaire a mal tourné ? Quelqu'un a-t-il tenté de la lui voler mais, pris de frousse, s'est enfui ? » Romer écarta ses mains. « Qui sait ? L'enquête continue. L'essentiel, de notre point de vue – celui de la BSC –, c'est que

ça confirme la validité de la carte brésilienne. Sans équivoque. »
Il gloussa. « Tu n'aurais jamais pu prévoir ça, Eva, mais la beauté
exceptionnelle de cet épisode, c'est que la carte est arrivée chez
Roosevelt et Hopkins sans une trace, sans le soupçon d'une odeur de
BSC. Du shérif du comté à l'agent du FBI puis à Hoover et Roosevelt. Que se passe-t-il au sud de la frontière ? Que complotent ces nazis
avec leurs lignes aériennes et leurs *Gaus* ? Ça ne pouvait pas mieux
marcher. »

Eva réfléchit. « Mais le matériel était de mauvaise qualité.

– Ils l'ont trouvé assez bon comme ça. Raul s'apprêtait simplement à le fourguer à un journal du coin. C'était là le plan. Jusqu'à ce
que le tien le remplace.

– Mais je n'avais pas de plan.

– D'accord. Ton... improvisation. La nécessité est mère de l'invention, et du reste. » Il se tut, la regarda, l'examinant presque, comme
pour voir si elle avait changé, en quelque sorte. « L'essentiel, reprit-
il, c'est que tout ça a marché cent fois mieux que quiconque aurait pu
l'espérer. Les Américains ne peuvent pas pointer le doigt sur les
Anglais et la BSC et dire : regardez, encore un de vos sales tours pour
nous embarquer dans votre guerre entre Européens. Ils ont découvert
ce truc eux-mêmes dans un coin oublié de leur jardin. Que peut dire
le Bund ? Ou America First ? C'est clair comme le jour : les nazis
organisent des lignes aériennes de Mexico à San Antonio et Miami.
Ils sont déjà à vos portes, Messieurs les États-Uniens, cette fois, ça ne
se passe pas de l'autre côté de l'Atlantique, réveillez-vous. » Il n'avait
pas besoin d'en rajouter : Eva voyait très bien quelle était la seule
interprétation possible de l'affaire.

« Londres est très content, dit-il. Je peux te l'affirmer, très. Ça
pourrait avoir fait une différence capitale. »

Elle sentit de nouveau la fatigue s'abattre sur elle, comme si elle
trimballait un énorme sac à dos. Peut-être était-ce le soulagement :
elle n'avait plus à s'enfuir, elle n'avait plus à courir, tout s'était
terminé pour le mieux – plus ou moins mystérieusement.

« D'accord, dit-elle. Je rentrerai. Je serai de retour lundi au bureau.

– Excellent. Il y a beaucoup à faire. Transoceanic doit suivre cette
histoire sur plusieurs plans. »

Elle descendit de son tabouret tandis que Romer réglait son milk-shake.

« Je l'ai vraiment échappé belle, tu sais, lança-t-elle, avec un petit résidu d'amertume dans la voix. Vraiment.

– Je sais. La vie est une course très serrée.

– À lundi. Bye. » Elle tourna les talons, mourant d'envie d'aller se coucher.

« Eva ! » Il l'attrapa par le coude. « Mr et Mrs Sauge. Chambre 340. Hôtel Algonquin. »


« Racontez-moi exactement ce qui est arrivé, dit Morris Devereux. Depuis la minute où vous avez quitté New York. »

Ils étaient dans son bureau à Transoceanic, le lundi matin. Dehors, il faisait le temps froid d'une fin de novembre, des rafales de neige menaçaient. Eva avait passé le samedi et le dimanche à l'Algonquin avec Romer. Elle avait dormi tout le samedi, Romer s'était montré gentil et plein d'attention. Le dimanche, ils avaient fait une balade dans Central Park et pris un brunch au Plaza avant de retourner à l'hôtel faire l'amour. Elle était rentrée chez elle dans la soirée. Sylvia l'attendait, prévenue de son retour. « Ne me raconte rien, avait-elle dit. Prends ton temps, je suis là si tu as besoin de moi. » Eva s'était sentie requinquée et, pendant un moment, toutes les questions lancinantes qui s'agitaient dans sa tête avaient battu en retraite jusqu'à ce que la requête de Morris Devereux les ramène tambour battant. Elle lui raconta tout ce qu'elle avait raconté à Romer, sans rien omettre. Devereux écouta attentivement et prit quelques notes sur un bloc de papier devant lui – dates, heures.

Quand elle eut fini, il secoua la tête avec un certain étonnement. « Et dire que ça s'est si bien terminé. Fantastiquement bien. Encore mieux que la lettre du major bolivien nazi Belmonte, mieux que la carte brésilienne.

– Vous en parlez comme d'une machination machiavélique, dit-elle. Mais il n'y avait aucun plan. Tout s'est fait spontanément, sur l'impulsion du moment. J'essayais seulement de couvrir mes traces – de brouiller les pistes, de me donner du temps. D'embarrasser les gens. Je n'avais aucun plan, répéta-t-elle.

– Peut-être tous les grands complots sont-ils ainsi, répliqua-t-il. Le hasard, croisé à l'idée reçue, produit quelque chose d'entièrement nouveau.

– Peut-être. Mais j'ai été vendue, Morris, dit-elle avec une certaine âpreté et un peu de provocation. Vous ne croyez pas ? »

Il fit une grimace gênée. « Je dois avouer que ça semble être le cas.

– Je n'arrête pas de réfléchir à leur plan à eux. Et c'est ce qui me tracasse, non le fait que, par chance ou par accident, j'ai réussi à le déjouer et à le transformer en notre prétendu triomphe. Ça, ça ne m'intéresse pas. J'étais censée être retrouvée morte dans le désert avec, sur moi, une carte du Mexique trafiquée et 5 000 dollars. C'était ça, le vrai plan. Pourquoi ? À quoi tout cela rime-t-il ? »

Devereux parut déconcerté tandis qu'il réfléchissait à la logique de ce qu'elle venait de dire. « Voyons, reprenons, suggéra-t-il. Quand avez-vous repéré les deux corbeaux pour la première fois ? »

Ils réexaminèrent la séquence des événements. Eva devina que quelque chose d'autre troublait à présent Morris, quelque chose dont il ne voulait pas lui parler – pas encore.

« Qui m'actionnait, Morris ?

– Moi. C'est moi qui vous actionnais.

– Et aussi Angus et Sylvia.

– Sur mes instructions. C'était mon affaire. »

Elle lui jeta un regard perçant. « Alors, je devrais sans doute me méfier beaucoup de vous.

– Oui, répondit-il, pensif. On dirait en effet. » Il se renfonça dans son siège et croisa ses doigts derrière la tête. « Je me méfierais de moi aussi. Vous avez semé les corbeaux à Denver. Vous en êtes à cent pour cent certaine ?

– À cent pour cent.

– Mais ils vous attendaient à Las Cruces.

– Je ne savais même pas que j'allais à Las Cruces jusqu'à ce que le type à Albuquerque me le dise. J'aurais pu aller n'importe où.

– Donc, il a dû vous piéger.

– Ce n'était qu'un émissaire. Un larbin.

– Les corbeaux de Denver étaient des locaux.

– J'en suis certaine. Du FBI classique.

241

– Ce qui me laisse à penser… » Morris se redressa. « … que les corbeaux de Las Cruces n'en étaient pas.

– Que voulez-vous dire ? lança Eva soudain intéressée.

– Ils étaient foutrement bons. Trop foutrement bons pour vous. »

Elle n'avait pas pensé à ça. Romer non plus. Denver et Las Cruces leur avaient paru comme les deux bouts d'une même opération. La remarque de Devereux impliquait qu'il y avait deux groupes au travail – simultanément, sans aucun lien.

« Deux équipes d'espions ? Ça n'a pas de sens – l'un nul, l'autre bon. »

Devereux leva la main. « Suivons cette hypothèse et ne nous soucions pas de la solution. On ne vous a pas appris ça à Lyne ?

– Ils n'avaient pas besoin de m'attendre, dit-elle, réfléchissant vite. Ils auraient pu être avec moi depuis New York s'ils étaient si bons que ça.

– Possible. Précisément.

– Alors qui était le second groupe s'il n'était pas du FBI ? » Sa tête commençait à résonner de nouveau de cette vieille clameur – questions, questions, questions et pas de réponses. « Le Bund ? America First ? Des détectives privés ?

– Vous cherchez une solution. Reprenons le film. On vous voulait morte avec la carte sur vous. Vous auriez été identifiée comme un agent britannique parce que le FBI vous suivait depuis New York, même si vous les aviez semés.

– Mais à quoi ça sert ? Un agent britannique mort ? »

Morris arborait maintenant une mine soucieuse. « Vous avez raison. Ça n'a pas de sens. Il nous manque un élément… » Il avait l'air d'un homme face à une demi-douzaine de choix urgents, tous désagréables.

« Qui savait que j'étais à Las Cruces ? reprit Eva, tentant de remettre la machine en marche.

– Moi, Angus et Sylvia.

– Romer ?

– Non. Il était en Angleterre. Il n'était au courant que pour Albuquerque.

– Raul savait. Et le type d'Albuquerque. Donc, d'autres que

vous trois savaient... » dit-elle. Une idée lui vint soudain à l'esprit. « Comment se fait-il que De Baca ait su que j'étais au Mesilla Motor Lodge ? Personne ne savait que j'allais au Motor Lodge, sauf moi – vous ne le saviez pas. Angus et Sylvia non plus. J'ai zigzagué, fait des tours et des détours, je suis revenue sur mes pas. Je n'étais pas filée, je le jure.

– Vous devez l'avoir été, insista-t-il. Réfléchissez : c'est pour ça que les types de Las Cruces n'avaient rien à voir avec les agents de Denver. Ils avaient une grosse équipe qui vous suivait, ou vous attendait. Une brigade – de quatre ou six. Et des bons.

– Il y avait une femme dans le coupé rouge, se souvint Eva. Peut-être que je ne cherchais pas une femme. Ou des femmes.

– Et l'employé de l'Alamogordo Inn. Il savait que vous quittiez l'hôtel. »

Elle pensa : ce petit connard de la réception ? Et se rappela un précepte de Lyne : les meilleurs ont souvent l'apparence des pires. Peut-être Raul aussi. Raul l'albinos, le réceptionniste, le couple dans le coupé – « Une brigade », disait Morris –, deux autres qu'elle n'avait pas repérés. Et qui étaient les hommes à qui De Baca avait fait signe en quittant le Motor Lodge ? Ça paraissait brusquement plus vraisemblable. Elle regarda Morris qui, pensif, tirait de l'index et du pouce sur sa lèvre inférieure. N'est-il pas plutôt en train de me mener en bateau ? se demanda-t-elle. S'agit-il d'une de ses intuitions ou bien me manœuvre-t-il ? Elle résolut de s'arrêter là : trop de cercles tournant à l'intérieur d'autres cercles.

« Je vais continuer à réfléchir, dit-elle. Je vous appellerai s'il me vient une idée géniale. »

Alors qu'elle regagnait son bureau, elle se souvint de ce que lui avait dit le réceptionniste quand elle avait rempli sa fiche à l'Alamogordo Inn. Vous êtes sûre de vouloir descendre ici ? Il y a des endroits plus agréables en dehors de la ville. Avait-il délibérément semé l'idée dans sa tête ? Non, se dit-elle, ça devenait absurde – c'était en train de la rendre folle.

Ce soir-là, Sylvia lui prépara un steak et elles ouvrirent une bouteille de vin.

« Ça n'arrête pas de cancaner au bureau, dit-elle en insistant lourdement. On dit que tu es la grande vedette.

– Je te raconterai, je te promets, répliqua Eva. L'ennui, c'est que je ne m'en suis pas encore expliqué la moitié. »

Morris Devereux appela juste avant qu'elle aille se coucher. Sa voix était tendue, nerveuse – il avait abandonné son accent languide.

« Pouvons-nous parler ? » Eva jeta un coup d'œil dans la pièce et vit que Sylvia débarrassait la table.

« Oui, tout va très bien.

– Pardon d'appeler si tard mais quelque chose me tourmente et vous seule pouvez me donner la réponse.

– De quoi s'agit-il ?

– Pourquoi n'avez-vous pas simplement donné la carte à Raul ?

– Pardon ?

– Enfin, c'étaient vos ordres, non ? Vous étiez simplement censée donner un "paquet" à Raul avec l'argent.

– Oui.

– Alors pourquoi ne l'avez-vous pas fait ? »

Elle regarda autour d'elle. Elle entendait le cliquetis des assiettes dans la cuisine.

« Parce que je l'ai examinée et que j'ai pensé que c'était du travail bâclé. Du mauvais matériel, un truc pourri.

– Vous avait-on demandé de vérifier la marchandise ?

– Non.

– Alors, pourquoi l'avez-vous fait ?

– Parce que… parce que j'ai pensé que je devais… » Elle se posa la question à elle-même : ç'avait été une affaire d'instinct, uniquement. « J'ai simplement pensé que c'était de la bonne procédure. »

Il ne répondit pas. Eva tendit l'oreille pendant une seconde avant de dire : « Allô… Vous êtes là ?

– Oui, reprit Morris. Le fait est, Eve, que si vous aviez simplement donné la marchandise à Raul, suivant ainsi les ordres, rien de ceci ne serait arrivé. Vous ne voyez pas ? Tout ceci est arrivé précisément parce que vous n'avez pas fait ce que vous étiez censée faire. »

Eva réfléchit un instant : elle ne voyait pas où Morris voulait en venir.
« Je ne vous suis pas, rétorqua-t-elle. Voulez-vous dire que tout ceci est plus ou moins ma faute ?

– Nom de Dieu ! lâcha-t-il tout à coup à voix basse.

– Morris ? Tout va bien ?

– Je comprends maintenant… dit-il, se parlant presque à lui-même. Bon Dieu, oui…

– Vous comprenez quoi ?

– Il faut que je fasse certaines vérifications demain. Voyons-nous demain. Demain après-midi. » Il lui donna des indications pour se rendre dans un cinéma de dessins animés dans Broadway, juste au nord de Times Square – un petit cinéma qui projetait en boucle, 24 heures sur 24, des dessins animés et des actualités.

« C'est toujours vide aux environs de quatre heures, dit Morris. Installez-vous au dernier rang. Je vous trouverai.

– Que se passe-t-il, Morris ? Vous ne pouvez pas me laisser dans pareille incertitude.

– Il faut que je procède à quelques recherches très discrètes. Ne parlez de ceci à personne. Je crains que ça ne soit très grave.

– Je croyais que tout le monde était fou de joie.

– Je pense que les types de Las Cruces pouvaient faire partie de nos amis en gris. »

Nos « amis en gris » désignaient le Bund germano-américain.

« Des locaux ?

– De plus loin que ça.

- Jésus !

– Ne dites rien. À demain. Bonne nuit. »

Elle raccrocha. Morris parlait de l'Abwehr ou du SD, le Sicherheitsdienst. Pas étonnant qu'il fût inquiet – s'il avait raison, alors les Allemands devaient avoir quelqu'un dans la BSC, un agent double au cœur de l'opération.

« Qui était-ce ? s'enquit Sylvia en sortant de la cuisine. Café ?

– Oui, s'il te plaît. C'était Morris. Un problème de comptabilité à Transoceanic.

– Ah, oui ? » Ils savaient tous quand ils se mentaient, mais personne ne s'en formalisait. Sylvia se contenterait d'enregistrer le fait : c'était trop inhabituel – Morris devait être rudement inquiet pour attirer ainsi l'attention sur lui. Elles burent leur café, écoutèrent un peu de musique à la radio et allèrent se coucher. En s'endormant, Eva crut entendre Sylvia donner un bref coup de téléphone. Elle se demanda si elle aurait dû lui parler des soupçons de Morris mais décida, tout bien pesé, qu'il valait mieux attendre qu'ils soient confirmés ou infirmés avant de les partager. Elle se répéta leur conversation : Morris avait décelé dans les événements de Las Cruces quelque chose qu'elle n'avait pas vu. Elle se demanda aussi si elle devait parler à quelqu'un de son rendez-vous avec lui le lendemain – en guise d'assurance. Mais elle décida que non, il fallait simplement laisser Morris expliquer sa vision des choses. Pour une raison ou une autre, elle avait confiance en lui, et faire confiance à quelqu'un, elle ne le savait que trop bien, était la première et la plus grosse faute que l'on pouvait commettre.


Mais pas de Morris le lendemain au bureau – même à l'heure du déjeuner, il n'avait toujours pas fait d'apparition. Eva travaillait sur une suite à la carte mexicaine, consacrée à une nouvelle génération d'avions de ligne allemands, des quadrimoteurs – basés sur le Condor Fw 200, chasseur de sous-marins – avec un rayon d'action de trois mille cinq cents kilomètres, plus que suffisant pour traverser l'Atlantique entre l'Afrique occidentale et l'Amérique du Sud. À son sens, si elle réussissait à placer dans un journal espagnol – *El Diaro* ou *Independiente* – un article selon lequel une compagnie argentine avait commandé six appareils, il pourrait faire des petits.

Elle en rédigea une première mouture et l'apporta à Angus qui semblait être de plus en plus présent à Transoceanic ces jours-ci et de moins en moins à l'ONA.

Il lut très vite.

« Qu'en pensez-vous ? » demanda-t-elle.

Angus paraissait distrait – et pas particulièrement amical – et elle nota que le cendrier devant lui débordait de mégots écrasés.

« Pourquoi l'Espagne ?

– Mieux vaut commencer par là-bas pour que l'Argentine puisse démentir. On en tirera davantage si ça démarre en Espagne et que c'est ensuite repris en Amérique du Sud. Et puis on pourra l'essayer ici, aux États-Unis.

– Est-ce que ces avions existent ?

– Les Condor existent.

– Bon. Ça me semble bien. Bonne chance. » Il tendit de nouveau la main vers son étui à cigarettes – à l'évidence, il se fichait parfaitement de ce qu'elle racontait.

« Vous n'auriez pas vu Morris, par hasard ? demanda-t-elle.

– Il a dit qu'il devait passer la journée au Rockefeller Center ; il a une affaire à suivre.

– Quelque chose qui ne va pas, Angus ? Il y a un problème ?

– Non, non, répliqua-t-il en réussissant à produire un sourire convaincant. Beaucoup trop de martinis hier soir. »

Elle partit, un peu troublée : ainsi Morris était à la BSC – intéressant qu'Angus le sût. Morris avait-il dit quelque chose à Angus ? Ceci expliquait-il la brusquerie si peu habituelle d'Angus ? Elle ne cessa de réfléchir à ces questions tout en tapant son article sur les Condor avant de le passer à l'un des traducteurs espagnols.

Elle déjeuna tard à une cafétéria sur la VIIᵉ Avenue où elle commanda un sandwich au thon, une part de cheese-cake et un verre de lait. Elle se demanda ce que Morris pouvait bien être en train de glaner au centre. La mission Las Cruces avait sa source à la BSC, bien sûr… Elle mangea son sandwich et, pour la centième fois, reprit la séquence des événements qui l'avait amenée à sa rencontre avec De Baca, à la recherche d'un indice qui aurait pu lui échapper. Qu'avait vu Morris qu'elle n'avait pas vu ? Voyons : De Baca lui tire dessus et s'assure que son corps est retrouvé. Elle a sur elle la carte ainsi que 5 000 dollars. Cela signifie quoi ? Et pour qui ? Une jeune espionne britannique est découverte assassinée au Nouveau-Mexique avec une carte suspecte. Tous les regards – tous les regards du FBI – se tourneraient vers la BSC dont on se demanderait ce qu'elle avait bien pu manigancer. Ce serait hautement embarrassant, très dommageable – un joli contre-complot signé l'« Abwehr », à l'évidence. Un agent anglais découvert en train de distribuer de la propagande anti-nazie. Mais nous ne faisons rien d'autre, à la moindre occasion, se dit-elle, et tout le monde, au FBI, doit bien le savoir – quoi de sensationnel là-dedans ?

Néanmoins, d'autres détails aberrants la tiraient par la manche. Personne n'avait jamais suggéré que l'Abwehr pouvait mener pareille opération aux États-Unis. Une brigade entière la filant de New York à Las Cruces – en outre, un groupe avec de telles ressources et de tels raffinements qu'elle n'avait pas été fichue d'en repérer les membres quelque part en chemin. Elle s'était pourtant énormément méfiée – d'où son succès à semer les corbeaux de Denver. Quelle aurait dû être l'importance de l'équipe ? Six, huit membres ? Se renouvelant constamment, avec peut-être une ou deux femmes ? Elle les aurait repérés, non ? se répétait-elle. Elle n'avait pas arrêté de se tenir sur ses gardes à Las Cruces. Il est très difficile de filer quelqu'un qui se méfie, mais il est vrai qu'elle n'avait pas songé à des femmes. Là encore, elle se demanda : pourquoi me méfiais-je tant ? Étais-je à moitié consciente des cercles qui se formaient autour de moi ? Elle cessa de réfléchir et décida de se rendre plus tôt au cinéma de dessins animés. Rire un peu était peut-être ce dont elle avait besoin.

Assise au dernier rang du cinéma pratiquement désert, elle attendit Morris deux heures durant, en regardant une succession de dessins animés de Mickey Mouse, Donald Duck et Tom et Jerry, entrecoupée de films d'actualités contenant de temps à autre des nouvelles de la guerre en Europe. « La machine de guerre allemande vacille aux portes de Moscou, entonna avec autorité et une lourde insistance le commentateur, le général Hiver prend le commandement du champ de bataille. » Elle vit des chevaux s'enfonçant jusqu'au garrot dans une boue aussi fluide et gluante que du chocolat fondu ; elle vit des soldats allemands épuisés, émaciés, des draps noués autour d'eux en guise de camouflage, courant, l'air hébété, de maison en maison ; des cadavres gelés dans la neige prenant l'allure d'arbres abattus ou d'affleurements de rochers : d'une dureté de fer, fouettés par le vent, inamovibles ; des villages en flammes illuminant les milliers de soldats russes se précipitant à travers les champs glacés pour contre-attaquer. Elle essaya d'imaginer ce qui se passait là-bas, dans la campagne autour de Moscou où elle était née et dont elle ne se souvenait pas du tout, et découvrit que son cerveau refusait de lui fournir des réponses. À son grand soulagement, Donald Duck succéda aux actualités. Les gens se mirent à rire.

Quand il devint évident que Morris ne viendrait pas, et que le cinéma commença lentement mais sûrement à se remplir à mesure que les bureaux fermaient, elle reprit le chemin de son appartement. Elle n'était pas trop inquiète : trois sur quatre de ces rendez-vous arrangés à l'avance ne se concrétisaient jamais – prévenir les autres d'un report ou d'un retard était trop compliqué et trop risqué –, mais des soucis continuaient de la tourmenter. Étaient-ce de vrais soucis ? Peut-être sa propre curiosité quant à ce que Morris aurait eu à raconter la rendait-elle plus nerveuse, plus soucieuse. Il appellerait en temps voulu, se dit-elle. Ils se rencontreraient une autre fois ; elle découvrirait ce qu'il avait découvert.

De retour à l'appartement, elle vérifia les leurres dans sa chambre – Sylvia n'avait pas fouillé, fut-elle heureuse, presque bêtement ravie, de constater. Parfois, elle en avait marre de cette suspicion vigilante, incessante – comment pouvait-on vivre de la sorte ? Toujours surveiller, toujours vérifier, toujours redouter d'être trahie et doublée. Elle se prépara une tasse de café, fuma une cigarette et attendit que Morris téléphone.

Sylvia rentra et Eva lui demanda, d'un air très dégagé, si elle avait vu Morris au centre, aujourd'hui. Non, répliqua Sylvia, lui rappelant au passage que des centaines de personnes travaillaient là maintenant, tant la BSC avait grandi – à la manière d'une entreprise géante, deux étages entiers du gratte-ciel de bureaux remplis, bourrés, débordants sur d'autres étages. Morris aurait pu s'y trouver depuis une semaine sans qu'elle l'ait vu.

Vers huit heures, un malaise léger mais sournois commença à s'emparer d'Eva. Elle appela Transoceanic où l'employé de garde l'informa que Mr Devereux n'était pas venu de la journée. Elle appela Angus Woolf chez lui où le téléphone sonna longtemps dans le vide.

À neuf heures, Sylvia sortit pour aller au cinéma avec un ami voir *Le Faucon maltais*. Restée seule dans l'appartement, Eva s'installa près du téléphone. Une attitude stupide, elle le savait, mais qui ne la réconfortait pas moins pour autant. Elle essaya de se remémorer sa dernière conversation avec Morris. Elle réentendit dans sa tête ce « Nom de Dieu ! » étouffé, comme s'il avait été frappé d'une pensée profonde, ou que la pièce manquante d'un puzzle ait trouvé sa place. Sa voix avait reflété plus de surprise que d'inquiétude, à croire que cette solution potentielle avait été si... si inattendue, si drastique, qu'elle lui avait tiré spontanément cette exclamation. Il avait eu l'intention de tout lui révéler, autrement il n'aurait pas organisé ce rendez-vous dans ce cinéma de dessins animés et, plus important, il avait tenu à lui parler face à face. Face à face, pensa Eva : pourquoi n'a-t-il pas pu me le dire en code simple ? J'aurais compris le message. Trop choquant pour le code simple, peut-être. Trop stupéfiant.

Elle décida d'ignorer les règles de procédure et de téléphoner à l'appartement de Morris.

« Oui, répondit une voix d'homme à l'accent américain.

– Puis-je parler à Elizabeth Wesley, s'il vous plaît ? dit-elle en américanisant aussitôt sa propre élocution.

– Je pense que vous vous êtes trompée de numéro.

– Oh, désolée. »

Elle raccrocha et se précipita sur son manteau. Elle trouva rapidement un taxi à qui elle demanda d'aller à Murray Hill. Morris y habitait dans un grand immeuble d'appartements anonymes, comme eux tous. Elle fit arrêter le taxi deux rues avant et parcourut à pied le reste du chemin. Deux voitures de police étaient garées devant le hall d'entrée. Elle aperçut le portier en train de lire son journal derrière son comptoir. Elle fit le pied de grue pendant cinq minutes, attendant qu'arrive un locataire. Finalement, un couple apparut, disposant de leurs clés, et elle franchit très vite la porte derrière eux, en papotant : « Bonsoir, pardonnez-moi, savez-vous si Linda et Mary Weiss sont au seizième ou au dix-septième étage ? Je viens de les quitter et j'ai oublié mon sac. Cinq A – seizième ou dix-septième. On m'attend dans un club. C'est absurde ! » L'homme fit un signe de la main au portier qui leva les yeux de son journal, jeta un vague regard sur le trio et reprit sa lecture. Le couple ne connaissait pas les Weiss, mais Eva monta avec ses nouveaux amis jusqu'au dixième étage – où ils la quittèrent –, puis poursuivit jusqu'au treizième avant de redescendre par l'escalier de secours au douzième, où habitait Morris.

Deux policiers et Angus Woolf se tenaient devant la porte de l'appartement de Morris. Angus Woolf ? Que fabriquait-il ici ? songea-t-elle. Et elle fut prise de nausée en comprenant, presque aussitôt, que Morris devait être mort.

« Angus, appela-t-elle doucement en s'avançant vers lui, qu'est-il arrivé ? »

Angus fit signe aux flics qu'elle était autorisée et se tourna rapidement sur ses cannes vers elle.

« Vaut mieux que vous foutiez le camp, Eve, dit-il, la mine très pâle. On est dans le Système bleu. »

« Système bleu » signifiait le pire.

« Où est Morris ? » Elle essayait de garder la tête froide, de paraître calme et normale, tout en connaissant la réponse.

« Morris est mort, répliqua Angus. Il s'est tué. » Il était choqué, bouleversé, elle le voyait bien : ils avaient été des collègues, des amis de longue date, bien avant qu'elle ne débarque aux SAC.

« Oh, mon Dieu ! dit-elle, la bouche sèche comme si un petit aspirateur lui siphonnait la salive.

– Il vaut mieux partir, Eve, répéta Angus. Toutes sortes d'emmerdements vont nous tomber dessus. »

C'est alors que Romer sortit de l'appartement de Morris pour parler aux policiers. Il se tourna, jeta un coup d'œil au couloir et la vit. Il vint vers elle à grands pas. « Que fais-tu ici ?

– Je devais prendre un verre avec Morris, répliqua-t-elle. Il était en retard, alors je suis venue. »

Le visage immobile, dénué d'expression, Romer semblait en train d'enregistrer et d'analyser la présence d'Eva.

« Que s'est-il passé ? demanda-t-elle.

– Cachets et whisky. Portes fermées, fenêtres closes. Un billet sans queue ni tête. Quelque chose au sujet d'un garçon.

– Pourquoi ? s'écria Eva spontanément, sans réfléchir.

– Qui sait ? Qui connaît bien qui ? » Romer se tourna vers Angus. « Rappelez le quartier général. On a besoin d'une grosse pointure sur cette affaire. »

Angus partit en boitant et Romer revint vers Eva. Elle sentit qu'il reportait toute son attention sur elle à présent.

« Comment es-tu entrée ici ? demanda-t-il sur un ton hostile. Pourquoi le portier n'a-t-il pas sonné ? »

Elle comprit qu'elle avait commis une erreur : elle aurait dû aller voir le portier et non pas utiliser son petit subterfuge. C'eût été normal : le comportement normal, innocent, qu'on aurait si un ami était en retard pour un verre.

« Il était occupé. Je suis montée, voilà tout.

– Ou peut-être cherchais-tu Elizabeth Wesley ?

– Qui ? »

Romer laissa échapper un petit ricanement. Eva comprit : il était trop malin – et, de toute manière, il la connaissait trop bien.

Il la fixa d'un regard glacial. « Ne jamais sous-estimer la méticuleuse ingéniosité de notre chère Miss Dalton, hein ? »

Et elle sut.

Elle perçut un sifflement strident dans ses oreilles, une note aiguë d'affolement hystérique. Elle posa sa main sur le bras de Romer.

« Lucas, dit-elle tendrement. Je veux te voir ce soir. Je veux être avec toi. »

C'était tout ce qu'elle pouvait faire – de l'instinct pur. Elle avait besoin de gagner quelques secondes avant qu'il ne comprenne tout.

Il jeta un coup d'œil au policier par-dessus son épaule.

« C'est impossible, dit-il. Pas ce soir. » Pendant ces quelques secondes, elle pensa : il sait que Morris et moi avons parlé. Il sait que Morris m'a dit quelque chose et que c'est la raison pour laquelle je suis entrée en douce dans cet immeuble. Il croit que je suis en possession de l'information cruciale, et il essaye d'estimer à quel point je suis dangereuse. Elle vit son expression changer tandis qu'il se tournait de nouveau vers elle. Elle entendait presque leurs deux cerveaux s'activer à plein régime. Deux turbines tournant dans des directions séparées.

« Je t'en prie. Tu me manques. » Possible que cette supplication passionnée le désarçonne, espéra-t-elle. Il y a à peine quelques jours, nous faisions l'amour, possible que ça le désarçonne cinq minutes.

« Écoute, peut-être », dit-il. Il lui prit la main, la serra puis la relâcha. « Stephenson veut te voir. Il semble que Roosevelt mentionnera ta carte dans un discours la semaine prochaine – le 10. Stephenson veut te féliciter lui-même. »

C'est tellement tiré par les cheveux que ça pourrait être vrai, songea-t-elle.

« Stephenson veut me voir ? » répéta-t-elle, l'air ahuri. Ça paraissait inconcevable. William Stephenson était la BSC : c'était son affaire, dans tous les détails – de la cave au grenier.

« Tu es notre super-star, dit-il sans sincérité et en consultant sa montre. Laisse-moi débrouiller cette embrouille. Je passerai te prendre devant chez toi à dix heures. » Il sourit. « Et pas un mot à Sylvia. D'accord ?

– À tout à l'heure. Et puis peut-être, après, on pourrait…

– Je penserai à quelque chose. Écoute, il vaut mieux que tu partes avant qu'un de ces flics ne prenne ton nom. »

Il fit demi-tour et se dirigea vers les policiers.

Dans l'ascenseur, Eva commença à calculer. Elle vérifia l'heure : 20 h 45. Romer serait devant chez elle à vingt-deux heures. En ne la voyant pas venir au bout de cinq minutes, il saurait qu'elle était en fuite. Elle disposait d'à peine plus d'une heure pour disparaître.


Elle décida qu'elle n'avait pas le temps de retourner à l'appartement – tout devait être abandonné au profit d'une sécurité et d'une fuite immédiates. En attendant le métro, elle vérifia le contenu de son sac : son passeport au nom d'Eve Dalton, environ 30 dollars, un paquet de cigarettes, un rouge à lèvres, un poudrier. Était-ce suffisant, se demanda-t-elle avec un pauvre sourire, pour commencer une nouvelle vie ?

En route pour Brooklyn, elle repassa au crible les détails de sa dernière entrevue avec Romer et en examina avec lenteur et méthode toutes les implications. Pourquoi avait-elle été si soudainement, si immédiatement convaincue que Romer était plus ou moins derrière les événements de Las Cruces et la mort de Morris Devereux ? Peut-être se trompait-elle ?… Peut-être était-ce Angus Woolf ? Peut-être avait-ce été Morris, jouant un jeu compliqué visant à la piéger, endossant le rôle de l'innocent ? Mais elle savait que Morris ne s'était pas suicidé : vous ne prenez pas un rendez-vous d'une importance capitale pour décider brusquement de l'annuler en mettant fin à vos jours. Cependant, elle devait l'admettre, Romer n'avait rien laissé paraître, alors pourquoi cette certitude absolue ? Pourquoi sentait-elle qu'elle devait fuir tout de suite, comme si sa vie en dépendait ? Le cliché la troubla, lui donna la chair de poule – sa vie en dépendait vraiment. Pour Morris, c'était le fait qu'elle n'ait pas donné la carte à Raul qui était la clé, l'indice essentiel. Pourquoi n'avait-elle pas donné la carte à Raul ? Parce qu'elle l'avait examinée et l'avait trouvée défectueuse. Qui lui avait demandé de vérifier la marchandise ? Personne.

Elle entendit la voix de Romer, la voix de son amant, comme s'il était à côté d'elle : « Ne jamais sous-estimer la méticuleuse ingéniosité de notre chère Miss Dalton, hein ? »

C'est là qu'elle avait compris. Compris ce que Morris avait deviné. Elle n'avait pas une vision claire de toute l'affaire, de la manière dont le jeu était censé se terminer, mais elle avait compris, tandis qu'elle lui parlait devant l'appartement du malheureux Morris, que Romer l'avait expédiée en mission à Las Cruces en sachant parfaitement une chose : il savait, absolument, sans le moindre doute, qu'elle ne remettrait jamais la marchandise sans l'examiner. Il la connaissait bien, il savait parfaitement ce qu'elle ferait dans pareille situation. Avoir à admettre qu'elle pouvait être si facilement percée à jour, si superbement programmée et manipulée la fit rougir de honte. Mais pourquoi avoir honte ? se dit-elle, un peu en colère. Romer savait qu'elle ne serait jamais un messager automatique, un presse-bouton aveugle, c'est pourquoi il l'avait proposée pour la mission. Même scénario à Prenslo – elle avait fait preuve d'initiative, pris des décisions spontanées, porté des jugements difficiles. Même chose avec Mason Harding. La tête se mit à lui tourner : à croire qu'il avait testé, évalué ce que serait son comportement en ces circonstances. Et soudain elle pensa : Romer avait-il aussi mis ces agents du FBI à ses trousses, sachant parfaitement encore qu'elle les sèmerait – et par conséquent éveillerait les soupçons ? Elle commença à se sentir refaite, battue, comme si elle avait joué aux échecs avec un grand maître qui aurait toujours dix, vingt, trente mouvements d'avance. Mais pourquoi Lucas Romer souhaitait-il sa mort ?

Dans l'appartement de Brooklyn, elle alla droit à la salle de bain et décrocha du mur le placard des médicaments. Elle ôta la brique descellée derrière, prit le passeport au nom de Margery Allerdice et une petite liasse de billets : elle possédait presque 300 dollars d'économies. Alors qu'elle remettait le placard en place, elle s'arrêta. « Non, Eva », dit-elle à voix haute.

Elle ne devait pas l'oublier – elle ne pourrait jamais l'oublier : elle avait à faire à Lucas Romer, un homme qui ne la connaissait que trop bien, mieux que quiconque, semblait-il. Elle s'assit, presque étourdie par l'idée qu'elle venait d'avoir : Romer voulait qu'elle s'enfuie, il s'attendait à ce qu'elle le fasse ; ce serait beaucoup plus facile de lui régler son compte si elle était en fuite, loin de chez elle. Alors réfléchis, s'enjoignit-elle, réfléchis deux fois, trois fois. Mets-toi dans la tête de Romer – évalue ce qu'il sait et ce qu'il pense de toi, Eva Delectorskaya – et puis surprends-le.

Elle raisonna : Romer n'aurait pas cru à la sincérité de son invitation à passer la nuit ensemble, pas une seule seconde. Il savait qu'elle le soupçonnait ; il savait qu'elle ne croyait pas que Morris se fût suicidé. Il avait probablement compris aussi que c'était terminé à l'instant où elle avait surgi dans le couloir devant chez Morris et, par conséquent, sa suggestion d'un rendez-vous à vingt-deux heures constituait presque une invitation pour elle à s'enfuir. Elle se rendit compte soudain qu'elle n'avait pas d'avance : elle ne disposait ni d'une heure ni d'une demi-heure – elle n'avait pas de temps du tout.

Elle quitta aussitôt l'appartement, se demandant si Romer connaissait son adresse. Elle ne le pensait pas et, en descendant la rue, elle eut la confirmation que personne ne la suivait. Elle glissa son passeport au nom d'Eva Dalton dans une grille du caniveau et l'entendit tomber dans l'eau avec un léger « floc ». Elle était désormais Margery Allerdice – quelqu'un que Romer connaissait, naturellement, il connaissait tous les pseudonymes qu'il fournissait à ses agents –, Margery Allerdice ne l'emmènerait pas très loin.

L'emmener où, d'ailleurs ? se dit-elle en se hâtant vers la station de métro. Elle avait deux choix très simples : soit vers le sud et le Mexique, soit vers le nord et le Canada. Tout en réfléchissant, elle se surprit à se demander ce que Romer attendait qu'elle fît. Elle revenait tout juste de la frontière mexicaine – supposerait-il qu'elle y retournerait ou bien qu'elle prendrait la direction opposée, au nord ? Elle aperçut un taxi en maraude et le héla. « Penn Station », ordonna-t-elle – et donc le sud, vers le Mexique, la meilleure décision, c'était raisonnable ; elle savait où et comment traverser la frontière.

En route vers la gare, elle continua à examiner les ramifications de ce plan. Le train – était-ce la chose à faire ? Romer ne s'attendrait pas à ce qu'elle utilise le train : trop évident, trop facile à vérifier, plus facile d'être piégée dans un train – non, il penserait bus ou voiture, et donc en prenant un train elle pouvait gagner du temps. Elle n'arrêta pas de réfléchir à Romer et à la façon dont son cerveau travaillait tandis qu'elle traversait l'East River en direction des tours illuminées de Manhattan, consciente que ce n'était qu'ainsi qu'elle assurerait sa survie. Eva Delectorskaya contre Lucas Romer. Ce ne serait pas facile – de fait, il l'avait formée, tout ce qu'elle savait venait de Romer, passé de lui à elle d'une manière ou d'une autre. Et donc elle devait retourner contre lui ses propres méthodes, ses petites manœuvres et diverses spécialités... Elle avait seulement besoin d'un peu de temps, juste un jour ou deux d'avance sur lui, assez pour couvrir ses traces, lui rendre la tâche plus difficile... Elle se recroquevilla sur la banquette arrière du taxi : c'était une soirée glaciale de décembre, un peu de soleil mexicain serait bien agréable, un peu de soleil brésilien... C'est alors qu'elle comprit qu'elle devait filer au nord. Elle tapota l'épaule du chauffeur.

À la gare de Grand Central, elle prit un billet pour Buffalo – 23 dollars – et tendit deux coupures de 20 dollars. L'employé lui rendit sa monnaie avec son billet. Elle le remercia, s'éloigna et attendit qu'il ait servi deux autres clients avant de revenir au guichet interrompre la transaction en cours et déclarer : « Ça, c'est la monnaie sur 40 dollars, je vous ai donné un billet de 50. »

La dispute fut impressionnante. L'employé – un homme d'âge mûr, les cheveux traversés d'une raie médiane si sévère qu'on l'aurait crue rasée sur place – refusa de bouger ou de s'excuser. On appela un sous-directeur. Eva exigea un directeur. On s'impatienta dans la file d'attente – « Grouillez-vous, là-bas, madame ! » cria quelqu'un – et Eva s'en prit à tout le monde, affirmant en larmes qu'on l'avait escroquée de 10 dollars. Quand elle commença à pleurer, le sous-directeur l'emmena dans un bureau où, presque aussitôt, elle se calma et annonça qu'elle allait consulter ses avocats. Elle ne manqua pas de noter le nom du sous-directeur – Enright – et du préposé aux billets – Stefanelli – et le prévint que tous deux n'avaient pas fini d'entendre parler d'elle, non monsieur : quand les chemins de fer Delaware & Hudson se mettaient à escroquer d'innocents clients, quelqu'un se devait de s'insurger et de se battre.

Elle retraversa l'immense hall, très contente d'elle – et surprise par la facilité avec laquelle elle avait réussi à verser de vraies larmes. À un autre guichet, plus loin, elle prit un second billet, cette fois pour Burlington. Le dernier train partait dans trois minutes. Elle descendit à toute allure la rampe menant au quai et embarqua trente secondes avant le départ.

Elle s'installa, regarda filer les faubourgs illuminés et tenta une fois de plus de se mettre à la place de Romer. Que penserait-il du ramdam au Grand Central ? Il saurait que c'était un coup monté – un vieux truc pour attirer délibérément l'attention sur vous : vous faites un énorme scandale en achetant un billet pour la frontière canadienne parce que c'est précisément là où vous n'allez pas. Mais Romer ne marcherait pas – trop facile –, il n'irait plus voir du côté sud maintenant. Non, Eva, se dirait-il, tu ne vas pas à El Paso ou à Laredo – ça, c'est ce que tu veux que je crois. En réalité, tu vas au Canada. Romer soupçonnerait le double bluff immédiatement, mais alors, parce qu'on ne devait jamais sous-estimer la méticuleuse ingéniosité d'Eva Delectorskaya, le doute s'insinuerait : il se mettrait à penser, non, non... c'est peut-être un triple bluff... C'est précisément ce qu'Eva veut que je croie, que je conclue qu'elle va au Canada alors qu'en fait elle va au Mexique. Elle espérait avoir raison : Romer avait l'esprit très tordu – son quadruple bluff suffirait-il à le tromper ? Elle pensait que oui. Il lirait la pièce en entier et se dirait : oui, en hiver les oiseaux émigrent au sud.

À la gare de Burlington, elle téléphona à Paul Witoldski à Franklin Forks. Il était minuit passé.

« Qui est-ce ? » La voix de Witoldski était dure, irritée.

« Je suis bien à la boulangerie Witoldski ?

– Non. C'est la blanchisserie chinoise Witoldski.

– Puis-je parler à Julius ?

– Il n'y a pas de Julius ici.

– C'est Eve », dit-elle.

Il y eut un silence. Puis Witoldski demanda : « Est-ce que j'ai raté une réunion ?

– Non. J'ai besoin de votre aide, Mr Witoldski. C'est urgent. Je suis à la gare de Burlington. »

Nouveau silence. « Je serai là dans trente minutes. »

Tout en attendant l'arrivée de Witoldski, elle songea : on nous presse, on nous implore, on nous instruit, on nous ordonne, on nous supplie de ne jamais faire confiance à quiconque – ce qui est bien beau mais, parfois, dans des situations désespérées, il ne vous reste que la confiance comme recours. Il lui fallait faire confiance à Witoldski pour l'aider ; Johnson, à Meadowville, aurait été le choix évident – et elle pensait qu'elle pouvait se fier à Johnson aussi, mais Romer l'avait déjà accompagnée à Meadowville. À un moment donné, il appellerait Johnson : il connaissait également Witoldski mais il appellerait Johnson en premier. Witoldski pouvait lui faire gagner une heure ou deux.

Un break boueux, avec WXBQ Franklin Forks peint sur le côté, s'arrêta sur le parking. Witoldski, pas rasé, portait une veste à carreaux et un pantalon ciré de marin.

« Vous avez des problèmes ? demanda-t-il en cherchant du regard la valise d'Eva.

– Un petit ennui, avoua-t-elle, et il faut que je sois au Canada dès cette nuit. »

Il réfléchit un moment et se frotta le menton : elle entendit racler les repousses râpeuses.

« Ne m'en dites pas plus », conseilla-t-il. Il lui ouvrit la portière de la voiture.

Ils prirent en direction du nord, sans beaucoup parler : il sentait la bière et le rance – de vieux draps, voire un corps mal lavé –, mais elle ne s'en plaignait pas. Ils s'arrêtèrent pour faire le plein à une station de Champlain, et il lui demanda si elle avait faim. Elle répondit que oui et il revint à la voiture avec un paquet de petits pains aux figues – les Petits Pains aux Figues du Gouverneur, proclamait l'emballage. Elle en dévora trois, l'un après l'autre, alors qu'ils tournaient à l'ouest et, d'après les poteaux indicateurs, se dirigeaient vers une ville nommée Chateaugay. Mais juste avant d'y arriver, Witoldski vira dans une route de gravier et ils commencèrent à grimper à travers des bois de pins, la route se réduisant à une simple piste, les branches des arbres frottant la voiture à mesure qu'ils avançaient, un léger murmure métallique dans les oreilles. Ce sont des pistes de chasseurs, expliqua Witoldski. Eva somnola un moment et rêva de figues et de figuiers au soleil, jusqu'à ce que l'arrêt de la voiture la réveille.

L'aube était proche : l'argent terni du ciel semblait accentuer la noirceur des pins. Witoldski désigna un carrefour éclairé par ses phares.

« Au bout d'un kilomètre et demi sur cette route, vous arriverez à Sainte-Justine. »

Ils descendirent de voiture et Eva sentit le froid l'attaquer de plein fouet. Elle vit Witoldski regarder ses minces chaussures de ville puis aller jusqu'à l'arrière du break, en ouvrir le hayon et revenir avec une écharpe et un vieux cardigan graisseux qu'elle enfila sous son manteau.

« Vous êtes au Canada, annonça-t-il. Au Québec. Ils parlent français ici. Vous le parlez ?

– Oui.

– Question idiote.

– Je voudrais vous donner un peu d'argent pour l'essence – et votre temps…

– Filez ça à une organisation charitable, ou bien souscrivez à un emprunt de guerre.

– Si quelqu'un vient, dit-elle, si quiconque vous interroge à mon sujet, dites la vérité. Pas besoin de me protéger.

– Je ne vous ai jamais vue, répliqua-t-il. Qui êtes-vous ? J'étais à la pêche.

– Merci. » Peut-être aurait-elle dû embrasser cet homme. Mais il lui tendit la main et elle la serra brièvement.

« Bonne chance, Miss Dalton ! » lança-t-il. Il remonta en voiture, tourna au croisement et disparut, laissant Eva dans une obscurité si totale qu'elle n'osa pas, tout d'abord, avancer d'un pas. Mais peu à peu ses yeux s'accoutumèrent, et elle commença à distinguer les cimes en dents de scie des arbres sur un ciel virant lentement au gris, et le tracé pâle de la route là où celle-ci bifurquait. Elle resserra l'écharpe de Witoldski autour de son cou et prit la piste en direction de Sainte-Justine. Elle s'enfuyait vraiment à présent, songea-t-elle, elle s'était enfuie dans un autre pays et, pour la première fois, elle se sentit un peu plus en sécurité. On était un dimanche matin, s'avisa-t-elle, en entendant ses pas crisser sur le gravier et les premiers oiseaux se mettre à chanter – le dimanche 7 décembre 1941.

# 11

# Mendier en menaçant

J'ai fermé la porte de la cuisine à double tour ; Ilse et Luger étaient sortis dans Oxford et je ne voulais pas de surprise. C'était le moment du déjeuner et je disposais d'une heure avant l'arrivée de Hamid. J'ai éprouvé un sentiment bizarre en entrant dans la pièce occupée par Ludger et Ilse – ma Salle à Manger, me suis-je rappelé à moi-même – et je me suis rappelé aussi que je n'y avais pas mis les pieds depuis que Ludger y avait pris racine.

On aurait cru que des réfugiés s'y étaient terrés pendant un mois ou plus. Ça sentait les vieilles fringues, les cigarettes et l'encens. Par terre, sur deux matelas gonflables, gisaient des sacs de couchage ouverts – vieux, couleur kaki, des trucs militaires froissés, évoquant quelque chose autrefois vivant, une peau morte, un membre géant en décomposition – qui servaient de lits. Ici et là s'amoncelaient des petits tas de nourriture et de boissons – boîtes de thon et de sardines, canettes de bière et de cidre, barres de chocolat et biscuits –, à croire que les occupants s'attendaient à subir une sorte de siège. Tables et chaises avaient été poussées contre le mur et faisaient office de penderie : jeans, chemises, blouses, dessous pendus ou étalés sur tout rebord, dossier ou surface plane. Dans un autre coin, j'ai avisé le sac avec lequel Ludger était arrivé ainsi qu'un volumineux paquetage – ex-surplus de l'armée – que j'ai supposé appartenir à Ilse.

J'ai noté sa position contre le mur avec beaucoup de soin et, avant de soulever le gros rabat, la pensée m'est soudain venue qu'elle avait peut-être placé des repères. « Des leurres », ai-je dit à voix haute, ce qui m'a tiré un ricanement : je vivais trop dans le passé de ma mère – et pourtant je me livrais à une fouille clandestine de la chambre de mes locataires. J'ai défait la boucle et sondé le contenu du sac. J'ai découvert quelques livres de poche écornés (en allemand : deux Stefan Zweig), un Instamatic, un petit nounours déplumé avec le nom ULI cousu dessus, plusieurs boîtes de préservatifs et un truc de la taille d'une moitié de brique enveloppé de papier alu. J'ai compris ce que c'était et je l'ai reniflé : de la drogue, de la marijuana. J'ai soulevé un coin de l'alu et j'ai aperçu une masse épaisse couleur chocolat. J'en ai pris un petit bout entre l'index et le pouce et je l'ai goûté – je ne sais pas pourquoi : étais-je du genre expert ès drogues, capable d'en identifier la provenance ? Non, pas du tout, même si j'aimais bien me rouler un joint de temps à autre, mais ça me paraissait le geste à avoir quand on enquêtait sur les possessions des autres. J'ai remis l'alu en place et rangé le tout. J'ai fouillé les autres poches du sac à dos sans rien trouver d'intéressant. Je n'étais pas très sûre de ce que je recherchais précisément : une arme ? un revolver ? une grenade ? J'ai refermé la porte derrière moi et suis allée me confectionner un sandwich.

En arrivant pour sa leçon, Hamid m'a tendu une enveloppe et un prospectus. Le prospectus annonçait une manif devant Wadham College contre la visite officielle d'Ashraf, la sœur du shah d'Iran. L'enveloppe contenait une invitation polycopiée à une réception, le vendredi soir, dans les salons du Captain Bligh Pub sur Cowley Road.

« Qui donne la soirée ? ai-je demandé.

– Moi, a répliqué Hamid. Pour dire au revoir. Je pars en Indonésie le lendemain. »


Ce soir-là, une fois Jochen couché et Ludger et Ilse disparus au pub – ils m'invitaient toujours mais je refusais de même –, j'ai appelé l'inspecteur Frobisher.

« J'ai eu un coup de téléphone de cette fille, Ilse, ai-je dit. On a dû lui donner mon numéro par erreur – elle demandait quelqu'un que je ne connaissais pas, un certain James. Je pense que ça venait de Londres.

– Non, en ce moment, nous sommes sûrs qu'elle se trouve à Oxford, Miss Gilmartin.

– Oh ! » Ça m'a désarçonnée. « Qu'est-elle censée avoir fait ? »

Un silence puis : « Je ne devrais pas vous le dire, mais elle vivait dans un squat à Tooting Bec. On pense qu'elle vendait de la drogue, mais les plaintes à son sujet tournent autour d'une mendicité agressive. Mendier en menaçant, si vous voyez ce que je veux dire.

– Ah bon. Elle n'est donc pas une anarchiste ?

– Qu'est-ce qui vous fait dire ça ? » Il y avait un nouvel intérêt dans sa voix.

« Aucune raison. Simplement tous ces trucs dans les journaux, vous comprenez.

– Juste, ouais… Eh bien, Londres veut que nous l'arrêtions. Nous ne voulons pas de personnes de sa sorte à Oxford », ajouta-t-il d'un ton bêtement suffisant : Oxford était plein de toutes sortes de gens – aussi bizarres, dérangés et déplaisants qu'il en existe. Une Ilse de plus ou de moins ne changerait rien à l'affaire.

« Je ne manquerai pas de vous rappeler si elle téléphone de nouveau, ai-je dûment promis.

– Merci mille fois, Miss Gilmartin. »

J'ai raccroché en pensant à Ilse, maigre, tristounette, négligée, et je me suis demandé quelle dose d'agressivité elle pouvait bien déployer en mendiant. N'avais-je pas commis une erreur en appelant Frobisher – il était très intéressé –, et pour quelle raison avais-je parlé de terrorisme ? Ça, c'était une gaffe franchement stupide. J'avais cru abriter par inadvertance la seconde génération de la bande à Baader et je découvrais qu'il ne s'agissait que de classiques pauvres nullards.

La manif devant Wadham College était prévue à six heures du soir, au moment de l'arrivée de la sœur du sha venue inaugurer la nouvelle bibliothèque financée par son frère. Je suis allée chercher Jochen à Grindle's et nous avons pris un bus pour le centre. Nous avons eu le temps de nous offrir une pizza et un Coca-Cola à la pizzeria de St Michael's Street avant de repartir tranquillement, main dans la main, en direction de Wadham.

« C'est quoi, une manifestation, Maman ? a voulu savoir Jochen.

— Nous protestons. Nous protestons contre le fait que l'université d'Oxford accepte l'argent d'un tyran et d'un dictateur, un homme appelé le shah d'Iran.

— Le shah d'Iran, répéta-t-il, aimant le son des mots. Hamid sera là ?

— Sans aucun doute, je dirais.

— Il vient aussi d'Iran, non ?

— Mais oui, bien sûr, mon intelligent petit garçon… »

Je me suis arrêtée net, stupéfaite – il semblait y avoir près de cinq cents personnes rassemblées en deux groupes sur chaque côté de l'entrée principale du College. Je m'étais attendue à l'habituel modeste quorum de gauchistes convaincus et de punks en quête de rigolade mais pas à des douzaines de policiers, bras dessus, bras dessous, maintenant un espace aussi large et désert que possible devant le bâtiment. D'autres, dans la rue, l'oreille collée à leurs walkies-talkies, faisaient circuler impatiemment les voitures. Il y avait des banderoles proclamant DICTATEUR, TRAÎTRE, ASSASSIN et LA HONTE D'OXFORD et (plus drôle) LE SHACAL D'IRAN, et des slogans scandés en farsi orchestrés par un homme masqué armé d'un mégaphone. Pourtant l'atmosphère était étrangement festive – peut-être parce que c'était un beau soir d'été, peut-être parce qu'il s'agissait d'une manifestation oxonienne bien convenable, ou peut-être encore parce qu'il semblait difficile d'être vraiment scandalisé ou révolté par l'inauguration d'une nouvelle bibliothèque. On souriait beaucoup, on riait, on plaisantait – mais j'étais quand même impressionnée : j'avais devant moi la plus grande manifestation politique que j'aie jamais vue à Oxford. Ça me rappelait mon époque Hambourg et, avec Hambourg, Karl-Heinz et toutes les marches et manifs ferventes, folles furieuses, auxquelles nous avions participé ensemble. Mon humeur s'en est pas mal ressentie.

J'ai repéré Hamid dans un groupe d'Iraniens en train de psalmodier leurs slogans avec l'homme au mégaphone tout en pointant théâtralement le doigt à l'unisson. Les petits plaisantins anglais, avec leurs vestes de treillis et leurs keffiehs, avaient l'air d'amateurs : pour eux, cette affaire tenait du programme extra-universitaire, sans véritable enjeu – une petite distraction par une soirée ensoleillée.

J'ai regardé la foule et les policiers suants et harassés contenir les molles poussées des protestataires. J'ai vu deux autres douzaines de flics descendre la rue, après avoir débarqué de camionnettes garées devant Keble. La sœur du shah devait être sur le point d'arriver. Puis j'ai reconnu Frobisher : il était debout sur un muret avec d'autres journalistes et photographes et appuyait à tour de bras sur le déclencheur de son appareil photo braqué sur la foule des manifestants. Je lui ai vite tourné le dos et j'ai failli me cogner à Ludger et Ilse.

« Hé, Ruth ! s'est écrié Ludger avec un large sourire, apparemment content de me voir. Et voilà Jochen aussi. Épatant ! Tiens, prends un œuf. »

Ilse et lui avaient chacun deux cartons d'une douzaine d'œufs qu'ils distribuaient à tout venant.

Jochen s'est saisi d'un œuf avec précaution. « Qu'est-ce que je fais avec ? » a-t-il dit, mal à l'aise – il ne s'était pas vraiment pris de sympathie pour Ludger malgré l'incessante et aimable jovialité de ce dernier, mais il aimait bien Ilse. Je me suis également emparée d'un œuf, histoire de l'encourager.

« Dès que tu vois la dame riche sortir de la limousine, tu le lui jettes dessus, a expliqué Ludger.

– Pourquoi ? » a demandé Jochen – raisonnablement à mon sens –, mais, avant que quiconque ne puisse lui donner une réponse convaincante, Hamid l'avait soulevé et installé sur ses épaules.

Devais-je jouer les mères responsables ? J'ai décidé que non – il n'est jamais trop tôt dans la vie pour tenter de détruire le mythe du système tout-puissant. Et merde ! La contre-culture a la vie dure, et de toute façon ça ne pouvait pas faire de mal à Jochen Gilmartin que de jeter un œuf à la figure d'une princesse persane… Tandis que Jochen contemplait la scène juché sur les épaules de Hamid, je me suis tournée vers Ilse.

« Tu vois ce photographe en blouson de jean, sur le muret avec les autres, les journalistes ?

– Oui. Et alors ?

– C'est un policier. Il te recherche. »

Elle a aussitôt tourné le dos et tiré de sa poche un chapeau – un chapeau de brousse, bleu pâle, avec un rebord souple – qu'elle a bien enfoncé sur sa tête avant de chausser une paire de lunettes de soleil.

Elle a chuchoté quelque chose à Ludger et ils se sont fondus dans la foule.

Tout à coup, les policiers ont commencé à s'interpeller et à se faire des signes. La circulation a été stoppée et un cortège de voitures, précédé de deux motards avec phares illuminés, a déboulé à une certaine allure dans Brown Street. Huées et hurlements ont viré à l'aigu quand les voitures se sont arrêtées et que les gardes du corps en ont jailli, protégeant une petite silhouette en robe et veste de soie turquoise. J'ai aperçu une chevelure noire crêpée et laquée, de grandes lunettes de soleil et, tandis qu'on poussait vite la princesse en direction de la loge du portier et du comité d'accueil composé de professeurs nerveux, les œufs ont commencé à voler. Le bruit qu'ils faisaient en s'écrasant ressemblait à des coups de fusil étouffés.

« Vas-y, Jochen ! » ai-je spontanément crié – et je l'ai vu balancer son œuf. Hamid l'a gardé encore un instant sur ses épaules puis l'a laissé glisser par terre devant lui.

« J'ai touché un homme à l'épaule, s'est vanté Jochen. Un des hommes à lunettes noires.

– Bravo, ai-je approuvé. Maintenant, rentrons à la maison. Assez d'excitation pour aujourd'hui. »

Nous avons fait nos adieux et sommes repartis par Broad Street puis Banbury Road. Au bout d'une minute ou deux, à notre surprise, Ludger et Ilse nous ont rejoints. Jochen a aussitôt entrepris de leur expliquer qu'il avait délibérément choisi de ne pas viser la dame parce qu'elle avait une jolie robe – jolie et chère.

« Hé, Ruth, a lancé Ludger en se portant à ma hauteur, merci de m'avoir prévenu au sujet du flic. »

Ilse tenait la main de Jochen : elle lui parlait en allemand.

« J'ai pensé qu'elle avait un problème encore plus sérieux, ai-je dit. Je crois qu'ils veulent simplement l'avertir.

– Non, non. » Ludger a ri nerveusement. Puis, baissant la voix : « Elle déménage un peu. Vaguement cinglée. Rien de grave, tu vois.

– Parfait, ai-je répliqué. Elle est juste comme nous tous, alors. »

Jochen s'est accroché de l'autre main à Ludger. « Balance-moi, Ludger. »

Ilse et Ludger se sont mis à balancer Jochen entre eux alors que nous remontions vers l'appartement, Jochen riant d'un plaisir sans bornes et réclamant à chaque mouvement d'être expédié plus haut, plus haut encore.

J'ai ralenti un peu mon allure, me suis baissée pour rajuster la lanière de ma sandale et je n'ai pas vu la voiture de police jusqu'à ce qu'elle s'arrête à ma hauteur. À travers la vitre ouverte, l'inspecteur Frobisher m'a souri.

« Miss Gilmartin, j'ai pensé que c'était vous. Puis-je vous dire un mot ? » Il est descendu de voiture tandis que le chauffeur demeurait à l'intérieur. J'ai senti que Ludger, Ilse et Jochen poursuivaient leur chemin et j'ai réussi à ne pas regarder dans leur direction.

« Je voulais simplement que vous sachiez, a déclaré Frobisher. La jeune Allemande… il semble qu'elle soit de nouveau à Londres.

– Ah bon.

– Vous avez vu la manif ?

– Oui, j'étais dans Broad Street. Certains de mes étudiants y participaient. Des Iraniens, vous comprenez…

– Ouais, c'est ce dont je voulais vous parler, a-t-il dit en s'écartant de son véhicule. Vous fréquentez, je crois, la communauté des étudiants étrangers.

– Je ne dirais pas "fréquenter" mais je donne en effet pas mal de cours à des étudiants étrangers, tout au long de l'année. » J'ai écarté une mèche de cheveux de mes yeux et j'ai profité du geste pour jeter un coup d'œil sur la route. Ludger, Ilse et Jochen se trouvaient à peu près à cent mètres de là, immobiles à présent, tournés vers moi, Ilse tenant la main de Jochen.

« Laissez-moi vous le dire, Miss Gilmartin, a repris Frobisher, en donnant à sa voix un ton confidentiel assez insistant : nous serions très intéressés par ce que vous pourriez entendre ou voir d'inhabituel – côté politique, genre anarchistes, gauchistes. Italiens, Allemands, Arabes. Tout ce qui vous étonne – passez-nous un petit coup de fil, racontez-nous. » Il a souri avec sincérité, et non par politesse, et j'ai entraperçu soudain le vrai Frobisher, son zèle et son sérieux. Sous les plaisanteries toutes faites et l'air d'ennui constant, se cachait un type habile, intelligent, ambitieux. « Vous pouvez approcher ces gens de plus près que nous, vous entendez des choses que nous n'entendrions jamais, a-t-il ajouté, baissant encore la garde, et si vous nous appeliez de temps en temps – peu importe qu'il ne s'agisse que d'une intuition – nous y serions vraiment très sensibles. »

Est-ce ainsi que ça commence ? ai-je pensé. Est-ce ainsi que démarre une vie d'espion ?

« Certainement, ai-je répondu. Si jamais j'entends quelque chose. Mais ils sont plutôt inoffensifs et ordinaires ; ils essayent tous d'apprendre l'anglais.

– Je sais. À 99,9 %. Mais vous avez vu les graffitis. On songe aux Italiens d'extrême droite et aux Allemands d'extrême gauche. Ils doivent être dans les parages pour qu'on trouve ces trucs-là écrits sur les murs. »

Ce qui était vrai : Oxford était de plus en plus peinturluré d'incompréhensibles slogans euro-agit-prop – ORDINE NUEVO – DAS VOLK WIRD DICH RACHEN – CACA-PIPI-TALISME –, incompréhensibles du moins pour les Anglais.

« Je vois, ai-je dit. Si je tombe sur quoi que ce soit, je vous passe un coup de fil. Pas de problème. J'ai votre numéro. »

Il m'a encore remerciée, a répété qu'il garderait le contact, m'a conseillé de prendre soin de moi, m'a serré la main avant de remonter dans sa bagnole qui a opéré un virage à cent quatre-vingts degrés pour refiler vers le centre-ville.

J'ai rejoint le trio.

« Qu'est-ce qu'il te voulait ce policier, Maman ? s'est inquiété Jochen.

– Il cherchait un petit garçon qui a lancé un œuf. » Les adultes ont ri, mais ça n'a pas amusé Jochen.

« Tu t'es déjà servie de cette plaisanterie. Elle est pas drôle. »

Alors que nous nous remettions en chemin, j'ai retenu Ilse à un pas ou deux en arrière.

« Pour une raison ou une autre, ils te croient de retour à Londres. Je pense donc que tu es en sécurité ici.

– Merci beaucoup pour ça, Ruth. Je suis très reconnaissante.

– Pourquoi est-ce que tu mendies ? Ils disent que tu mendies agressivement – avec des menaces ? »

Elle a soupiré. « Seulement au début, je mendiais. Ouais. Mais plus maintenant. » Elle haussa les épaules. « Dans la rue, il y a beaucoup d'indifférence, tu sais. Ça me mettait en colère.

– Que faisais-tu à Londres, de toute façon ?

– Je suis partie de chez moi – de Düsseldorf. Ma meilleure amie à l'école a commencé à baiser avec mon père. C'était impossible. Il fallait que je parte.

– Oui, oui, ai-je dit. Je vois comment tu as pu être amenée à… Que vas-tu faire maintenant ? »

Ilse a réfléchi une seconde puis a eu un vague geste de la main.

« Je pense que Ludger et moi on trouvera un appart à Oxford. Peut-être qu'on peut squatter. J'aime bien Oxford. Ludger dit que peut-être on peut faire un peu de porno.

– À Oxford ?

– Non, à Amsterdam. Ludger connaît un type qui produit des vidéos. »

J'ai jeté un coup d'œil à la maigre fille blonde à côté de moi en train de farfouiller dans son sac à la recherche d'une cigarette – presque jolie, si ce n'était ce quelque chose de mou dans l'arrondi des traits qui la rendait quelconque. Une fille quelconque.

« Si j'étais toi, je ne ferais pas du porno, Ilse. Ça aide seulement des pauvres types à se branler.

– Ouais… » Elle a de nouveau réfléchi. « T'as raison. Je préfère vendre de la drogue. »

Nous avons rattrapé Ludger et Jochen et poursuivi notre chemin en commentant la manif, la manière dont Jochen avait fait mouche avec son œuf dès le premier coup. Mais je me suis surprise à songer, Dieu sait pourquoi, à l'offre de Frobisher : Tout ce que vous entendriez… ne serait-ce qu'une intuition, nous y serions vraiment très sensibles.

# L'histoire d'Eva Delectorskaya

## Ottawa Canada, 1941

Eva Delectorskaya regarda par la vitre de l'autobus les lumières multicolores et les décorations de Noël dans les vitrines des grands magasins d'Ottawa. Elle était en route pour son bureau et avait réussi à trouver une place près de l'avant, comme d'habitude, pas loin du chauffeur, de façon à pouvoir plus facilement vérifier les mouvements des passagers. Elle ouvrit son livre et fit semblant de lire. Elle se rendait à Somerset Street dans le centre d'Ottawa mais elle descendait en général quelques arrêts avant ou après sa destination et, quel que fût l'endroit choisi, elle adoptait un chemin détourné pour atteindre le ministère du Ravitaillement. Pareilles précautions ajoutaient environ vingt minutes à son trajet, mais sachant qu'elle les avait prises, elle se sentait plus calme et plus à l'aise toute la journée.

Elle était sûre, presque à cent pour cent sûre, que personne ne l'avait jamais suivie depuis qu'elle vivait et travaillait à Ottawa. Néanmoins les vérifications faisaient en permanence partie de sa vie désormais : elle avait fui New York deux semaines auparavant – quinze jours demain, s'avisa-t-elle soudain – mais rien n'était encore certain.

Elle était arrivée à Sainte-Justine alors que le village se réveillait et, dans le drugstore, en compagnie des consommateurs matinaux, elle avait commandé un café et un beignet avant d'attraper le premier autobus pour Montréal. Là, elle fit couper puis teindre en châtain foncé ses longs cheveux ; elle passa la nuit dans un petit hôtel près de la gare routière, se coucha à huit heures et dormit douze heures.

270

Ce n'est que le lendemain matin, le lundi, qu'elle acheta un journal et apprit l'attaque de la veille sur Pearl Harbour. Elle parcourut rapidement l'article, sans y croire, puis le relut lentement : huit bateaux de guerre coulés, des centaines de morts et de disparus, une date qui resterait frappée d'infamie, la guerre déclarée au Japon. Et elle pensa tout simplement avec enthousiasme : on a gagné. C'est ce que nous avons voulu et maintenant nous vaincrons – pas la semaine prochaine, pas l'année prochaine, mais nous vaincrons. Mesurant l'importance de l'événement, elle faillit pleurer, essaya d'imaginer comment la nouvelle serait reçue à la BSC et fut saisie soudain d'un désir fou – aussitôt écarté – de téléphoner à Sylvia. Comment Lucas Romer réagirait-il ? Serait-elle plus en sécurité maintenant ? Cesseraient-ils de la rechercher ?

Elle en doutait quand même, se dit-elle, tout en montant les marches qui menaient à la nouvelle annexe du ministère du Ravitaillement, avant de prendre l'ascenseur pour le troisième étage où se trouvait le pool des dactylos. Elle était en avance, la première arrivée des quatre femmes qui servaient de secrétaires à la demi-douzaine de fonctionnaires occupant l'étage de ce service du ministère. Elle se détendit un peu : elle se sentait toujours plus en sécurité au travail, à cause de l'anonymat engendré par le nombre de personnes dans l'immeuble et aussi parce qu'elle pouvait s'assurer de ne pas être suivie en se rendant au travail ou en en revenant. C'était durant son temps libre que la méfiance et le soupçon refaisaient surface, comme si, dès qu'elle quittait le bureau, elle redevenait un individu susceptible d'attirer l'attention. Ici, au troisième étage, elle faisait seulement partie d'une équipe de dactylos parmi d'autres.

Elle ôta la housse de sa machine à écrire et feuilleta les documents dans sa corbeille de courrier. Elle était très contente de son travail : il n'exigeait rien d'elle et il lui procurerait un billet de retour pour Londres ; en tout cas, elle l'espérait.

Eva savait qu'il n'existait que deux manières pour une femme célibataire d'obtenir un transfert du Canada en Angleterre : soit l'uniforme – Croix-Rouge, infirmière ou signaux –, soit le gouvernement. Elle estimait le gouvernement la voie la plus rapide, et, le 8 décembre, elle avait donc quitté Montréal pour Ottawa, afin de

271

s'inscrire à une agence spécialisée, proposant des secrétaires aux ministères et au Parlement. Sa sténo, sa vitesse de frappe et son français courant étaient des qualifications plus qu'adéquates, et, en vingt-quatre heures, elle avait été expédiée pour un entretien à la nouvelle annexe du ministère du Ravitaillement sur Somerset Street, un immeuble de bureaux, sobre et massif, en pierre grisâtre, couleur de neige sale.

Durant sa première nuit au Canada, armée d'une grosse loupe, d'une aiguille et d'encre de Chine diluée dans un peu de lait, Eva avait passé une heure laborieuse à transformer le nom de son passeport de « Allerdice » en « Atterdine ». Rien à faire en ce qui concernait « Margery », et elle avait décidé de se faire appeler Mary, comme s'il s'agissait d'un diminutif choisi. Le passeport n'aurait pas survécu à l'inspection d'un expert doublé d'un microscope, mais un simple employé de l'immigration un peu pressé n'y verrait que du feu. Eva Delectorskaya *alias* Eve Dalton puis Margery Allerdice devint Mary Atterdine – ses traces, espérait-elle, s'effaçaient peu à peu.

Au bout de quelques jours, elle commença à interroger les femmes et les filles à la cantine du ministère sur les chances d'être nommée à l'ambassade de Londres. Elle découvrit qu'il existait un échange très régulier de personnel entre les deux pays : chaque mois ou deux, des individus partaient ou revenaient. Il suffisait d'aller au service du personnel remplir un formulaire ; le fait qu'elle fût anglaise risquait même de faciliter les choses. À quiconque l'interrogeait, elle racontait avec réticence et timidité que, venue au Canada pour s'y marier, elle avait été horriblement lâchée par son fiancé canadien. Elle s'était installée à Vancouver pour être près de lui, mais comme les projets de mariage demeuraient étrangement vagues, elle avait compris qu'elle avait été cruellement abusée. Seule et à la dérive à Vancouver, elle était partie vers l'est pour y trouver un moyen ou un autre de rentrer en Angleterre. Tous ceux qui lui posaient des questions plus précises – qui était cet homme ? où avait-elle habité ? – déclenchaient des reniflements, voire de vraies larmes : elle était encore humiliée, à vif, c'était trop bouleversant pour en parler. Les curieux comprenaient, compatissaient et, en général, ne cherchaient pas plus loin.

Elle avait trouvé une pension de famille dans une rue tranquille – Bradley Street – au cœur du quartier bourgeois de Westboro, un établissement dirigé par Mr et Mrs Maddox Richmond, et dont la clientèle se composait uniquement de jeunes femmes. Chambre et petit déjeuner étaient à 10 dollars par semaine, la demi-pension à 15, tarifs spéciaux au mois. FEU DE BOIS PAR TEMPS FROID, proclamait la petite pancarte attachée au pilier du portail. La plupart des « hôtes payants » étaient des immigrantes : deux sœurs tchèques, une Suédoise, une jeune campagnarde débarquée de l'Alberta, et Eva. Les prières se disaient en famille dans le salon du rez-de-chaussée à six heures du soir, pour celles qui souhaitaient y assister, ce que faisait dûment de temps à autre, et sans piété ostentatoire, Eva. Elle prenait ses repas à l'extérieur, choisissant des cafétérias et des restaurants voisins du ministère, des endroits anonymes, animés, dont la clientèle affamée se renouvelait rapidement. Elle découvrit une bibliothèque municipale qui demeurait ouverte tard et où, parfois, elle pouvait rester à lire jusqu'à neuf heures du soir. Et elle alla passer son premier week-end à Québec ville, simplement histoire d'être ailleurs. En fait, elle n'utilisait la pension Richmond que pour y dormir et elle n'avait d'autres échanges avec les pensionnaires qu'un bref salut en passant.

Cette vie calme, cette routine lui convenaient, et elle se surprit à profiter agréablement d'Ottawa, presque sans effort : ces grands boulevards, ces parcs bien entretenus, ces rues tranquilles et cette propreté citoyenne étaient exactement ce dont elle avait besoin, le temps de réfléchir à ses prochains mouvements.

Mais elle ne relâcha aucunement son attention. Elle relevait dans un carnet la plaque d'immatriculation de tout véhicule garé dans la rue et se renseignait pour savoir à qui il appartenait. Elle avait noté aussi les noms des propriétaires des vingt-trois maisons de Bradley Street, en face et de chaque côté des Richmond, et, au cours de petites conversations banales avec Mrs Richmond, surveillait les faits et gestes de chacun : Valerie Kominski avait un nouveau petit ami, Mr et Mrs Doubleday étaient en vacances, Fielding Bauer venait d'être « remercié » de son poste dans une entreprise en bâtiment. Elle inscrivait tout, ajoutant des faits nouveaux, en barrant d'autres dépassés ou redondants, perpétuellement à la recherche de l'anomalie qui l'alerterait. Avec son premier salaire, elle avait fait l'acquisition de quelques vêtements pratiques, tout en puisant dans sa réserve de dollars pour acheter un gros manteau en castor qui la protégeait du froid croissant à l'approche de Noël.

Elle tentait d'analyser et de deviner ce qui se passait à la BSC. En dépit de l'euphorie créée par Pearl Harbour, et de l'arrivée si longtemps attendue des États-Unis en qualité d'alliés, elle imaginait qu'on était encore en train d'enquêter sur elle, de creuser profond, de suivre toutes les pistes. Morris Devereux meurt et Eve Dalton disparaît le soir même – des événements impossibles à négliger. Elle était certaine que tout ce que Morris avait suspecté chez Romer, il en était maintenant accusé : s'il y avait des agents de l'Abwehr au sein de la BSC, avait-on besoin de chercher plus loin que Devereux et Dalton ? Mais elle savait aussi – ce qui lui procurait une réelle satisfaction et l'amenait à encore plus de détermination – que sa disparition, son invisibilité persistante constituaient pour Romer un souci permanent, agaçant, harcelant. Si quiconque devait insister sur la poursuite des recherches au plus haut niveau, c'était lui, à coup sûr. Quant à elle, elle ne se relâcherait jamais : Margery – « appelez-moi Mary » – Atterdine continuerait à mener sa vie aussi discrètement et avec autant de prudence qu'elle le pourrait.

« Miss Atterdine ? »

Elle leva le nez de sa machine à écrire pour faire face à Mr Comeau, un des sous-secrétaires du ministère, un homme d'âge mûr, soigné, moustache bien taillée, à la fois timide, pointilleux et un rien nerveux. Il lui demanda de venir dans son bureau.

Assis à sa table de travail, il fouilla dans ses papiers.

« Asseyez-vous, je vous en prie. »

Ce qu'elle fit. C'était un homme bien élevé, Mr Comeau, qui ne prenait jamais d'airs supérieurs ou dédaigneux – au contraire des autres sous-secrétaires, prompts à jeter leurs documents à la tête des dactylos et à les traiter comme des robots –, mais il y avait aussi quelque chose de mélancolique en lui, son côté soigné, sa bienséance, à croire que c'était là sa défense contre un monde hostile.

« Nous avons ici votre demande pour un poste à Londres. Elle a été acceptée.

– Ah, bien. » Eva sentit son cœur bondir de joie : il allait se passer quelque chose désormais, elle sentait que sa vie prenait une nouvelle direction, mais elle garda un visage dénué d'expression.

Comeau l'informa qu'un autre contingent de cinq « jeunes femmes » appartenant à différents ministères quitterait St John le 18 janvier pour Gourock en Écosse.

« Je suis ravie, dit-elle, pensant qu'elle se devait de commenter. C'est très important pour moi…

– À moins que… l'interrompit-il, s'essayant sans y réussir à un sourire enjoué.

– À moins que ? » Elle eut un ton plus sec et tranchant qu'elle ne l'aurait voulu.

« À moins que nous puissions vous persuader de rester. Vous vous êtes très bien adaptée ici. Nous sommes très contents de votre diligence et de vos capacités. Il est question ici de promotion, Miss Atterdine. »

Elle était flattée, répondit-elle ; en vérité, elle était surprise et à court de mots, mais rien ne pourrait la dissuader. Elle fit une allusion, discrète, à sa mésaventure en Colombie britannique, déclara que tout ceci était maintenant du passé et qu'elle souhaitait simplement rentrer chez elle, chez son père veuf, ajoutant spontanément, et pour faire bonne mesure, ce nouvel élément biographique.

Mr Comeau écouta, hocha la tête avec sympathie, dit qu'il comprenait : lui aussi était veuf, Mrs Comeau était morte deux ans plus tôt et il connaissait bien la solitude que devait ressentir son père. Eva comprit alors d'où lui venait son air mélancolique.

« Mais réfléchissez encore, Miss Atterdine. Ces traversées de l'Atlantique sont dangereuses, elles comportent un gros risque. Londres est toujours bombardé. Ne préféreriez-vous pas être ici, à Ottawa ?

– Je crois que mon père désire vraiment que je rentre, répondit-elle. Mais je vous remercie de votre sollicitude. »

Comeau quitta son fauteuil et alla regarder par la fenêtre. Une pluie fine crachotait sur la vitre, et il suivit de son index la chute tortueuse d'une goutte d'eau. Soudain, Eva se retrouva à Ostende, dans le bureau de Romer, le lendemain de Prenslo. Elle fut saisie d'un étourdissement. Combien de fois par jour pensait-elle à Lucas Romer ? Elle ne cessait de penser à lui, volontairement : elle pensait à lui en train de penser à elle, d'organiser sa traque, de se demander où elle était et comment la trouver, mais ces moments inattendus, quand les souvenirs s'abattaient sur elle par surprise, la dévastaient.

Comeau avait dit quelque chose.

« Pardon ?

— Je me demandais si vous aviez des projets pour les vacances de Noël, répéta-t-il un peu timidement.

— Oui, je les passe chez des amis, répliqua-t-elle aussitôt.

— Je vais chez mon frère, voyez-vous, poursuivit-il comme s'il ne l'avait pas entendue. Il possède une maison près de North Bay, sur le lac.

— Ça me paraît merveilleux, mais malheureusement... »

Comeau était décidé à procéder à son invitation, quoi qu'il arrive.

« Il a trois fils dont l'un est marié, une famille très gentille, des jeunes gens enthousiastes, amicaux. Je me demandais si vous souhaiteriez vous joindre à nous pour un ou deux jours, vous seriez mon invitée. Ce sera très détendu, très informel : grands feux dans la cheminée, parties de pêche sur le lac, cuisine familiale.

— Vous êtes trop aimable, Mr Comeau, mais tout est déjà organisé avec mes amis. Ce ne serait pas bien de ma part d'annuler si tard. » Elle lui adressa un petit sourire frustré, histoire de le consoler un peu, de lui montrer qu'elle était désolée de le laisser tomber.

À la tristesse qui traversa son visage, Eva comprit que Comeau avait nourri de grands espoirs : la jeune Anglaise solitaire qui travaillait dans l'équipe des dactylos – si séduisante, menant une vie si terne et calme... Qu'elle soit transférée à Londres l'avait à l'évidence galvanisé, forcé à agir.

« Oui, eh bien, naturellement, dit-il. Peut-être aurais-je dû vous inviter plus tôt. » Il étendit ses mains d'un air lamentable et Eva fut peinée pour lui. « Mais je n'imaginais pas que vous nous quitteriez si vite. »

C'est trois jours plus tard qu'elle repéra la voiture pour la deuxième fois : une Ford 38 vert mousse garée devant la maison des Pepperdine. La veille, elle se trouvait devant celle de Miss Knox, et Eva savait qu'elle n'appartenait ni à Miss Knox (une vieille fille propriétaire de trois fox-terriers) ni aux Pepperdine. Elle jeta un rapide coup d'œil à l'intérieur. Un journal et une carte gisaient sur le siège du passager, et ce qui semblait être un thermos pointait dans le vide-poches de la portière côté conducteur. Un thermos : quelqu'un, pensa-t-elle, passe beaucoup de temps dans cette voiture.

Deux heures plus tard, elle descendit « se promener un peu » : la voiture avait disparu.

Elle réfléchit longuement ce soir-là, se disant tout d'abord que si elle la revoyait, elle déménagerait. Mais à l'aune de son stage en Écosse, elle savait qu'elle commettait une faute : devant une anomalie, on réagit aussitôt, loi de Lyne, loi de Romer. Qu'elle repère une troisième fois la voiture serait forcément mauvais signe, et peut-être serait-il trop tard pour elle. Elle prépara un petit sac de voyage, examina par sa lucarne les maisons d'en face et se demanda si une unité de BSC n'y était pas déjà installée, en train de l'attendre. Elle posa son sac près de la porte – si léger, elle possédait si peu de choses. Elle ne dormit pas de la nuit.

Au matin, elle annonça à Mr et Mrs Richmond qu'elle devait partir de toute urgence – une affaire de famille – et retourner à Vancouver. Ils étaient navrés de son départ, dirent-ils, mais elle comprendrait qu'avec un préavis aussi court ils ne pouvaient pas lui rembourser le reliquat de son loyer mensuel payé d'avance. Eva répliqua qu'elle comprenait fort bien et s'excusa des inconvénients créés de son fait.

« À propos, s'enquit-elle avant de franchir la porte, personne n'a laissé de message pour moi ? »

Les Richmond se consultèrent silencieusement du regard avant que Mrs Richmond déclare : « Non, je ne crois pas. Non, ma chère.

– Personne n'est venu me voir ? »

Mr Richmond gloussa. « Nous avons eu un jeune homme hier qui a demandé à louer une chambre. Nous lui avons expliqué que nous ne prenions que des jeunes dames. Il a paru très surpris. »

Ce n'est probablement rien, pensa Eva, une coïncidence, mais elle souhaita soudain être très loin de Bradley Street.

« Si quelqu'un appelle, répondez que je suis retournée à Vancouver.

– Bien sûr, ma chère. Prenez bien soin de vous à présent. Nous avons été ravis de vous connaître. »

Eva quitta la pension, tourna à gauche au lieu de bifurquer à droite comme d'habitude et parcourut un chemin compliqué et tortueux de plus d'un kilomètre jusqu'à un arrêt de bus différent.

Elle s'installa au Franklin Hotel sur Bank Street, un des plus grands d'Ottawa, un établissement fonctionnel avec trois cents chambres complètement ignifugées et toutes pourvues d'une douche et du téléphone, mais sans restaurant ni cafétéria. Cependant, même à 3 dollars seulement la nuit, elle se rendit compte qu'elle serait vite à court d'argent. Il existait sans doute dans la ville des hôtels meilleur marché et d'autres pensions plus modestes, mais elle avait besoin de la sécurité et de l'anonymat d'un grand hôtel central. Il ne restait qu'un peu plus de trois semaines avant son départ pour l'Angleterre : il lui fallait tout bonnement s'enterrer jusqu'à cette date.

Sa chambre était petite, simple, située au septième étage et, à travers un creux entre les immeubles d'en face, elle entrevoyait l'étendue verte du parc des Expositions et une courbe de la rivière Rideau. Elle défit son sac de voyage, suspendit ses quelques vêtements dans l'armoire. Un avantage de ce déménagement, c'était qu'elle pouvait se rendre au bureau à pied et ainsi économiser sur les transports.

Mais elle continua à se demander si elle avait pris la bonne décision, si elle ne s'était pas montrée trop nerveuse, et si son départ soudain de chez les Richmond n'avait pas constitué justement un signe en soi… Une voiture étrangère dans une rue de banlieue – quoi de si alarmant ? Mais elle avait choisi Bradley Street et la pension Richmond précisément parce que l'endroit facilitait le repérage de tout événement inhabituel. Et qui était le jeune homme qui n'avait pas lu l'inscription PENSION POUR DAMES sur l'écriteau de la pension ? Un voyageur distrait ? Pas un policier, parce qu'un policier se serait présenté et aurait demandé à consulter le registre. Quelqu'un de la BSC alors, avec pour mission de vérifier les hôtels et pensions d'Ottawa. Mais pourquoi Ottawa, pourquoi pas Toronto ? Comment pouvait-on deviner ou déduire qu'elle était partie pour Ottawa ?

Et les questions ne cessaient de la tourmenter, de saper son énergie. Elle continuait à aller au bureau comme d'habitude, à taper des documents dans l'équipe des dactylos, puis rentrait chez elle. Elle vivait à peine dans la ville. Elle achetait des sandwiches sur le chemin du retour, restait dans sa chambre avec son bout de vue sur le parc des Expositions et la rivière Rideau, écoutait la radio, et attendait l'arrivée de Noël et de 1942.

Le ministère du Ravitaillement fermait la veille de Noël pour rouvrir le 27 décembre. Eva décida de ne pas assister à la fête du personnel. Le jour de Noël, elle se glissa hors de l'hôtel très tôt et alla s'acheter de la dinde froide, une miche de pain, du beurre et deux bouteilles de bière. Assise sur son lit, elle mangea son sandwich, but sa bière, écouta de la musique et réussit à se retenir de pleurer pendant environ une heure. Après quoi, elle se permit de sangloter dix minutes, pensant qu'elle n'avait jamais été si seule dans sa vie, bouleversée par l'idée que pas un être au monde ne savait où elle se trouvait. Elle songea à son père, à Bordeaux à présent, un vieil homme malade, et se remémora ses encouragements, son empressement quand Romer était venu la recruter. Qui aurait cru que les choses se termineraient ainsi ? Seule dans une chambre d'hôtel d'Ottawa... Mais non : pas d'apitoiement sur soi-même, se dit-elle, furieuse. Elle essuya ses yeux, se ressaisit, maudit Lucas Romer pour sa cruauté et sa trahison, puis dormit près d'une heure et se réveilla encore plus calme, plus déterminée, plus calculatrice, plus forte que jamais. Désormais, elle avait une ambition, un but, une mission : déjouer les pires intentions de Lucas Romer. Et, dans sa solitude, elle commença à se demander s'il ne l'avait pas manipulée depuis le tout début de son recrutement ; s'il n'avait pas observé et travaillé ses habitudes, son état d'esprit et son zèle tout particulier – la mettant à l'épreuve à Prenslo et à Washington, attendant le jour où elle deviendrait soudain extrêmement utile... Ce genre de réflexion ne servait à rien, elle le savait, et risquait de la rendre folle. Le simple fait qu'il ne puisse pas la retrouver était l'atout qu'elle possédait contre lui – sa petite parcelle de pouvoir. Tant qu'Eva

Delectorskaya courrait le monde en liberté, Lucas Romer ne pourrait jamais vraiment se sentir tranquille.

Mais alors, sa vie serait-elle ainsi désormais ? Secrète, tissée de peurs, toujours en alerte, toujours en fuite, toujours aux aguets, toujours rongée par le soupçon. C'était là une perspective qu'elle n'avait pas très envie de contempler ni de considérer. Laisse tomber, s'ordonna-t-elle, une chose à la fois. Rentre en Angleterre d'abord et puis vois ce qui se passe.

Elle retourna au travail le 27 décembre, juste avant de faire face à la menace d'un autre congé, celui du Nouvel An. Mais, ayant survécu à Noël, elle se sentait capable de se débrouiller avec l'arrivée de 1942. Les forces allemandes se retiraient de Moscou mais les Japonais avaient pris Hong Kong : ça continuera ainsi, songea-t-elle, pendant encore longtemps. Elle acheta une bouteille de whisky et découvrit à son réveil qu'elle avait réussi à présenter une gueule de bois convenable au matin du 1$^{er}$ janvier. Elle débuta l'année avec un mal de crâne qui persista toute la journée, mais un autre problème s'annonçait, qu'elle savait inévitable.

Le lendemain de son retour au bureau, peu avant la fermeture, elle demanda à voir Mr Comeau. Il était libre, elle frappa à sa porte et entra. Depuis qu'elle avait refusé son invitation, il avait gardé ses distances mais là, visiblement ravi de cette visite, il se leva, avança une chaise à Eva et s'installa d'un air désinvolte sur le coin de sa table de travail, une jambe pendante, deux désolants centimètres d'un mollet poilu exposés au-dessous de son revers de pantalon. Il lui offrit une cigarette, ce qui déclencha le petit rituel de l'allumage, Eva prenant soin de ne pas toucher sa main alors qu'il lui tendait son briquet en tremblant un peu.

« Des regrets, Miss Atterdine ? lança-t-il. Ou serait-ce trop espérer ?

– J'ai un immense service à vous demander, dit-elle.

– Oh, je vois. » Son ton mourant exprimait éloquemment son immense déception. « Que puis-je faire pour vous ? Une référence ? Une lettre d'introduction ?

– J'ai besoin d'emprunter 100 dollars. » Des frais imprévus, expliqua-t-elle : elle ne pouvait pas attendre son premier salaire anglais.

« Allez donc parler à votre banque, répliqua-t-il un peu sèchement, l'air offensé. Je suis certain qu'ils vous écouteront.

– Je n'ai pas de compte en banque. Je vous rembourserai à mon retour en Angleterre. J'ai simplement besoin de cet argent maintenant, ici, avant mon départ.

– Seriez-vous "dans une position intéressante", comme on dit ? » Le cynisme lui allait mal, et il le savait.

« Non, j'ai juste besoin de cet argent. De manière urgente.

– Il s'agit d'une somme considérable. Ne pensez-vous pas que j'ai droit à une explication ?

– Je ne peux pas vous la donner. »

Il la fixa du regard et elle comprit qu'il lui disait qu'il existait un moyen plus facile – restez à Ottawa, apprenez à me connaître, nous sommes tous deux très seuls. Mais dans le regard qu'elle lui adressa en retour, il ne trouva aucune réponse réconfortante.

« Je vais y réfléchir », dit-il. Il se leva et boutonna sa veste, redevenu le fonctionnaire affrontant une fois de plus un subordonné récalcitrant.

Le lendemain matin, elle avait sur son bureau une enveloppe contenant cinq billets de 20 dollars. Elle éprouva un étrange accès d'émotions : gratitude, soulagement, honte, réconfort, humilité. Ne faire confiance à personne, ne jamais faire confiance à une seule âme sur cette terre – hormis, pensa-t-elle, aux Witoldski et aux Comeau de ce monde.

Avant le 18 janvier, elle changea de nouveau d'hôtel à deux reprises, alla chercher son billet et sa documentation au bureau des voyages du ministère – billet et documents établis au nom de « Mary Atterdine » – et, pour la première fois, elle s'autorisa à imaginer l'avenir : où elle irait après avoir débarqué, ce qu'elle ferait, ce qu'elle deviendrait. L'Angleterre – Londres – n'était pas vraiment « chez elle », mais quelle autre destination choisir ? « Lily Fitzroy » l'attendait à Battersea. Elle ne pouvait guère envisager de traverser la France pour retrouver son père et sa belle-mère, quoi qu'il leur soit arrivé. Il faudrait d'abord que la guerre se termine et il n'y en avait aucun signe. Non, Londres et Lily Fitzroy constituaient sa seule option, en tout cas à court terme.

## 12

# Savak

Hugues m'a proposé un autre verre – je savais que je n'aurais pas dû l'accepter (j'avais déjà trop bu) mais, bien entendu, j'ai dit oui et je l'ai suivi impatiemment dans le bar marécageux et enfumé du Captain Bligh.

« Puis-je aussi avoir un paquet de cacahuètes, s'il vous plaît ? » ai-je lancé gaiement au barman qui faisait la gueule. J'étais arrivée en retard et j'avais raté la nourriture offerte à l'étage – baguettes et fromage, saucisses, œufs et mini-pâtés de porc en croûte –, rien que des hydrates de carbone pur sucre, du buvard à soiffard. Il n'y avait pas de cacahuètes, semblait-il, mais des chips : quoique au sel et au vinaigre seulement. Allons-y pour le sel et le vinaigre, j'ai dit, et de fait j'avais une folle envie de sel et d'amertume. J'en étais à ma cinquième vodka-tonic – et pas en état de conduire pour rentrer chez moi.

Hugues m'a tendu mon verre et puis, délicatement entre le pouce et l'index, mon sachet de chips.

« *Santé* * !

– *Cheers* ! »

Bérangère s'est glissée contre lui, a passé son bras sous le sien, avec un air de propriétaire, et m'a saluée en souriant. J'avais la bouche pleine et je ne pouvais pas parler : elle était beaucoup trop exotique pour le Captain Bligh et le quartier, notre Bérangère, et je sentais qu'elle était très pressée de se barrer.

« On s'en va ? » a-t-elle demandé sur un ton plaintif à Hugues. Lequel s'est tourné pour lui parler à voix basse pendant un moment. J'ai terminé mes chips – il m'a fallu à peu près trois secondes pour les liquider –, et je me suis éloignée. Hamid avait raison, ils formaient à l'évidence une paire, Hugues et Bérangère – P'TIT PRIX rencontre FOURRURES DE MONTE-CARLE. Et tout ça, chez moi, sous mon nez.

Je me suis appuyée contre le comptoir, j'ai siroté ma vodka et contemplé le pub. Je me sentais bien : j'avais atteint ce degré d'ébriété – cette charnière, ce point crucial, cette ligne de crête – où l'on peut décider de poursuivre ou de reculer. Des lumières rouges clignotaient sur le tableau de bord mais l'avion n'était pas encore engagé dans un fracassant piqué mortel. J'ai examiné la foule autour de moi : tout le monde était quasiment descendu de l'étage, une fois terminées nourriture et boissons gratuites (bière et vin en bouteille plastique). Les quatre profs de Hamid étaient présents ainsi que les étudiants avec qui il les partageait, plus la petite bande d'ingénieurs de Dusendorf – en majorité iraniens ou égyptiens, cette saison. L'atmosphère était saturée de bruit et de gros rires, on plaisantait beaucoup autour de Hamid et de son départ imminent pour l'Indonésie, ce qu'il prenait de bonne grâce, avec un sourire résigné, presque timide.

« Salut, je peux vous offrir un verre ? »

Je me suis retournée sur un grand type mince, jean décoloré et chemise assortie, moustache et longs cheveux noirs. Il avait les yeux bleu pâle et – dans la mesure où je pouvais en juger vu la position que j'occupais pour l'heure, postée sur ma ligne de crête, hésitant quant au chemin à prendre – il m'a paru sacrément chouette. J'ai tendu en l'air ma vodka-tonic pour la lui montrer.

« Tout va bien, merci.

– Prenez-en une autre. Ça ferme dans dix minutes.

– Je suis avec un ami, là-bas. » J'ai pointé mon verre en direction de Hamid.

« Dommage », a-t-il dit avant de s'éloigner.

Je n'avais pas attaché mes cheveux, et je portais un jean neuf très moulant et une blouse aigue-marine à manches ballon et au col en V dégageant au moins dix centimètres de décolleté. Avec de surcroît mes bottes à talons, je me sentais en forme et sexy. Je me serais bien séduite moi-même… J'ai laissé l'illusion me réchauffer pendant un instant avant de me rappeler avec insistance que mon petit garçon de cinq ans passait la nuit chez sa grand-mère et que je ne voulais pas aller le chercher avec la gueule de bois. Ceci serait mon dernier verre, définitivement.

Hamid est venu me rejoindre au bar. Il portait son blouson de cuir et une chemise couleur bleuet. J'ai passé mon bras autour de ses épaules.

« Hamid ! me suis-je exclamée, feignant la consternation. Je ne peux croire que vous nous quittiez ! Qu'allons-nous faire sans vous ?

– Je n'arrive pas à le croire moi non pas.

– Non plus.

– Non plus. Je suis très triste, vous savez. J'espérais…

– À propos de quoi vous taquinait-on ?

– Oh, les Indonésiennes, vous comprenez… Très prévisible.

– Très prévisibles. Des mecs très prévisibles.

– Voulez-vous un autre verre, Ruth ?

– Je prendrai une autre vod-ton, merci. »

Nous nous sommes installés sur des tabourets et avons attendu qu'on nous serve. Hamid avait commandé un bitter lemon, et il m'est soudain venu à l'idée qu'étant musulman il ne buvait naturellement pas d'alcool.

« Vous me manquerez, Ruth, a-t-il dit. Nos leçons… Je ne peux pas croire que je ne viendrai pas chez vous lundi. Ça fait plus de trois mois, vous savez : deux heures par jour, cinq jours par semaine. J'ai calculé : au total, nous avons passé ensemble plus de trois cents heures.

– Merde ! » me suis-je écriée avec une certaine sincérité. Puis après réflexion, je lui ai fait remarquer : « Mais vous aviez trois autres professeurs, rappelez-vous. Vous avez passé autant de temps avec Oliver… et Pauline… et Machintruc, là-bas, près du juke-box.

– Sûr. Ouais. » Il avait l'air un peu blessé. « Mais ce n'était pas la même chose avec eux, Ruth. Je pense que c'était différent avec vous. » Il a pris ma main. « Ruth…

– Il faut que j'aille aux toilettes. Je reviens dans une seconde. »

La dernière vodka m'avait fait basculer par-dessus ma ligne de crête et je glissais, je dégringolais de l'autre côté de la montagne dans une envolée de schiste et d'éboulis. J'étais encore lucide, et en état de marche, mais mon univers avait des angles bizarres – verticales et horizontales cessaient d'être fixes et conformes. En outre, curieuse-ment, mes pieds paraissaient aller plus vite que nécessaire. J'ai déboulé en trombe à travers la porte du couloir menant aux toilettes. Il y avait un téléphone et une machine à cigarettes. Je me suis souve-nue que j'étais quasiment à court de cigarettes et j'ai fait halte près de la machine mais, tout en farfouillant à la recherche de monnaie, j'ai compris que ma vessie était plus exigeante que mon envie de nicotine.

Aux toilettes, après m'être soulagée longuement, puissamment, je me suis lavé les mains et, devant le miroir, je me suis regardée quelques secondes droit dans les yeux en repoussant un peu mes cheveux.

« Tu es schlass, vieille salope », ai-je dit entre les dents à voix haute encore que calmement.

Je suis retournée dans le couloir : Hamid y était, feignant de passer un coup de fil. La musique venant du pub est devenue plus forte – *I heard it through the grapevine* –, un déclencheur sexuel quasi pavlovien pour moi et, je ne sais trop comment, dans une brève déchirure du continuum espace-temps, je me suis retrouvée en train d'embrasser Hamid.

Sa barbe était douce à ma peau – ni râpeuse ni irrégulière –, et j'ai enfoncé ma langue profondément dans sa bouche. J'ai eu soudain envie de sexe – ça faisait si longtemps – et Hamid me semblait parfait. Les bras autour de lui, je le serrais fort contre moi et je sentais son corps absurdement costaud et solide, comme si j'embrassais un homme coulé dans le béton. Et j'ai pensé : oui, Ruth, ce type est fait pour toi, espèce de folle, espèce d'idiote – un type chouette, décent, un ami pour Jochen –, je veux ce mécano aux doux yeux bruns, ce mâle solide et musclé.

Nous nous sommes séparés et, inévitablement, le rêve, le souhait ont paru aussitôt moins puissants, moins désirables, et mon univers s'est un peu stabilisé.

« Ruth… a commencé Hamid.

– Non, ne dites rien.

– Ruth, je vous aime. Je veux être votre mari. Je vous veux pour ma femme. Je reviendrai dans six mois après mon premier séjour. J'ai un très bon travail, un très bon salaire.

– Arrêtez, Hamid. Allons finir nos verres. »

Ensemble, nous avons regagné le bar. On y prenait les ultimes commandes mais maintenant je ne voulais plus de la moindre vodka. J'ai trouvé dans mon sac ma dernière cigarette et réussi à l'allumer à peu près convenablement. Hamid a été distrait par des amis iraniens avec qui il a eu une brève conversation en farsi. Je les ai observés, ces beaux mecs bruns barbus et moustachus, ils se serraient la main d'une étrange manière : pouce haut, replié puis relâché en douceur, comme s'ils échangeaient un signal clandestin, reconnaissant leur appartenance à un club particulier, une société secrète ; c'est cette idée qui m'a remis en tête la proposition de Frobisher et, pour Dieu seul sait quelle stupide raison d'ivrogne hyperconfiante en soi, ça m'a paru soudain valoir la peine d'aller y voir de plus près.

« Hamid, ai-je dit alors qu'il se rasseyait à côté de moi, croyez-vous qu'il y ait des agents de la Savak à Oxford ?

– Quoi ? Que dites-vous ?

– Eh bien, pensez-vous que certains de ces ingénieurs aient été envoyés ici sous le prétexte de faire des études, mais en réalité travaillent en permanence pour la Savak ? »

Son visage a changé. Il est devenu très solennel.

« Ruth, il ne faut pas parler de choses pareilles.

– Mais si vous soupçonniez quelqu'un, vous pourriez me le dire. Ça resterait un secret. » J'ai mal déchiffré sa réaction : j'ai cru l'avoir un peu troublé. C'est la seule explication à ce que j'ai dit ensuite. Penchée vers lui, j'ai murmuré tendrement : « Parce que vous pourriez me le dire, à moi, Hamid. Je vais travailler pour la police, voyez-vous, ils veulent que je les aide. Vous pouvez me raconter.

– Vous raconter quoi ?

– Appartenez-vous à la Savak ? »

Il a fermé les yeux et, sans les rouvrir, il m'a dit : « Mon frère a été tué par la Savak. »

J'ai essayé de vomir à côté des poubelles derrière le pub mais en vain : je n'ai réussi qu'à me racler la gorge et à crachoter. On croit toujours qu'on se sentira mieux en vomissant mais en fait c'est bien

287

pire, et pourtant on continue à vouloir vider son estomac. J'ai regagné avec précaution ma voiture, j'ai vérifié qu'elle était bien fermée et que je n'avais rien laissé de trop tentant pour les voleurs sur les sièges, puis j'ai repris à pied le long chemin menant à Summertown et chez moi. Un vendredi soir à Oxford, je ne trouverais jamais de taxi. Il valait mieux que je marche, peut-être que ça me dégriserait. Et demain Hamid s'envolait pour l'Indonésie.

# L'histoire d'Eva Delectorskaya

*Londres, 1942*

Eva Delectorskaya observa Alfie Blytheswood qui quittait Electra House par une porte latérale pour s'engouffrer dans un petit pub à l'enseigne des Cooper's Arms sur Victoria Embankment. Elle lui donna cinq minutes puis y entra à son tour. Debout au bar de l'arrière-salle, Blytheswood buvait une bière en compagnie de deux amis. Portant lunettes et béret, Eva s'approcha du comptoir et commanda un sherry. Si Blytheswood levait la tête un instant, il la remarquerait facilement, bien qu'elle fût à peu près sûre qu'il ne la reconnaîtrait pas, la nouvelle longueur et la nouvelle couleur de ses cheveux transformant beaucoup son apparence. Saisie soudain pourtant d'un peu d'incertitude, elle avait à la dernière minute chaussé des lunettes. Mais il lui fallait tester son déguisement, sa personnalité de rechange. Elle emporta son sherry à une table près de la porte où elle s'installa avec son journal. En partant, Blytheswood passa devant elle sans même lui jeter un regard. Elle le suivit jusqu'à son arrêt d'autobus et attendit avec les autres l'arrivée du car. Blytheswood avait un long trajet devant lui pour aller à Barnet, dans le nord, où il habitait avec sa femme et ses trois enfants. Eva savait tout cela parce qu'elle le filait depuis trois jours. À Hampstead, un siège se libéra derrière lui et Eva s'y glissa discrètement.

Blytheswood somnolait : sa tête ne cessait de ballotter en avant puis de se redresser brutalement quand il reprenait conscience. Eva se pencha en avant et posa la main sur son épaule.

« Ne vous retournez pas, Alfie, lui murmura-t-elle à l'oreille. Vous savez qui je suis. »

Blytheswood, totalement réveillé, demeura complètement raide. « Eve, dit-il. Nom de Dieu. Je ne peux pas y croire. » Il voulut instinctivement tourner la tête mais elle l'en empêcha, la paume sur sa joue.

« Si vous ne vous retournez pas, vous pourrez alors sans mentir affirmer que vous ne m'avez pas vue. »

Il hocha la tête : « D'accord, oui, oui, ce serait mieux.

– Que savez-vous à mon sujet ?

– On dit que vous vous êtes enfuie. Morris s'est suicidé et vous avez fui.

– C'est vrai. Vous a-t-on dit pourquoi ?

– On raconte que vous et Morris étiez des taupes.

– Des mensonges, Alfie. Si j'étais une taupe, croyez-vous que je serais dans ce bus en train de vous parler ?

– Non… Je suppose que non.

– Morris a été assassiné parce qu'il avait découvert quelque chose. J'aurais dû être liquidée aussi. Je serais morte à cette heure si je ne m'étais pas enfuie. »

Elle savait qu'il luttait avec son envie de se retourner et de la regarder. Elle avait pleinement conscience des risques que comportait cette prise de contact, mais il lui fallait découvrir un certain nombre de choses et Blytheswood était le seul qu'elle pouvait interroger.

« Avez-vous des nouvelles d'Angus ou de Sylvia ? »

Blytheswood essaya de nouveau de tourner la tête mais elle l'arrêta du bout des doigts.

« Vous ne savez pas ?

– Quoi donc ?

– Ils sont morts. »

Elle sursauta vivement comme si l'autobus avait freiné brusquement. Elle se sentit mal tout à coup, la bouche pleine de salive, sur le point d'avoir un haut-le-cœur ou de vomir.

« Bon Dieu ! lâcha-t-elle, tentant d'encaisser la nouvelle. Comment ? Que s'est-il passé ?

– Ils se trouvaient à bord d'un hydravion, un Sunderland, qui a été descendu entre Lisbonne et Poole. Ils revenaient des États-Unis. Tous les passagers ont été tués. Seize ou dix-huit personnes, je crois.

– Quand est-ce arrivé ?

– Début janvier. Un général était aussi à bord. Vous n'avez pas vu ça dans les journaux ? »

Elle se rappelait vaguement quelque chose – mais, bien entendu, Angus Woolf et Sylvia Rhys-Meyer n'auraient pas été cités parmi les victimes.

« Les Boches les attendaient au tournant. Dans la baie de Biscaye ou par là-bas. »

Morris, Angus, Sylvia. Et j'aurais dû en être aussi, pensa-t-elle. Les SAC étaient liquidés. Elle-même avait filé et disparu : il ne restait que Blytheswood.

« Vous devriez être OK, Alfie, dit-elle. Vous êtes parti plus tôt.

– Que voulez-vous dire ?

– On nous liquide, non ? C'est seulement parce que je me suis enfuie que je suis encore ici. Il ne reste plus que vous et moi.

– Il y a encore Mr Romer. Non, non, je ne peux pas croire ça, Eve. Nous, liquidés ? La faute à pas de chance, sûrement. »

Il rêvait. Elle savait qu'en réalité il interprétait les indices aussi bien qu'elle.

« Vous avez des nouvelles de Mr Romer ? demanda-t-elle.

– Non, en fait, je n'en ai pas.

– Méfiez-vous, Alfie, si jamais vous apprenez que Mr Romer veut vous voir. » Elle avait prononcé ces mots sans réfléchir et le regretta aussitôt en voyant Blytheswood secouer instantanément la tête, tandis qu'il passait en revue les implications de ce qu'elle venait de dire. Même après plusieurs années aux SAC, Blytheswood n'était avant tout qu'un opérateur radio immensément doué, un ingénieur électricien de génie : ces sortes de complications – ces noires nuances, ces contradictions soudaines dans l'ordre établi – le troublaient, n'avaient pas de sens, Eva le voyait bien.

« J'aime beaucoup Mr Romer », dit-il enfin avec un rien de mauvaise humeur, à la manière d'un métayer loyal appelé à juger le seigneur du manoir.

Eva comprit qu'elle ne pouvait pas en rester là. « Simplement... », elle s'arrêta, réfléchissant très vite, « simplement, ne lui parlez jamais de cette conversation ou bien vous mourrez comme les autres », dit-elle d'une voix rude.

Il accusa le coup, la tête un peu courbée à présent, les épaules affaissées, comme s'il refusait d'entendre. Profitant de l'occasion, Eva quitta son siège et fut au bas de l'escalier avant qu'il n'ait eu le temps de se retourner. Le bus ralentissait devant des feux de signalisation et elle sauta à terre pour se précipiter dans un magasin de journaux. Blytheswood, s'il avait regardé, n'aurait vu qu'une femme en béret, de dos, rien d'autre. Le bus se remit en marche sans que Blytheswood en descende. Espérons qu'il m'a prise au sérieux, se dit-elle, continuant à se demander si elle n'avait pas commis une grosse erreur. Le pire, le comble du pire, serait que Romer apprenne qu'elle était de retour en Angleterre, mais, de toute manière, il travaillait sans doute avec cette possibilité en tête – rien n'avait vraiment changé, sauf que désormais elle savait pour Angus et Sylvia. Elle repensa à eux, aux moments qu'ils avaient partagés, et elle se rappela avec amertume le serment qu'elle s'était fait à elle-même au Canada : sa détermination s'en trouva renforcée. Elle acheta un journal du soir pour y lire les dernières nouvelles des bombardements et le nombre des victimes.

Le convoi avait quitté St John, New Brunswick, le 18 janvier, comme prévu. La traversée avait été houleuse mais, mauvais temps mis à part, sans histoires. Il y avait vingt passagers à bord de l'ex-cargo belge – le *SS Brazzaville* – transportant des moteurs d'avions et des poutres d'acier : cinq secrétaires du gouvernement d'Ottawa mutées à l'ambassade de Londres, une demi-douzaine de soldats du Royal Regiment du Canada et une brochette de membres du personnel diplomatique. L'état de la mer avait confiné la majorité des passagers dans les cabines. Eva partageait la sienne avec une fille extraordinairement grande qui appartenait au ministère des Mines, s'appelait Cecily Fontaine et se précipitait pour vomir toutes les demi-heures. Dans la journée, Eva passait son temps dans les petites « salles de réception » en tentant de lire et, trois nuits d'affilée, elle réussit à s'approprier un des deux lits inoccupés de l'infirmerie du *Brazzaville* jusqu'à ce qu'un soutier et son appendicite la renvoient à Cecily. De temps à autre, elle s'aventurait sur le pont pour contempler le ciel gris, l'eau turbulente et non moins grise, et les bateaux tout aussi gris avec leurs cheminées crachotantes, fonçant à travers vagues et creux désordonnés – disparaissant dans des explosions d'écume glaciale – et traçant bravement leur chemin vers les Îles britanniques.

Le lendemain de leur départ de St John, on procéda aux exercices de sauvetage et Eva espéra n'avoir jamais à confier sa personne aux deux coussins de liège entoilé qu'elle dut passer par-dessus sa tête. Les rares rescapés du mal de mer se réunissaient trois fois par jour sous des ampoules nues pour se sustenter d'une abominable nourriture en conserve. Eva s'émerveillait de sa résistance : au bout de quatre jours, ils n'étaient plus que trois passagers à se retrouver pour les repas. Un soir, une vague particulièrement haute arracha à ses bossoirs un des canots de sauvetage du *Brazzaville* qu'il se révéla impossible de hisser de nouveau en position. Freiné par le canot en remorque, le *Brazzaville* se retrouva à l'arrière du convoi jusqu'à ce que – après de furieux échanges de signaux entre les contre-torpilleurs qui l'escortaient – on largue les amarres de l'embarcation et on la laisse dériver dans l'Atlantique. Si ce canot abandonné était découvert, songea Eva, n'en conclurait-on pas que le navire auquel il appartenait avait coulé ? Peut-être serait-ce là le petit bout de chance qu'elle recherchait. Elle se garda cependant d'y mettre tous ses espoirs.

Ils atteignirent Gourock huit jours plus tard, juste avant le coucher du soleil, et, sous la lumière d'un pêche sulfureux illuminant le décor, ils se retrouvèrent à quai dans un cimetière marin de navires échoués, donnant de la bande et endommagés, mâts de travers, cheminées manquantes, sinistre témoignage des attaques des U-boats auxquelles ils avaient, eux, réussi à échapper. Eva débarqua en compagnie de ses collègues pâles et flageolantes et on les emmena toutes en bus à la gare centrale de Glasgow. Elle fut tentée de les abandonner sur-le-champ mais décida qu'un départ discret la nuit, *en route** pour Londres, serait plus efficace. Elle quitta donc sa couchette à Peterborough, sans que ses compagnes endormies s'en aperçoivent. Elle laissa en bonne place pour Cecily un mot expliquant qu'elle allait rendre visite à une tante à Hull et qu'elle rejoindrait le groupe à Londres. À son sens, on ne s'inquiéterait pas de son absence avant un jour ou deux. Elle prit donc le train suivant et fila directement à Battersea, chez Mrs Dangerfield.

Page après page, elle brûla son passeport au nom de Margery Atterdine et en éparpilla les cendres un peu partout dans le quartier. Elle était désormais Lily Fitzroy, du moins pour un certain temps, et elle possédait tout compte fait – une fois convertis ce qui lui restait de dollars canadiens, ajoutés à l'argent qu'elle avait caché sous le plancher – presque 34 livres.

Elle vécut discrètement une semaine ou deux à Battersea. Ailleurs, de par le monde, les Japonais semblaient avancer sans effort en Asie du Sud-Est et l'armée britannique connaissait de nouveaux revers en Afrique du Nord. Elle pensait à Romer tous les jours, se demandait ce qu'il faisait, certaine qu'il pensait à elle aussi. Les raids aériens continuaient mais sans la régularité et l'impitoyable férocité du Blitz. Elle passa quelques nuits dans l'abri Anderson de Mrs Dangerfield au fond de son étroit jardin, régalant sa logeuse d'histoires de sa vie inventée aux États-Unis, la brave femme étant bouche bée et yeux écarquillés devant la richesse et la prodigalité de l'Amérique, sa surabondance et sa démocratique générosité. « À votre place, très chère, je ne serais jamais revenue, dit avec conviction Mrs Dangerfield en lui prenant les mains. Il y a quelques jours, vous buviez des cocktails au Waldorf-Astoria, ou je ne sais où, et vous voilà maintenant assise sous un bout de tôle inutile dans un Battersea bombardé par les Allemands. Si j'étais vous, je n'aurais pas bougé. Mieux vaut être là-bas, ma chérie, que dans ce malheureux vieux Londres, à feu et à sang. »

Eva savait que ce bizarre temps mort ne pouvait pas durer et, de fait, elle commençait à s'en irriter. Il lui fallait agir et trouver des informations, aussi maigres fussent-elles. Elle s'était échappée, elle était libre, elle avait un nouveau nom, un passeport, une carte de rationnement et des tickets, mais il ne s'agissait que de reprendre haleine, de faire une courte halte : il y avait encore une certaine distance à parcourir avant de pouvoir se sentir vraiment à l'aise.

Elle se rendit donc à Electra House sur l'Embankment et passa deux jours à observer les allées et venues des employés avant de repérer Alfie Blytheswood un soir, à la sortie. Elle le suivit jusque chez lui à Barnet et, le lendemain matin, lui emboîta le pas de sa maison à son travail.

Dans sa chambre de Battersea, elle réfléchissait aux nouvelles que lui avait données Blytheswood. Morris, Angus et Sylvia étaient morts – mais elle aurait dû être la première. Son retournement de l'opération de Las Cruces avait-il plus ou moins rendu l'exécution des autres inévitable ? Romer ne pouvait plus prendre aucun risque dès lors que Morris l'avait exposé en tant qu'espion ; à quoi s'ajoutait le fait qu'Eva savait, elle aussi. Et si Morris avait laissé entendre quelque chose à Sylvia ou, plus vraisemblablement, à Angus ? Angus s'était montré d'humeur étrange les derniers temps – une allusion avait peut-être échappé à Morris... Romer, en tout cas, ne pouvait plus être sûr de rien, et il avait donc commencé à liquider les SAC – avec prudence et astuce –, ne laissant aucune trace de son intervention dans l'affaire. Le suicide de Morris, puis une fuite d'information concernant le vol d'un Sunderland de Lisbonne à Poole – date et heure à l'appui – avec un militaire de haut rang à bord pour servir de couverture... Tout cela signifiait un véritable pouvoir, elle le comprenait bien, un immense et puissant réseau avec quantité de contacts intermédiaires. Mais Eva Delectorskaya manquait encore à l'appel... La chaîne d'identités qu'elle avait acquises pouvait-elle être étendue *ad infinitum* ? Si Romer était capable de faire abattre un hydravion dans la baie de Biscaye, il ne lui faudrait pas longtemps pour retrouver Lily Fitzroy – un patronyme qu'il connaissait déjà. D'ici peu de temps, d'une manière ou d'une autre, à travers la lourde – mais persistante – bureaucratie de l'Angleterre en guerre, émergerait le nom de Lily Fitzroy. Que se passerait-il alors ? Eva ne savait que trop bien comment ces choses se terminaient : accident de voiture, chute d'un immeuble, cambriolage s'achevant en meurtre... Il lui fallait briser la chaîne, absolument. Elle entendit Mrs Dangerfield grimper l'escalier. « Aimeriez-vous une tasse de thé, chérie ?

– Épatant, oui, s'il vous plaît ! » cria-t-elle.

Lily Fitzroy, elle s'en rendait compte, devait disparaître.


Un jour ou deux lui suffirent pour mettre au point le moyen d'y parvenir. Dans un Londres bombardé, raisonnait-elle logiquement, des gens devaient sans cesse perdre tout ce qu'ils possédaient.

Que faisiez-vous si votre immeuble s'écroulait et brûlait alors que, en sous-vêtements, vous étiez tapi dans votre abri à la cave ? Après le signal de fin d'alerte, vous sortiez dans l'aube naissante, titubant en pyjama et robe de chambre, pour découvrir tous vos biens réduits en cendres. Il fallait tout recommencer à zéro, presque comme si on venait de renaître : papiers, vêtements, logement, preuves d'identité devaient être de nouveau acquis. Le Blitz et maintenant ces raids nocturnes duraient depuis septembre 1940, plus d'une année déjà, avec des milliers et des milliers de morts ou de disparus. Eva savait que les profiteurs du marché noir exploitaient les morts, les gardaient « vivants » un bout de temps afin de toucher leurs rations de vivres et d'essence. Peut-être y avait-il là une possibilité pour elle ? Elle commença donc à éplucher les journaux à la recherche des récits des pires attaques, avec le plus grand nombre de victimes – quarante, cinquante, soixante personnes tuées ou disparues. Leurs noms, voire leurs photos, étaient publiés dans les vingt-quatre ou quarante-huit heures suivantes. Eva se concentra sur les jeunes femmes ayant à peu près son âge.

Deux jours après sa rencontre avec Blytheswood, il y eut un gros bombardement des docks de l'East End, qu'elle passa avec Mrs Dangerfield dans l'abri au fond du jardin. Par nuit claire, les avions, à la recherche des usines électriques de Battersea et de Lots Road, suivaient souvent le cours sinueux de la Tamise, lâchant leurs bombes un peu partout dans les parages. Les quartiers résidentiels avoisinants étaient plus touchés que jamais.

Le lendemain matin, à la radio, elle entendit l'annonce des raids sur Rotherhithe et Deptford – des rues entières rasées, tout un lotissement évacué, des immeubles incendiés et détruits. Le journal du soir donnait d'autres détails : une petite carte des zones les plus sévèrement atteintes, les premières listes des morts ou disparus. Eva visait – de façon morbide, elle le savait – des familles au complet, des groupes de quatre ou cinq personnes portant le même nom. Elle lut le reportage concernant une cité ouvrière de Deptford, trois immeubles pratiquement ravagés, l'un d'entre eux, Carlisle House, directement touché – quatre-vingt-sept victimes probables. La famille West, trois prénoms ; les Findlay, quatre, dont deux jeunes gamins, et pire encore, les Fairchild avec leurs cinq enfants : Sally (24), Elizabeth (18), Cedric (12), Lucy (10) et Agnes (6). Tous disparus, tous comptés pour morts, ensevelis sous les ruines, sans grand espoir de survie.

Le jour suivant, Eva prit un bus pour Deptford et se mit en quête de Carlisle House. Elle découvrit l'habituel paysage lunaire de décombres fumants : des montagnes d'éboulis de briques, des falaises chancelantes de murs et de pièces exposées, de tuyaux de gaz continuant de brûler à travers les gravats avec une flamme pâle, tremblante. Des barrières avaient été dressées autour du site, gardées par des policiers et des volontaires de la protection civile. Derrière, des petits groupes contemplaient le spectacle d'un air désolé, parlant d'absurdité, de brutalité gratuite, d'agonie et de tragédie. Sous une porte cochère voisine, Eva sortit son passeport, puis longea les barrières en s'éloignant au maximum de la foule, mais en s'avançant au plus près d'une conduite de gaz. Le soir d'hiver tombait rapidement et les flammes pâles tournaient à l'or brun. L'obscurité signifiait peut-être l'imminence d'un autre raid et le groupe marmonnant des voisins, des survivants et des spectateurs commençait à se disperser. Certaine que personne ne regardait, Eva lança doucement son passeport au milieu des flammes. Un instant, elle le vit s'embraser et se ratatiner ; puis il disparut. Elle tourna les talons et s'en fut rapidement.

Elle regagna Battersea et informa Mrs Dangerfield, avec un courageux soupir, qu'elle avait un nouveau poste – « l'Écosse, une fois de plus » – et devait partir le soir même. Elle lui régla deux mois de loyer d'avance et fila allégrement. « Au moins, vous serez loin de tous ces bombardements », remarqua non sans envie Mrs Dangerfield avant de l'embrasser sur les deux joues. « Je téléphonerai la date de mon retour, promit Eva, sans doute en mars. »

Elle descendit dans un hôtel près de la gare de Victoria et, le lendemain matin, se cogna délibérément très fort la tête contre l'encadrement en brique de sa fenêtre, jusqu'à ce que la peau éclate et que le sang se mette à couler. Elle nettoya la blessure, la recouvrit d'un coton et d'un sparadrap, prit un taxi et se rendit dans un commissariat de Rotherhithe.

« Que pouvons-nous faire pour vous, Miss ? » s'enquit l'inspecteur de service.

Eva jeta un regard désorienté autour d'elle, comme si, toujours sous le choc, elle souffrait encore de commotion.

« L'hôpital m'a dit de venir ici. J'étais dans le bombardement de Carlisle House. Je m'appelle Sally Fairchild. »

À la fin de la journée, elle était pourvue de papiers d'identité provisoires et d'une carte de rationnement avec une semaine de tickets. Elle raconta s'être réfugiée chez des voisins, et elle donna une adresse dans une rue près du lieu bombardé. On lui recommanda de se rendre au plus tôt dans un bureau du ministère de l'Intérieur afin de tout faire régulariser. Les policiers se montrèrent très compatissants. Eva pleura un peu et on lui offrit de la raccompagner en voiture jusqu'à son refuge temporaire. Elle expliqua qu'elle allait de ce pas rejoindre des amis, merci quand même, et visiter à l'hôpital quelques-uns des blessés.

Eva Delectorskaya devint donc Sally Fairchild : enfin un nom que Romer ne connaissait pas. La chaîne était rompue, mais Eva ignorait combien de temps elle pourrait garder cette nouvelle identité. À son sens, Romer tirerait un plaisir pervers de ses talents de fugitive – j'ai été un bon maître –, mais il continuerait à réfléchir : comment retrouver Eva Delectorskaya à présent ?

Elle ne l'oubliait jamais. Elle savait qu'il lui faudrait en faire bien davantage avant de se sentir à peu près en sécurité, et c'est pourquoi elle se mit à fréquenter en fin d'après-midi – et tant qu'elle en avait encore les moyens – les cafés et les bars un peu chic. Durant ces quelques jours où elle continuerait de vivre à l'hôtel et sans emploi, elle serait à l'abri ; dès qu'elle reprendrait le moindre travail, le système la capturerait de nouveau sans pitié dans ses filets et elle serait identifiable. On la vit donc au Café Royal et au Chelsea Arts Club, au bar du Savoy, à celui du Dorchester ou au White Tower. Beaucoup d'hommes de bonne apparence lui offrirent un verre et l'invitèrent à sortir, quelques-uns tentèrent en vain de l'embrasser ou de la peloter. Au Bierkeller de Leicester Square, elle rencontra un pilote de chasse polonais, qu'elle revit deux fois avant de décider de l'écarter. Elle cherchait quelqu'un de particulier – sans savoir qui –, mais elle était certaine de le reconnaître à l'instant où ils se rencontreraient.

C'est une dizaine de jours après être devenue Sally Fairchild qu'Eva débarqua au Heart of Oak dans Mount Street. Un pub, mais dont la salle, moquettée et décorée de gravures de chasse, offrait un vrai feu dans la cheminée. Eva commanda un gin-orange, trouva un siège, alluma une cigarette et feignit de se concentrer sur les mots croisés du *Times*. Comme d'habitude, il y avait un certain nombre de militaires – rien que des officiers – et l'un d'eux lui proposa un verre. Elle ne voulait pas d'un officier anglais, elle répliqua donc qu'elle attendait un ami et le militaire s'éloigna. Au bout d'une heure environ – elle songeait à partir –, trois jeunes gens en costume sombre vinrent s'asseoir à la table voisine de la sienne. Ils étaient d'humeur joyeuse et, après les avoir écoutés une minute ou deux, Eva comprit à leur accent qu'ils étaient irlandais. Elle se leva pour aller commander un autre verre et laissa tomber son journal. Un des hommes, brun, teint basané, visage joufflu et fine moustache, le lui ramassa. Leurs regards se croisèrent.

« Puis-je vous offrir ce verre ? dit-il. S'il vous plaît : ce serait à la fois un plaisir et un honneur.

– C'est très aimable à vous, répliqua Eva. Mais je partais à l'instant. »

Elle se laissa convaincre de se joindre au trio. Elle avait rendez-vous avec un gentleman de ses amis, expliqua-t-elle, mais il avait déjà quarante minutes de retard.

« Ah, mais ce n'est pas un gentleman ! s'exclama le moustachu d'un air solennel. C'est ce qui s'appelle un goujat d'Anglais ! »

Tout le monde rit et Eva remarqua que l'homme en face d'elle – blond, taches de rousseur et une grande silhouette souple un peu affalée – souriait à la plaisanterie mais intérieurement, comme si c'était quelque chose d'autre qui l'amusait dans cette déclaration, et non l'insulte manifeste.

Elle découvrit que tous trois étaient des avocats attachés à l'ambassade d'Irlande et qu'ils travaillaient dans les bureaux du consulat, sur Clarges Street. Quand ce fut au tour du grand blond de payer la tournée, elle le laissa atteindre le bar puis s'excusa auprès des autres au prétexte d'aller se « repoudrer le nez ». Elle rejoignit l'homme au comptoir, l'informa qu'elle avait changé d'avis et préférait un demi-panaché plutôt qu'un gin-orange.

« Certainement, répliqua-t-il. Un demi-panaché et rien d'autre !

— Comment avez-vous dit que vous vous appeliez ? demanda-t-elle.

— Sean. Les deux autres sont David et Eamonn. Eamonn est le comédien ; nous sommes ses spectateurs.

— Sean quoi ?

— Sean Gilmartin. » Il se tourna et la regarda. « Et quel est votre nom déjà, Sally ?

— Sally Fairchild », dit-elle. Et elle sentit le passé se détacher d'elle comme des chaînes. Elle s'approcha plus près de Sean Gilmartin tandis qu'il lui tendait son demi-panaché, aussi près qu'elle le put sans le toucher, et elle leva son visage vers ces yeux pleins de sagesse et ce sourire tranquille. Quelque chose lui disait que l'histoire d'Eva Delectorskaya avait atteint son terme.

# 13

# Face à face

« Alors, c'est ainsi que tu as rencontré mon papa ? ai-je lancé. Tu l'as dragué dans un bistro ?

– Je suppose que oui. » Ma mère a soupiré, le visage momentanément dépourvu d'expression – songeant au passé, sans doute. « Je cherchais l'homme idéal – je le cherchais depuis des jours et des jours – et puis je l'ai vu. Cette manière qu'il avait de rire sous cape. J'ai su tout de suite.

– Rien de cynique dans cette affaire, par conséquent. »

Elle m'a regardée avec cet air sévère qu'elle avait quand je dépassais les limites, que je la ramenais un peu trop.

« J'aimais ton père, a-t-elle dit simplement, il m'a sauvée.

– Pardon », ai-je répliqué, un peu faiblement, à la fois honteuse et mettant mon aigreur sur le compte de ma gueule de bois : je continuais à payer pour la fête d'adieux de Hamid. Je me sentais ramollie et stupide : j'avais la bouche sèche, le corps assoiffé d'eau, et, dans la catégorie maux de crâne, ma « légère » migraine avait grimpé au niveau de vibrations persistantes.

Ma mère m'avait raconté rapidement le reste de l'histoire. Cette rencontre au Heart of Oak avait été suivie de plusieurs autres rendez-vous – des dîners, un bal à l'ambassade, un film – et les deux jeunes gens avaient compris que, lentement mais sûrement, ils devenaient très proches. Sean Gilmartin, grâce à ses relations et à son influence au sein du corps diplomatique, avait facilité les démarches nécessaires à l'acquisition par Sally Fairchild d'un passeport et autres documents administratifs. En mars 1942, ils étaient partis pour l'Irlande, à Dublin, où Eva avait fait la connaissance des parents de Sean. Ils s'étaient mariés deux mois plus tard en l'église de St Saviour, dans Duncannon Street. Eva Delectorskaya, *alias* Sally Fairchild, était devenue Sally Gilmartin, et elle se savait désormais en sécurité. Après la guerre, Sean Gilmartin et sa jeune épouse avaient regagné l'Angleterre où Sean avait rejoint un cabinet d'avocats à Banbury, dans l'Oxfordshire, en qualité d'associé junior. Un cabinet prospère, dont Sean Gilmartin avait été élu associé principal ; en 1949, le couple avait eu un enfant, une fille baptisée Ruth.

« Et tu n'en as plus jamais entendu parler ?

– Non, pas un murmure. Je les avais complètement semés, jusqu'à maintenant.

– Qu'est-il arrivé à Alfie Blytheswood ?

– Il est mort en 1957, je crois, une attaque.

– Réelle ?

– Je crois. L'intervalle était trop grand.

– Pas de problèmes découlant de l'identité Sally Fairchild ?

– J'étais une femme mariée habitant Dublin – Mrs Sean Gilmartin – tout avait changé, tout était différent : personne ne savait ce qu'il était advenu de Sally Fairchild. » Elle se tut et sourit, comme songeant à ses identités passées, ces « moi » qu'elle avait occupés.

« Et ton père ?

– Il est mort à Bordeaux, en 1944. Après la guerre, j'ai lancé Sean sur ses traces par l'entremise de l'ambassade de Londres. Je lui ai raconté qu'il s'agissait d'un vieil ami de la famille… » Elle pinça les lèvres. « Tout aussi bien, je suppose. Comment aurais-je pu retourner le voir ? Je n'ai jamais revu Irène non plus. C'était trop risqué. » Elle leva la tête. « Que fabrique donc le petit ?

– Jochen ! Laisse-le tranquille ! » ai-je hurlé, furieuse. Il avait trouvé un hérisson sous le laurier-rose. « Ils sont pleins de puces !

– C'est quoi, des puces ? a-t-il crié en retour, tout en s'écartant quand même de la boule brunâtre piquante.

– D'horribles insectes qui te piquent partout.

– Et moi je veux qu'il reste dans mon jardin, a hurlé aussi ma mère. Il mange les limaces. »

Face à ce tir de remontrances, Jochen a reculé encore un peu avant de s'accroupir pour observer le hérisson se dérouler prudemment.

On était samedi soir et le soleil se couchait dans l'habituelle brume poussiéreuse qui faisait office de crépuscule durant cet été interminable. Sous l'épaisse lumière dorée, le pré devant le bois de la Sorcière paraissait décoloré à mort, une vieille blonde fatiguée.

« Est-ce que tu as de la bière ? » J'avais soudain envie de bière, de quoi soigner ma gueule de bois, désespérément.

« Il faudrait aller à la boutique, a répliqué ma mère en consultant sa montre, mais ça sera fermé. » Elle m'a regardée, sagace. « Tu ne m'as pas l'air en grande forme, je dois dire. Tu as pris une cuite ?

– La fête s'est prolongée un peu plus que prévu.

– Je crois que j'ai une vieille bouteille de whisky quelque part.

– Oui. » Je me suis ranimée. « Peut-être un peu de whisky avec de l'eau. Des quantités d'eau », ai-je ajouté, comme si ça rendait mon besoin de boire moins urgent, moins coupable.

Ma mère m'a apporté un grand verre d'un whisky d'or pâle très allongé et, dès la première gorgée, je me suis sentie bien mieux – moins irritable, moins à vif malgré ma migraine persistante – et je me suis rappelé de me montrer spécialement super-gentille avec Jochen pour le restant de la journée. Tout en buvant, j'ai songé à quel point la vie pouvait être étonnante : qu'elle puisse faire en sorte que je me retrouve ici dans ce cottage de l'Oxfordshire, par une chaude soirée d'été, avec mon fils taquinant un hérisson et ma mère me servant un whisky – cette femme, ma mère, que je n'avais jamais à l'évidence vraiment connue, née en Russie, une espionne anglaise, qui avait tué un homme au Nouveau-Mexique en 1941, avait fui et, une génération plus tard, m'avait enfin raconté son histoire. Ça montrait bien que… J'avais le cerveau trop en compote pour saisir l'ensemble du tableau auquel appartenait l'histoire d'Eva Delectorskaya. Je pouvais seulement en énumérer les composantes. Je me sentais à la fois euphorique – ça prouvait que nous ne savions rien des autres, que tout était possible, concevable – et en même temps vaguement démoralisée en me rendant compte des mensonges qui avaient présidé à mon existence. L'impression d'avoir à refaire complètement connaissance avec ma mère, remodeler tout ce qui s'était passé entre nous, réfléchir à la manière dont sa vie éclairait maintenant la mienne d'un jour nouveau, voire dérangeant. J'ai décidé sur-le-champ d'abandonner le sujet pendant un jour ou deux, de le laisser mijoter un moment avant de m'essayer à une nouvelle analyse. Les événements de ma propre vie étaient déjà assez compliqués : j'avais à me soucier de moi en premier. Ma mère était visiblement faite d'un matériau plus solide. Je réfléchirais à tout ça une fois plus alerte, plus lucide mentalement – et je poserais au docteur Timothy Thoms quelques questions majeures.

Je lui ai jeté un coup d'œil. Elle tournait distraitement les pages de son magazine mais son regard était ailleurs – l'air inquiet, elle contemplait fixement les arbres du bois de la Sorcière, au-delà du pré.

« Tout va bien, Sal ? ai-je demandé.

– Tu savais qu'une vieille femme – une femme âgée – a été tuée dans Chipping Norton avant-hier ?

– Non. Tuée comment ?

– Elle était en chaise roulante et faisait ses courses. Soixante-trois ans. Renversée par une voiture qui est montée sur le trottoir.

– Quelle horreur... Un conducteur ivre ? Un fou du volant ?

– On ne sait pas. Le chauffard a pris la fuite. On ne l'a pas encore retrouvé.

– Ne peut-on pas l'identifier grâce à la voiture ?

– Elle avait été volée.

– Je vois... Mais quel rapport avec toi ? »

Elle s'est tournée vers moi. « Ça ne te donne pas à réfléchir ? Je circulais en fauteuil roulant récemment. Je fais souvent mes courses dans Chipping Norton. »

J'ai été obligée de rire. « Oh, allons donc ! »

Elle m'a regardée : un regard ferme, glacial. « Tu ne comprends toujours pas, n'est-ce pas ? Même après tout ce que je t'ai raconté. Tu ne comprends pas comment ils opèrent. »

J'ai éclusé mon whisky – je n'allais pas la suivre sur ces voies tortueuses, ça, pas question.

« Faut qu'on y aille, j'ai dit, diplomate. Merci de t'être occupée du petit. Est-ce qu'il s'est bien tenu ?

– Impeccablement. On ne s'ennuie pas avec lui. »

J'ai arraché Jochen à ses études ès hérissons et nous avons passé dix minutes à rassembler ses possessions largement dispersées.

En entrant dans la cuisine, j'ai remarqué une sorte d'en-cas sur la table : un thermos, des sandwiches dans un Tupperware, deux pommes et un paquet de biscuits. Bizarre, ai-je pensé tout en ramassant des petites voitures par terre, n'importe qui croirait qu'elle s'apprête à partir en pique-nique. Puis Jochen m'a appelée : il ne trouvait plus son revolver.

Finalement, on a chargé la voiture et dit au revoir. Jochen a embrassé sa grand-mère et, quand à mon tour j'ai voulu embrasser ma mère, elle s'est raidie – tout était si étrange aujourd'hui, rien n'avait de sens. Il fallait que je m'en aille d'abord, je m'attaquerais aux anomalies plus tard.

« Viendras-tu en ville la semaine prochaine ? ai-je demandé gentiment, d'un ton très amical, avec l'idée de l'inviter à déjeuner.

– Non.

– Ah bon. » J'ai ouvert la portière. « Salut, Sal. Je te téléphone. »

Elle m'a alors attirée vers elle et m'a serrée dans ses bras, très fort. « Au revoir, chérie », a-t-elle dit, et j'ai senti ses lèvres sèches sur ma joue. Ça, c'était encore plus étrange : elle me prenait dans ses bras à peu près tous les trois ans.

Jochen et moi avons quitté le village en silence. J'ai demandé :

« Tu t'es bien amusé chez Granny ?

– Oui. Un peu.

– Sois précis.

– Eh bien, elle était très occupée, elle n'arrêtait pas de faire des trucs. Elle coupait des choses dans le garage.

– Couper ? Quelles choses ?

– Je ne sais pas. Elle n'a pas voulu que j'entre. Mais je l'entendais scier.

– Scier ?... Est-ce qu'elle t'a paru différente ? Est-ce qu'elle n'avait pas son comportement habituel ?

– Sois précise.

– *Touché**. Est-ce qu'elle t'a paru nerveuse, à vif, de mauvaise humeur, bizarre ?

– Elle est toujours bizarre. Tu sais bien. »

Nous sommes rentrés à Oxford dans la lumière mourante. De noires volées de corbeaux décollaient des champs couverts de chaume, tandis que le crépuscule cendré estompait et embrumait les haies, et que bosquets et bois assombris se faisaient denses, impénétrables, comme coulés dans le métal. Mon crâne se desserrait et, y voyant un signe d'amélioration générale, je me suis souvenue que j'avais une bouteille de mateus rosé dans le frigo. Samedi soir, la télé, un paquet de clopes et une bouteille de mateus rosé : que demander de plus à la vie ?

Nous avons dîné (toujours pas de nouvelles de Ludger et Ilse), nous avons regardé un spectacle de variétés – chanteurs nuls, danseurs pas doués – et j'ai mis Jochen au lit. À présent, je pouvais boire mon vin et fumer une ou deux cigarettes. Au lieu de quoi, vingt minutes après avoir fini la vaisselle, j'étais toujours plantée dans la cuisine, devant une tasse de café noir, en train de réfléchir à ma mère et à sa vie.

Le dimanche matin, je me suis sentie cent pour cent mieux, mais je ne cessais pas de penser au cottage et au comportement de ma mère le jour précédent : la nervosité, la paranoïa, l'en-cas, l'inhabituelle démonstration physique d'affection... Que se passait-il ? Où pouvait-elle bien aller avec ses sandwiches et son thermos – et le tout préparé la veille au soir, ce qui tendait à indiquer un départ tôt le lendemain matin. Si elle avait l'intention de faire un voyage, pourquoi ne pas m'en avoir parlé ? Et si elle ne voulait pas que je le sache, pourquoi laisser le pique-nique si bien en vue ?

Et puis j'ai compris.

Jochen a accepté les nouveaux plans de bonne grâce. En route, nous avons chanté, histoire de passer le temps. Des tas de chansons que mon père me chantait quand j'étais petite, sa voix de basse profonde remplissant la voiture. Comme moi, Jochen a une voix épouvantable – il chante horriblement faux –, mais nous avons continué à brailler à tue-tête avec insouciance, unis dans notre dissonance.

« Pourquoi est-ce qu'on y retourne ? a voulu savoir Jochen entre deux couplets.

– Parce que j'ai oublié quelque chose, j'ai oublié de demander quelque chose à Granny.

– Tu aurais pu lui parler au téléphone.

– Non, il faut que je lui parle en face à face.

– Je suppose que vous allez vous disputer, a-t-il commenté d'un ton las.

– Non, non. Ne t'en fais pas C'est juste une question que je dois lui poser. »

Comme je le redoutais, sa voiture avait disparu et la maison était fermée. J'ai récupéré la clé sous le pot de fleurs et nous sommes entrés. Rien n'avait changé : tout était propre et en ordre – pas la moindre trace d'un départ précipité, aucun signe d'affolement, ni d'une hâte due à la frayeur. J'ai arpenté lentement les pièces, à la recherche de l'indice, de la chose singulière qu'elle m'aurait laissée et, en fin de compte, j'ai trouvé.

Durant ces soirées lourdes et suffocantes, quelle personne saine d'esprit aurait allumé un feu dans son salon ? Ma mère l'avait fait, à l'évidence : un amas de bûches consumées gisait dans la cheminée, les cendres encore chaudes. Accroupie, et à l'aide du pique-feu, j'ai farfouillé dans le tas avec l'espoir d'y repérer des vestiges de papiers – peut-être avait-elle détruit quelque autre secret – mais rien. En revanche, mon regard a été accroché par une des bûches. Je l'ai ramassée avec les pinces et je l'ai passée sous le robinet dans la cuisine – ça a sifflé tandis que l'eau froide rinçait les cendres – et le grain brillant du bois de cerisier est apparu aussitôt. Je l'ai séchée avec du papier cuisine : impossible d'hésiter, même à moitié carbo-nisée, c'était sans aucun doute la partie principale de la crosse d'un fusil de chasse, sciée juste à hauteur de la poignée. Je suis allée dans le garage où ma mère disposait d'un petit établi et remisait ses outils de jardinage (toujours huilés et bien rangés). Sur l'établi gisaient une scie à métaux et, répandus tout autour, des petits copeaux argen-tés de métal. Elle n'avait pas vraiment pris la peine de les cacher : de fait, la crosse du fusil avait été plus roussie que brûlée. J'ai senti une faiblesse dans mes boyaux : une partie de moi était saisie d'une sorte de rire, l'autre d'une puissante envie de déféquer. Je commençais, je l'ai compris, à raisonner comme ma mère : elle avait voulu que je revienne ce dimanche matin pour constater sa disparition ; elle avait voulu que je fouille sa maison et que j'y trouve ces choses et, à présent, elle attendait de moi que j'en tire la conclusion évidente.

Dès six heures ce soir-là, j'étais à Londres. Jochen parqué en sécurité chez Veronica et Avril, il ne me restait plus qu'à retrouver ma mère avant qu'elle ne tue Lucas Romer. J'ai pris le train pour Paddington et, de Paddington, un taxi m'a déposée dans Knightsbridge. Je me souvenais de la rue où ma mère m'avait dit qu'habitait Romer mais pas du numéro de la maison : Walton Crescent, c'est l'adresse que j'ai indiquée au chauffeur en lui demandant de me laisser à un bout. Je voyais d'après mon plan de Londres qu'il existait une Walton Street – qui semblait conduire aux portes mêmes de Harrods – et un Walton Crescent, niché derrière. J'ai réglé le taxi, à cent mètres de là, et j'ai gagné le Crescent à pied, en essayant tout du long de réfléchir comme ma mère le ferait, de deviner son *modus operandi*. Commençons par le commencement, me suis-je dit : examine les parages.

Walton Crescent respirait l'argent, la classe, le privilège, l'assurance – mais avec calme, subtilité et sans ostentation. Toutes les maisons se ressemblaient beaucoup jusqu'à ce qu'on y regarde de plus près. Un square en forme de croissant faisait face à un arc aimable de bâtisses géorgiennes mitoyennes, stuc crème, deux étages, chacune avec un petit jardin en façade et, au premier étage, trois hautes portes-fenêtres ouvrant sur un balcon de fer forgé filigrané. Les jardinets étaient bien entretenus et d'un vert provocant, malgré les restrictions d'eau. J'ai noté des haies de buis nains, des variétés de clématites, des roses et un certain nombre de statues moussues. Des systèmes d'alarme presque partout – beaucoup de fenêtres étaient pourvues de volets ou protégées par des grilles coulissantes. J'étais pratiquement seule dans la rue, hormis une nurse poussant un landau et un vieux monsieur aux cheveux gris en train de couper une mini-haie d'ifs avec un soin tendre et doctoral. J'ai aperçu l'Allegro blanche de ma mère garée en face du numéro 29.

Je me suis penchée et j'ai frappé sèchement sur la vitre. Ma mère a tourné la tête mais n'a paru nullement surprise de me voir. Elle a souri et tendu la main pour m'ouvrir la portière.

« Tu as pris ton temps, a-t-elle dit. Je pensais que tu serais là depuis une éternité. Mais bravo quand même. » Elle portait son tailleur-pantalon gris perle, ses cheveux étaient brillants et bien coiffés, à croire qu'elle sortait de chez le coiffeur. Elle s'était mis du rouge à lèvres et du mascara.

Je me suis permis un frémissement de colère avant de grimper dans la voiture et de m'installer sur le siège du passager. Elle m'a offert un sandwich sans me laisser le temps de lui faire des reproches.

« C'est quoi ?

– Saumon et concombre. Pas du saumon en boîte.

– Mayonnaise ?

– Juste un peu – et de l'aneth. »

J'ai pris le sandwich et j'ai englouti deux ou trois bouchées : j'avais soudain très faim et le sandwich était très goûteux. J'ai suggéré : « Il y a un pub dans la rue d'à côté. Allons y prendre un verre et parler de cette affaire convenablement. Je suis très inquiète, je dois dire.

– Non, je risquerais de le rater. Dimanche soir, de retour de la campagne – de sa maison ou de chez des amis –, il devrait être ici avant neuf heures.

– Je t'avertis, je ne te laisserai pas le tuer. Je…

– Ne sois pas ridicule ! » Elle a éclaté de rire. « Je veux juste avoir une petite conversation. » Elle a posé sa main sur mon genou. « Bravo, Ruth chérie, de m'avoir retrouvée ici. Je suis impressionnée – et ravie. J'ai pensé que c'était mieux ainsi : te laisser deviner toi-même, tu comprends ? Je ne voulais pas te demander de venir, te mettre sous pression. J'ai pensé que tu devinerais parce que tu es si intelligente – mais maintenant je sais que tu l'es différemment.

– Je suppose que je devrais prendre ça pour un compliment.

– Écoute : si je te l'avais demandé tout de go, tu aurais inventé cent moyens de me dissuader. » Elle a souri, presque avec jubilation. « Mais en tout cas, nous y voici, toutes les deux. » Elle m'a caressé la joue du bout des doigts – d'où venait donc toute cette tendresse ? « Je suis contente que tu sois ici. Je sais que j'aurais pu l'affronter seule, mais ce sera tellement mieux avec toi à mes côtés.

– Pourquoi ? ai-je demandé, soupçonneuse.

– Tu sais bien : soutien moral et le reste…

– Où est le fusil ?

– Je crains de l'avoir bousillé. Les canons ont refusé de se laisser scier convenablement. Je n'oserais pas m'en servir – de toute façon, maintenant que tu es là, je me sens en sécurité. »

Nous avons continué à bavarder et à manger nos sandwiches tandis que la lumière vespérale semblait s'épaissir et tourner au pêche poussiéreux, donnant un instant au stuc crème des reflets ocre très pâle. Alors que le ciel s'assombrissait lentement – la journée était nuageuse mais chaude –, j'ai noté en moi la naissance d'un petit tortillon de peur : il paraissait se loger parfois dans mon ventre, puis dans ma poitrine ou encore dans mes membres, les rendant lourds et douloureux, et je me suis mise à souhaiter que Romer ne revienne pas, qu'il soit parti en vacances à Portofino, Saint-Tropez ou Inverness, ou n'importe lequel de ces endroits fréquentés par des gens comme lui, que notre veille se révèle stérile et que nous puissions rentrer chez nous tenter d'oublier cette histoire. Mais en même temps je connaissais ma mère et je savais que, pour elle, ne pas voir Romer ce soir ne mettrait pas un terme à l'affaire : il lui fallait le rencontrer une fois encore, juste une dernière fois. Et j'ai compris, en y réfléchissant davantage, que tous les événements de cet été avaient été organisés – manipulés – pour aboutir à cette confrontation : la comédie du fauteuil roulant, la paranoïa, le manuscrit…

Elle a saisi mon bras.

Au bout du Crescent, la grosse Bentley montrait le bout de son capot. J'ai cru m'évanouir, mon sang a paru me monter bruyamment à la tête. J'ai pris une grande goulée d'air tandis qu'un bouillonnement d'acides gastriques refluait dans mon œsophage.

« Quand il descendra de voiture, a dit ma mère d'un ton égal, tu sors et tu l'appelles. Il se retournera vers toi – il ne me verra pas tout de suite. Fais-le parler une seconde ou deux. Je veux le surprendre.

– Qu'est-ce que je lui dis ?

– Eh bien, par exemple, "Bonsoir, Mr Romer, puis-je vous dire un mot ?" Je n'ai besoin que de deux secondes. »

Elle paraissait très calme, très forte ; alors que j'aurais pu éclater en sanglots à tout instant, beugler et pleurer comme un veau tant je me sentais soudain angoissée, et nullement à la hauteur – plus du tout moi-même, en fait.

La Bentley s'est arrêtée en double file, moteur en marche, le chauffeur est descendu et a fait le tour du véhicule pour aller à l'arrière ouvrir côté trottoir. Romer est sorti non sans difficulté, un peu voûté, les muscles peut-être raidis par le voyage. Il a échangé quelques mots avec son chauffeur qui est alors remonté en voiture et a démarré. Romer s'est approché de son portail. Il portait une veste de tweed sur un pantalon de flanelle grise et des chaussures de daim. Une lumière s'est allumée dans l'imposte du numéro 29 et, simultanément, les projecteurs du jardin se sont activés, éclairant, outre le sentier pavé menant à l'entrée, un cerisier et un obélisque dans un coin de la haie.

Ma mère m'a donné un coup de coude et j'ai ouvert la portière. « Lord Mansfield ? ai-je appelé en mettant pied à terre. Puis-je vous dire un mot ? »

Romer s'est retourné très lentement vers moi.

« Qui êtes-vous ?

– Ruth Gilmartin. Nous nous sommes rencontrés l'autre jour. » J'ai traversé la rue pour aller vers lui. « À votre club ; je voulais vous interviewer. »

Il m'a regardée d'un air dubitatif. « Je n'ai rien à vous dire. » Voix rauque, neutre, sans menace. « Je vous en ai déjà informée.

– Oh, mais je crois que si, au contraire », ai-je répliqué en me demandant où était ma mère – je n'avais aucune sensation de sa présence, je ne l'entendais pas, je n'avais aucune idée de l'endroit où elle avait disparu.

Il a éclaté de rire et ouvert le portail de son jardin.

« Bonne nuit, Miss Gilmartin. Cessez de m'importuner. Allez-vous-en. »

J'ai été incapable de trouver quoi dire : j'avais été congédiée.

Il s'est tourné pour fermer le portail tandis que, derrière lui, quelqu'un entrouvrait la porte d'entrée de quelques centimètres, ainsi plus facile d'accès, pas de problème de clé ou d'une chose aussi vulgaire. Il a vu que j'étais restée plantée là et, d'instinct, il a parcouru du regard la rue d'un bout à l'autre. Et il s'est complètement immobilisé.

« Hello, Lucas ! » a lancé ma mère depuis l'obscurité.

Elle a paru se matérialiser de derrière la haie, sans bouger, juste là, tout à coup.

Un instant paralysé, semble-t-il, Romer s'est redressé très droit, très raide, tel un soldat à la parade, comme si autrement il risquait de tomber.

« Qui êtes-vous ? »

Elle s'est alors avancée, et la lumière mate du crépuscule est venue éclairer son visage, illuminer ses yeux. Et j'ai pensé : elle est très belle. À croire qu'une sorte de rajeunissement miraculeux prenait place et que les trente-cinq dernières années s'effaçaient soudain.

J'ai regardé Romer – il l'avait reconnue. Il demeurait parfaitement immobile, une main agrippée au pilier du portail. Je me suis demandé ce qu'il devait ressentir, à cet instant – un choc au-delà de tous les chocs. Mais il n'a rien laissé paraître, réussissant juste à produire un vague petit sourire.

« Eva Delectorskaya, a-t-il dit doucement, qui l'aurait cru ? »


Nous étions dans le grand salon du premier étage – Romer ne nous avait pas offert de nous asseoir. À la porte du jardin, une fois remis du choc éprouvé en voyant ma mère, il avait repris contenance et recouvré sa politesse lasse. « Il vaut mieux que vous entriez, je suppose, avait-il décidé, nul doute que vous désiriez me dire quelque chose. » Nous l'avions suivi le long du sentier pavé puis à l'intérieur de la maison où un homme aux cheveux bruns en veste blanche attendait prudemment dans le hall. J'entendais, venant d'une cuisine au bout d'un couloir, un cliquetis de vaisselle.

« Ah, Petr, a dit Romer, je descends dans une minute. Prévenez Maria de tout laisser au four – et puis elle peut partir. »

Le salon était de style maison de campagne anglaise, années 1930 : quelques beaux meubles de bois sombre – un bureau, une vitrine avec une collection de faïences –, des tapis et de vieux canapés confortables avec jetés et coussins, mais les tableaux aux murs étaient contemporains. J'ai remarqué un Francis Bacon, un Burra et une exquise nature morte – un bol d'étain vide devant un vase en poterie mordorée contenant deux coquelicots mourants. Le tableau semblait éclairé mais il n'y avait pas le moindre projecteur : l'épais reflet peint sur le bol et le vase en faisait étonnamment office. Je les examinais, façon de me distraire, en proie que j'étais à un affolement vertigineux très étrange – un mélange d'excitation et de peur, un sentiment que je n'avais plus vraiment connu depuis l'enfance quand, ayant délibérément commis une faute ou enfreint une interdiction, j'imaginais la culpabilité et le châtiment qui suivraient ma découverte, ce qui fait partie de la séduction enivrante de l'illicite, je suppose. J'ai jeté un coup d'œil à ma mère : elle fixait Romer avec force mais froideur. Il refusait de croiser son regard, et, debout près de la cheminée – le feu dressé mais pas allumé –, dans une attitude possessive, le coude appuyé sur la plaque de marbre, sa nuque visible dans le vieux miroir piqueté au-dessus, il contemplait pensivement le tapis à ses pieds. Puis il a levé la tête pour fixer Eva à son tour mais sans la moindre expression sur son visage. J'ai compris la raison de ma panique : dans la pièce, l'air semblait figé, épais, chargé de leur turbulente histoire commune, une histoire où je n'avais aucune place, et dont j'étais pourtant maintenant contrainte d'être le témoin, à l'instant du dénouement : je me faisais l'effet d'un voyeur – je n'aurais pas dû être ici, et cependant j'y étais.

« Pourrait-on ouvrir une fenêtre ? ai-je demandé avec hésitation.

– Non, a répliqué Romer, sans quitter ma mère des yeux. Vous trouverez de l'eau sur cette table, là-bas. »

Sur une table basse, en effet, était posé un plateau avec des verres de cristal taillé, des carafes de whisky et de cognac ainsi qu'un pichet à moitié rempli d'une eau visiblement poussiéreuse. Je me suis versé un verre de ce liquide tiède que j'ai bu goulûment, avec un bruit qui m'a paru terriblement audible. Romer s'est tourné vers moi.

« Quel rapport avez-vous avec cette femme ? a-t-il dit.

– C'est ma mère », ai-je rétorqué aussitôt. Et j'ai éprouvé, bêtement, un petit frisson d'orgueil, en songeant à tout ce qu'elle avait fait, à tout ce qu'elle avait subi pour arriver ici, à cet instant, dans cette pièce. Je suis allée me poster tout près d'elle.

« Bon Dieu ! a lâché Romer. Je ne peux pas le croire. » Il m'a paru profondément dégoûté. J'ai regardé ma mère et j'ai tenté d'imaginer ce qui pouvait bien se passer dans sa tête, en revoyant cet homme après des dizaines d'années, un homme qu'elle avait sincèrement aimé – ou du moins je le croyais – et qui aussi avait mis un zèle particulier à organiser sa mort. Mais elle semblait très calme, son visage fort et résolu. Romer s'est retourné vers elle.

« Que veux-tu, Eva ? »

Ma mère m'a désignée d'un geste. « Je voulais simplement te dire qu'elle est au courant de tout. J'ai tout mis par écrit, vois-tu, Lucas, et je le lui ai donné – elle a tout. De plus, un professeur d'Oxford est en train d'écrire un livre là-dessus. Je voulais simplement te dire que tes années de secret sont terminées. Tout le monde va savoir, très vite, ce que tu as fait. » Elle s'est tue un instant, avant d'ajouter : « C'est fini. »

Il a mâchonné sa lèvre un moment – à mon sens, c'était la dernière chose qu'il s'attendait à entendre. Il a écarté les mains.

« Parfait. Je le traînerai devant les tribunaux. Je t'y traînerai toi aussi et tu iras en prison. Tu ne peux rien prouver du tout. »

Ma mère a spontanément souri, et j'ai compris pourquoi : le propos constituait déjà en soi une sorte de confession. « Je voulais t'informer, et je voulais te revoir une dernière fois. » Elle s'est avancée d'un pas. « Et je voulais que tu me voies. Que tu saches aussi que j'étais encore bien vivante.

– On t'a perdue au Canada, a dit Romer. Une fois que nous avons compris que tu avais dû t'y réfugier. Tu as fait preuve de beaucoup d'intelligence. » Il a marqué une pause. « Il faut que tu saches que ton dossier n'a jamais été clos. Nous pouvons encore t'arrêter, t'accuser, te faire passer en jugement. Il me suffit de prendre ce téléphone – tu seras arrêtée avant la fin de la nuit, où que tu te trouves. »

Le léger sourire de ma mère a alors proclamé sa victoire : le pouvoir avait changé de mains, enfin.

« Pourquoi ne le fais-tu pas, Lucas ? a-t-elle suggéré, persuasive. Me faire arrêter. Vas-y. Mais tu n'oseras pas, n'est-ce pas ? »

Il l'a regardée, visage impassible, maîtrise absolue. N'empêche, je savourais le triomphe de ma mère sur lui – j'avais envie d'applaudir, de pousser des cris de joie.

« En ce qui concerne le gouvernement britannique, tu es une traîtresse, a-t-il dit, d'une voix plate, sans la moindre trace de menace ou de fanfaronnade.

– Oh, oui, oui, bien entendu, a-t-elle rétorqué, débordante d'ironie. Nous sommes tous des traîtres : moi, Morris, Angus et Sylvia. Un petit nid de traîtres anglais au sein des SAC. Un seul homme droit et fidèle : Lucas Romer. » Elle l'a fixé des yeux avec un pur mépris, sans la moindre pitié. « Finalement, ça tourne mal pour toi, Lucas. Reconnais-le.

– Ça a mal tourné à Pearl Harbour. » Il a fait une petite grimace moqueuse, comme s'il comprenait enfin qu'il ne pouvait plus rien, qu'il perdait tout contrôle. « Grâce aux Japonais – Pearl Harbour a tout foutu en l'air.

– Tu aurais dû me laisser tranquille, a dit ma mère. Tu n'aurais pas dû continuer à me rechercher – je ne me serais pas donné toute cette peine. »

Il l'a regardée, décontenancé. C'était la première émotion sincère que je voyais passer sur ses traits. « De quoi diable parles-tu ? »

Mais elle n'écoutait pas. Elle a ouvert son sac et en a sorti le fusil scié. Il était très petit, pas plus de vingt-cinq centimètres – il ressemblait à un pistolet antique, le flingue d'un bandit de grand chemin. Elle l'a pointé droit sur Romer.

« Sally ! me suis-je écriée. Je t'en prie…

– Je sais que tu ne feras rien de stupide, a dit Romer très calme. Tu n'es pas idiote, Eva, alors pourquoi ne pas ranger cet objet ? »

Elle a fait un pas vers lui, a redressé son arme, les deux moignons de canons braqués en plein sur son visage, à cinquante centimètres. Il a un peu bronché.

« Je voulais simplement savoir quel effet ça me ferait de te tenir à ma merci, a dit ma mère, toujours parfaitement maîtresse d'elle-même. Je pourrais si joyeusement te tuer maintenant, si facilement, et je voulais juste savoir ce que je ressentirais à cet instant. Tu n'as aucune idée combien le fait d'imaginer ce moment m'a soutenue des années durant. J'ai attendu très longtemps. » Elle a baissé son revolver. « Et je peux t'assurer que chaque seconde en valait la peine. » Elle a remis le fusil dans son sac qu'elle a refermé bruyamment, ce qui a fait un peu sursauter Romer.

Il a tendu la main vers une sonnette sur le mur, l'a pressée et le nommé Petr, gauche et nerveux, a surgi instantanément.

315

« Ces personnes s'en vont », a annoncé Romer.

Nous avons gagné la porte.

« Adieu, Lucas, a lancé ma mère en filant à grands pas, sans même lui accorder un regard. Souviens-toi de ce soir. Tu ne me reverras plus jamais. »

Moi, en revanche, j'ai bien entendu jeté un œil autour de la pièce avant de partir : Romer s'était un peu tourné, les mains dans les poches de sa veste, enfoncées très fort, je l'ai deviné à la multiplication des plis et à la déformation des revers ; la tête baissée, il fixait de nouveau le tapis devant la cheminée, comme pour y trouver une indication de ce qu'il lui restait à faire.

Nous sommes remontées en voiture et j'ai levé le nez vers les trois hautes fenêtres. La nuit tombait à présent et les vitres, leurs rideaux pas encore tirés, luisaient de reflets jaune orangé.

« Le fusil m'a foutu la trouille, Sal, ai-je avoué.

– Il n'était pas chargé.

– Ah bon.

– Je ne veux pas parler pour l'instant, si ça ne te fait rien. Pas encore. »

Nous avons donc quitté Londres, via Shepherd's Bush, par l'A40, en direction d'Oxford. En silence, jusqu'à Stokenchurch, jusqu'à ce que, à travers l'énorme trouée creusée dans les Chilterns pour l'autoroute, nous apercevions la paresseuse nuit d'été de l'Oxfordshire étalée devant nous – les lumières de Lewknor, Sydenham et Great Haseley commençant à étinceler tandis que la terre s'obscurcissait et que, dans de chaudes lueurs ambrées, le soleil se couchait quelque part à l'ouest, au-delà du lointain Gloucestershire.

Je repensais à ce qui s'était passé cet été : en fait, tout avait commencé depuis des années. J'ai compris la façon dont ma mère m'avait si astucieusement manipulée, utilisée, au cours des semaines précédentes, et je me suis demandé si tel avait été mon destin en ce qui la concernait. Elle aurait vécu toute sa vie avec l'idée de cette rencontre finale avec Romer, et, à la naissance de son enfant – peut-être espérait-elle un garçon ? –, elle se serait dit : désormais j'ai mon allié essentiel, désormais j'ai quelqu'un qui peut m'aider, un jour je détruirai Romer.

J'ai compris comment mon retour d'Allemagne à Oxford avait été le catalyseur, comment le processus s'était déclenché – à présent que j'étais de nouveau dans sa vie, le plan pouvait lentement se mettre en place. La rédaction de son récit, sa paranoïa, les innocentes requêtes du début, elle avait tout organisé de manière à me faire prendre part à la recherche et à la découverte de sa proie. Mais, à l'évidence, autre chose aussi l'avait obligée à agir maintenant, après toutes ces années. Un sentiment de danger imminent l'avait décidée à régler l'affaire. Peut-être était-ce en effet de la paranoïa – des guetteurs imaginaires dans les bois, des voitures inconnues circulant dans le village la nuit – peut-être simplement de la fatigue. Ma mère pouvait fort bien s'être lassée d'être éternellement vigilante, éternellement aux aguets, éternellement préparée à ces coups à la porte. Je me suis rappelé ses avertissements quand j'étais gamine : « Un jour, quelqu'un viendra m'emporter », et j'ai compris qu'en réalité elle avait vécu ainsi depuis qu'elle s'était enfuie de New York au Canada, fin 1941. Ça faisait longtemps, longtemps – trop longtemps. Elle n'en pouvait plus de surveiller et d'attendre, elle voulait que ça cesse. Alors, toujours pleine de ressources, l'astucieuse Eva Delectorskaya avait concocté un petit scénario qui avait attiré sa fille – son alliée nécessaire – dans son complot contre Lucas Romer. Je ne pouvais pas le lui reprocher, et j'essayais de m'imaginer ce qu'avait dû être le fardeau de ces dizaines d'années. Je me suis tournée vers son beau profil tandis que nous roulions dans la nuit. À quoi penses-tu, Eva Delectorskaya ? À quelles fourberies songes-tu encore ? Auras-tu jamais une vie calme, seras-tu jamais vraiment en repos ? Seras-tu enfin tranquille désormais ? Elle m'avait utilisée plus ou moins de la même façon que Romer avait tenté de l'utiliser elle. Tout au long de l'été, ma mère m'avait fait fonctionner avec soin, comme un espion, comme une...

« J'ai commis une erreur ! s'est-elle écriée soudain, me faisant sursauter.

– Quoi donc ?

– Il sait que tu es ma fille. Il connaît ton nom.

– Et alors ? Il sait aussi que tu le tiens complètement. Tout va sortir.
Il ne peut pas toucher à un de tes cheveux. Tu le lui as dit, tu l'as défié
de prendre le téléphone. »

Elle a réfléchi.

« Tu as peut-être raison… Peut-être que ça suffit. Peut-être qu'il ne
passera aucun coup de fil. Mais il pourrait laisser quelque chose par
écrit.

– Tu veux dire quoi par "laisser quelque chose par écrit" ? Laisser
quelque chose par écrit où ? » Je n'arrivais pas à la suivre.

« Ce serait plus sûr de laisser une lettre, vois-tu, parce que… » Elle
s'est tue, poursuivant sa réflexion tout en conduisant, buste penché,
comme si, dans cette posture, elle pouvait arriver plus vite à la maison.

« Parce que quoi ?

– Parce que demain matin il sera mort.

– Mort ! Comment pourrait-il être mort demain matin ? »

Elle m'a jeté un coup d'œil, un coup d'œil impatient qui disait : tu
ne comprends toujours pas, hein ? Ton cerveau ne travaille pas
comme le nôtre. Elle m'a répondu patiemment : « Romer se
suicidera ce soir. Il se fera une piqûre, prendra une pilule. Il a mis au
point la méthode depuis des années. Ça ressemblera exactement à
une crise cardiaque ou à une attaque cérébrale foudroyante : un truc
naturel, en tout cas. » Elle a fait jouer ses doigts sur le volant.
« Romer est mort. Je n'avais pas besoin de le tuer avec ce fusil. Dès
la seconde où il m'a vue, il a compris qu'il était mort. Il a compris
que sa vie était terminée. »

## 14

# Un gentleman anglais pur jus

Ma mère, Jochen et moi nous tenions serrés sous mon parapluie rouille, sur le trottoir devant St James Church, dans Piccadilly. Un matin de septembre, froid, bruineux – des paquets de nuages gris foncé ne cessaient de se déplacer au-dessus de nos têtes, tandis que nous regardions dignitaires, invités, amis et parents arriver pour assister à la messe en l'honneur de Lord Mansfield of Hampton Cleeve.

« Est-ce que ça n'est pas le ministre des Affaires étrangères ? » ai-je demandé. Un homme aux cheveux bruns descendait précipitamment d'une voiture conduite par un chauffeur.

« Il semble avoir attiré pas mal de monde », a dit ma mère avec une sorte d'enthousiasme, comme s'il s'agissait d'un mariage plutôt que de funérailles, alors qu'une petite file d'attente commençait à se former vaguement à l'entrée de l'église, derrière la palissade en fer de l'avant-cour en contrebas. Une file d'attente de gens aucunement habitués à attendre, ai-je pensé.

« Pourquoi est-ce qu'on est là ? s'est plaint Jochen. C'est un peu ennuyeux de rester comme ça debout sur le trottoir.

– C'est un service religieux pour un homme qui est mort il y a quelques semaines. Quelqu'un que Granny a connu – pendant la guerre.

– Est-ce qu'on va entrer ?

– Non, a répliqué ma mère. Je voulais simplement être ici. Pour voir qui viendrait.

– C'était quelqu'un de gentil ? s'est enquis Jochen.

– Pourquoi poses-tu cette question ? a dit ma mère, reportant à présent son attention sur l'enfant.

– Parce que tu n'as pas l'air très triste. »

Elle a réfléchi au problème un instant. « Au début, quand je l'ai rencontré, j'ai cru qu'il était gentil. Très gentil. Et puis j'ai compris que je m'étais trompée. »

Jochen n'a plus rien dit.

Ainsi que ma mère l'avait prédit, Lucas Romer, après notre départ, n'avait pas vécu jusqu'au lendemain. Il était mort la nuit même d'une « crise cardiaque foudroyante », selon les notices nécrologiques publiées dans les journaux. Des articles en bonne place, mais plutôt succincts, souvent accompagnés d'une reproduction du portrait par David Bomberg – faute sans doute de photos convenables. Les activités de guerre de Lucas Romer étaient résumées ainsi : « dans les services de renseignements, atteignant plus tard une position élevée au sein du GCHQ », le centre des communications gouvernementales. Sa carrière d'éditeur avait suscité beaucoup plus de commentaires, à croire qu'on déplorait la disparition d'une grande figure littéraire plutôt que celle d'un espion. Ma mère et moi, nous observions l'assistance tandis que la file s'apprêtant à entrer dans l'église grossissait : j'ai cru repérer un directeur de journal, souvent vu à la télé, un ex-ministre ou deux ayant appartenu à de lointains gouvernements, un très célèbre écrivain de droite et un grand nombre de messieurs âgés et grisonnants vêtus de costumes sur mesure, leurs cravates signalant des aspects de leur passé – régiments, clubs, universités, sociétés savantes – qu'ils étaient ravis d'afficher. Ma mère m'a montré du doigt une actrice. « Est-ce que ce n'est pas Vivien Leigh ?

– Elle est morte et enterrée depuis longtemps, Sal. »

Jochen m'a tirée discrètement par la manche. « Maman, je commence à avoir juste un peu faim, m'a-t-il annoncé, avant d'ajouter, plein de prévenance : Pas toi ? »

Ma mère s'est accroupie et l'a embrassé sur la joue. « Nous allons faire un magnifique déjeuner, a-t-elle dit. Tous les trois : dans un ravissant hôtel au bout de la rue, le Ritz. »

Nous nous sommes installés à une table dans le coin de la superbe salle à manger avec une jolie vue sur Green Park où les feuilles des platanes viraient au jaune, abandonnant prématurément la bataille

320

après un été torride – l'automne viendrait tôt cette année. Dès le début du repas, ma mère avait déclaré qu'il était à ses frais et qu'en ce jour mémorable nous avions droit à ce qu'il y avait de mieux. Elle a commandé du champagne de marque et nous avons bu à notre santé réciproque. Puis elle a permis à Jochen d'en goûter une gorgée.

« C'est plutôt bon », a-t-il décrété. Il se tenait très bien, poli et un peu sombre, comme s'il soupçonnait, sous cette inhabituelle expédition à Londres, l'existence de faits compliqués et secrets qu'il ne comprendrait jamais.

J'ai levé mon verre de bulles à ma mère.

« Eh bien, tu y es arrivée, Eva Delectorskaya !

– Arrivée à quoi ?

– Tu as gagné. » Je me sentais soudain absurdement sentimentale, quasiment sur le point de pleurer. « En fin de compte. »

Elle a froncé les sourcils, à croire qu'elle n'avait jamais encore considéré la chose sous cet angle.

« Oui, a-t-elle dit. En fin de compte. Je suppose que oui. »


Trois semaines plus tard, un samedi après-midi, nous étions assises dans le jardin de son cottage. Une journée ensoleillée mais supportable : la chaleur interminable de l'été n'était plus qu'un souvenir – une future réminiscence ; à présent, on accueillait avec plaisir un peu du soleil automnal et de sa tiédeur fugitive.

Des nuages filaient à toute allure dans le ciel, et un vent fraîchissant fouettait les arbres au-delà du pré. Je voyais les branches des chênes et les hêtres centenaires du bois de la Sorcière se soulever et ployer, j'entendais, se répercutant jusqu'à nous à travers l'herbe blonde et haute, soupirs et chuchotements, les craquements des feuilles jaunies, cependant que, frappées par des courants invisibles, les très lourdes branches remuaient précipitamment – les grands arbres étaient ballottés, agités, animés d'une sorte de vie par la puissance naturelle du vent.

Ma mère était en train de lire avec une austère concentration un document que je lui avais apporté au sortir d'une réunion à All Souls avec Timothy « Rodrigo » Thoms, où celui-ci m'avait remis une analyse tapuscrite de mon résumé détaillé de l'histoire d'Eva Delectorskaya. Et qu'elle avait maintenant entre les mains. Thoms avait bien tenté, sans y réussir, de ne manifester aucune excitation en me parlant, mais, sous les calmes explications de ce qui, à son avis, s'était passé en Amérique entre Lucas Romer – « Mr A » pour Thoms – et Eva Delectorskaya, j'avais senti la plaidoirie du spécialiste. Donnez-moi tout ça, implorait son regard, et laissez-moi faire. Je ne lui avais rien promis.

La majeure partie de ce qu'il m'avait raconté m'était passée au-dessus de la tête, ou alors je ne m'étais pas vraiment appliquée – des tas d'acronymes, de noms de *rezidents* et de recruteurs, membres du Politburo russe et du NKVD, identités possibles des hommes qui se trouvaient dans la pièce où Eva avait été interrogée au sujet de l'incident de Prenslo, etc. Le plus intéressant, pour moi, était que Thoms avait sans équivoque identifié Romer comme un agent russe – il semblait en être absolument persuadé –, avançant que celui-ci avait probablement été recruté alors qu'il était encore étudiant à la Sorbonne dans les années 1920.

Ce qui lui permettait d'expliquer le contexte des événements de Las Cruces. Pour lui, la date de cette affaire était l'indication essentielle et complètement en rapport avec ce qui se passait en Russie à la fin de 1941 quand, par coïncidence, un autre espion russe, Richard Sorge, avait affirmé à Staline et au Politburo que le Japon n'avait aucune intention d'attaquer la Russie par la Mandchourie, et que les intérêts japonais se concentraient sur l'Ouest et le Pacifique. Avec, pour les Russes, l'immédiate conséquence de libérer un grand nombre de divisions, envoyées alors se battre contre les Allemands toujours en marche sur Moscou. Mais l'invasion de la Russie par l'Allemagne faiblissait : la tenace résistance russe, les lignes de ravitaillement trop étirées, la fatigue et l'hiver gagnant du terrain firent qu'elle avait été stoppée à quelques kilomètres de Moscou.

Thoms s'était alors emparé d'un bouquin et l'avait ouvert à une page marquée. « Je cite Harry Hopkins ici », avait-il dit. Harry Hopkins... Tout ce à quoi j'avais pu penser, c'était à Mason Harding. Thoms avait poursuivi : « "Tandis que les troupes russes fraîches venues du front de Mandchourie se rassemblaient autour de Moscou,

322

attendant de lancer l'inévitable contre-attaque, on commençait à comprendre dans le haut commandement russe – et notamment à l'intérieur du NKVD et des services secrets – que la chance avait enfin tourné : la perspective de la Russie l'emportant sur l'Allemagne s'inscrivait dans la réalité. Certains éléments au sein du gouvernement soviétique songeaient déjà à des accords politiques dans le monde d'après la guerre."

– Quel rapport avec l'agent Sauge coincée dans une voiture au beau milieu du désert du Nouveau-Mexique ? avais-je demandé.

– C'est ce qui est si fascinant. Voyez-vous, d'aucuns, en particulier dans les services de renseignements, se sont mis à penser que, pour les Russes, il valait peut-être mieux, à long terme, que les États-Unis n'entrent pas en guerre en Europe. Si la Russie gagnait, alors la dernière chose dont ils voulaient, c'était une présence américaine forte en Europe. Avec un peu de temps, la Russie pourrait s'en sortir seule. Tout le monde n'était pas d'accord, bien entendu.

– Je ne vous suis toujours pas. »

Il m'a expliqué : vers la fin de 1941, l'intérêt du NKVD s'était porté sur les énormes efforts que faisaient les Britanniques pour persuader les États-Unis de s'allier à l'Angleterre et à la Russie contre les nazis. Efforts qui paraissaient fructueux : les Russes ont eu l'impression que Roosevelt cherchait n'importe quelle excuse pour s'engager dans le conflit. La découverte de la carte brésilienne a été un facteur décisif dans cette guerre de propagande – elle semblait avoir vraiment fait pencher la balance. Un grand coup pour la BSC, avait-on estimé. L'opinion publique américaine serait beaucoup plus sensible à une menace sur ses propres frontières plutôt qu'à cinq mille kilomètres de là.

Par conséquent, avançait Thoms, c'est sans doute à ce moment-là que le contrôleur de Mr A lui avait donné l'ordre d'agir de façon à saper cette propagande de la BSC de plus en plus efficace et de l'exposer comme telle. Les événements de Las Cruces lui paraissaient très caractéristiques de ce genre d'exercice de déstabilisation. Si en effet l'agent Sauge avait été retrouvée morte avec une fausse carte allemande du Mexique, toute l'affaire sud-américaine de la BSC aurait été révélée comme l'imposture qu'elle était, et la cause isolationniste, non interventionniste, s'en serait retrouvée immensément renforcée.

« Ainsi, Sauge était destinée à être la preuve tangible, ai-je remarqué. La BSC exposée – la perfide Albion, une fois de plus.

– Oui, mais, entre-temps, Mr A gardait ses mains totalement propres. Une opération très brillante, très très intelligente. Mr A n'a donné aucune instruction à Sauge, en dehors de la livraison initiale – tout ce qu'a fait Sauge en allant au Nouveau-Mexique et à Las Cruces était impromptu, complètement imprévu et le résultat de décisions prises sur place. À croire qu'on faisait confiance à l'agent Sauge pour organiser elle-même sa propre destruction. De manière implacable, inconsidérée. »

Organiser elle-même sa propre destruction, ai-je pensé – mais elle était bien trop astucieuse pour eux tous.

« En fin de compte, ça n'a pas eu d'importance, a poursuivi Thoms, un sourire ironique aux lèvres. Les Japonais sont venus à la rescousse avec leur attaque sur Pearl Harbour – tout comme Hitler et sa déclaration de guerre aux États-Unis quelques jours plus tard : tout le monde a tendance à oublier ça... Tout a changé, pour toujours. Par conséquent, même si Sauge avait été compromise, ça n'aurait pas fait la moindre différence. Les États-Unis étaient enfin en guerre. Mission accomplie. »

Thoms avait fait plusieurs autres remarques. À son avis, l'assassinat de Nekich était très significatif. Morris Devereux semblait avoir reçu en novembre des informations concernant l'interrogatoire de Nekich par le FBI, et qui indiquaient une sérieuse pénétration soviétique des services secrets et de renseignements britanniques. (« On en connaît maintenant l'immense étendue, avait ajouté Thoms. Burgess, Maclean, Philby et le reste de la bande qui se promène encore dans la nature. ») Devereux n'aurait jamais soupçonné Mr A d'être un agent double si les problèmes de l'agent Sauge à Las Cruces n'avaient pas éveillé des doutes graves et désigné le coupable. Avant qu'on le liquide, Devereux avait été, à l'évidence, très près de démasquer Mr A. Sa mort – son « suicide » – portait toutes les marques d'un assassinat par le NKVD, ce qui, une fois de plus, étayait la théorie d'un Mr A agent russe plutôt qu'allemand.

« Je pense que Mr X est probablement Alastair Denniston, directeur de l'Institut gouvernemental du chiffre, m'a dit Thoms en me raccompagnant à ma voiture. Il aurait eu assez de pouvoir pour diriger ses propres "irréguliers". Et, songez-y, Ruth, si, comme il semble vraiment que ce soit le cas, Mr A était un "fantôme" du NKVD dans le GCHQ, alors il a beaucoup plus fait pour la cause russe pendant la guerre que tous les espions de Cambridge réunis. Étonnant.

– En quel sens ?

– Eh bien, c'est là le vrai dividende du matériel que vous m'avez donné. Très choquant s'il était rendu public. Un énorme scandale. »

Je n'ai rien dit de plus. Il m'a proposé de m'emmener dîner un de ces soirs et j'ai répondu que je l'appellerais – ma vie était un peu agitée pour l'instant. Je l'ai vivement remercié et suis partie pour Middle Aston, en passant reprendre Jochen en chemin.

Ma mère semblait avoir atteint la dernière page. Elle a lu à voix haute : « Cependant, ceci n'est pas pour dénigrer l'histoire de l'agent Sauge. Le matériel que vous m'avez remis fournit un récit passionnant de l'étendue autant que des détails des opérations de la BSC aux États-Unis. Tout ceci, inutile de le dire, représente pour quelqu'un comme moi un document fascinant – on a gardé fermement le couvercle sur les activités de la BSC durant des années. Jusqu'à aujourd'hui, personne à l'extérieur n'a vraiment eu la moindre idée de l'étendue des opérations de renseignements britanniques aux États-Unis avant Pearl Harbour. Vous imaginez comment cette information pourrait être reçue par nos amis de l'autre côté de l'Atlantique. Forger une "relation spéciale" n'était manifestement pas suffisant – nous avions besoin de la BSC pour aller plus loin. »

Elle a jeté les pages sur l'herbe : elle semblait bouleversée, elle s'est levée, elle a passé les mains dans ses cheveux et puis elle est rentrée dans la maison. Je l'ai laissé faire – j'ai pensé qu'elle avait sans doute besoin d'un peu de temps pour se pénétrer de cette analyse, voir si ça concordait, si c'était logique.

J'ai ramassé les feuilles dactylographiées que j'ai tapotées sur mes genoux pour leur redonner forme, tout en songeant résolument à d'autres choses, telles les exaltantes nouvelles apportées par le courrier du matin : une invitation au mariage de Hugues Corbillard et de Bérangère Wu à Neuilly, près de Paris, et une autre lettre de Hamid, expédiée d'une ville appelée Makassar sur l'île des Célèbes, en Indonésie, annonçant que son salaire était monté à 65 000 dollars, qu'il espérait prendre un mois de congé avant la fin de l'année, et venir alors à Oxford nous voir, Jochen et moi. Hamid m'écrivait régulièrement, une fois par semaine : il m'avait pardonné la grossièreté dont j'avais fait preuve au Captain Bligh sans que j'aie eu à le lui demander ni le temps de m'en excuser. J'étais une très mauvaise correspondante – je crois lui avoir répondu brièvement, deux fois – mais je sentais que la cour entêtée de Hamid continuerait, néanmoins, pour un long temps à venir.

Ma mère est ressortie de la maison, apparemment plus calme, un paquet de cigarettes à la main. Elle m'en a offert une (que j'ai refusée, je tentais de me sevrer à cause des continuelles remarques de Jochen). Je l'ai regardée allumer la sienne.

« Ça te paraît logique, Sal ? » ai-je risqué, hésitante.

Elle a haussé les épaules. « Comment a-t-il dit ? "Les détails des opérations de la BSC aux États–Unis…" Je suppose qu'il a raison. Imaginons que De Baca m'ait assassinée – ça n'aurait pas fait de différence. Pearl Harbour était au coin de la rue – non pas que quiconque aurait jamais deviné que ça arriverait. » Elle a réussi à glousser, mais j'ai deviné qu'elle ne trouvait pas ça drôle. « Morris disait que nous étions des mineurs travaillant sur un filon de charbon à des kilomètres sous terre – mais que nous n'avions pas la moindre idée de la manière dont était gérée la compagnie minière, là-haut. Chop chop chop – tenez, voilà mon bout de charbon. »

J'ai réfléchi un instant avant de remarquer : « Roosevelt n'a jamais fait ce discours, non ? Celui où il allait utiliser ta carte mexicaine comme preuve. Ç'aurait été étonnant, ç'aurait pu tout changer.

– Tu es très gentille, ma chérie », a répondu ma mère. J'ai bien compris que je n'allais pas lui remonter le moral aujourd'hui, quoi que je fasse : il émanait d'elle une sorte de lassitude résignée – trop de souvenirs désagréables tournoyaient dans sa tête. « Roosevelt devait faire son discours le 10 décembre, a-t-elle repris. Mais Pearl Harbour a eu lieu – et la carte mexicaine était devenue inutile.

– Thoms affirme que Romer était un agent russe. Comme Philby, Burgess, MacLean... Ce qui explique qu'il se soit suicidé, je suppose. Trop vieux pour s'enfuir comme eux.

– C'est plus logique. Je n'ai jamais compris pourquoi Morris croyait qu'il était un agent de l'Abwehr. » Elle eut un sourire distrait. « Enfin, a-t-elle ajouté, très sarcastique, je dois avouer qu'il est bon de savoir à quel point tout ceci était d'une parfaite insignifiance dans le tableau d'ensemble. »

J'ai posé ma main sur son bras. « Ça n'a pas été d'une parfaite insignifiance pour toi. Tout dépend du point de vue. C'est toi qui t'es retrouvée dans le désert avec De Baca : personne d'autre. »

Elle m'a paru soudain épuisée. Elle a écrasé sa cigarette à moitié fumée sans rien dire. Je me suis inquiétée :

« Ça va, Sal ?

– Je ne dors pas bien. Personne n'a tenté d'entrer en contact avec toi ? Rien de suspect ?

– Si tu remets ça sur le tapis, je reprends la voiture et je rentre à la maison. Ne sois pas ridicule. C'est terminé. »

Elle n'écoutait pas. « Tu comprends, c'est l'erreur, mon erreur. Ça me tourmente : tu aurais dû aller le voir sous un faux nom.

– Ça n'aurait pas marché. Il aurait vérifié mon identité. Il fallait que je lui dise franchement qui j'étais. Nous en avons discuté cent fois. Je t'en prie. »

Nous sommes demeurées silencieuses un moment.

« Où est Jochen ? ai-je demandé.

– À l'intérieur. Il dessine.

– Il faut qu'on y aille. » Je me suis levée. « Je vais ramasser ses affaires. » J'ai replié la lettre de Rodrigo et, du coup, j'ai pensé à quelque chose.

« Ce que je ne comprends toujours pas, ai-je dit, c'est pourquoi Romer serait devenu un agent russe, pour commencer.

– Pourquoi aucun d'eux l'est-il devenu ? a répliqué ma mère. Regarde-les : tous des membres de l'establishment, des gens éduqués, privilégiés.

– Mais pense à la vie que Romer menait : tout ce qui l'entourait, la manière dont il vivait. Argent, position, pouvoir, influence, jolies maisons. "Baron Mansfield of Hampton Cleeve" – il avait même un titre. Le petit garçon prisonnier de l'establishment anglais, non ? »

Ma mère s'était levée aussi et arpentait la pelouse, ramassant les jouets semés par Jochen. Elle s'est arrêtée, une épée en plastique à la main.

« Romer me répétait qu'il n'y avait que trois raisons pour lesquelles on trahissait son pays : l'argent, le chantage et la vengeance. »

Elle m'a tendu l'épée avant de récolter un pistolet à eau, un arc et deux flèches.

« Ce n'était pas l'argent, ai-je dit. Ce n'était pas le chantage. Alors quelle sorte de vengeance cherchait-il ? »

Nous avons regagné le cottage ensemble.

« En fin de compte, ça se résume à quelque chose de très anglais, je crois, a-t-elle repris d'un air grave et pensif. Rappelle-toi, je ne suis venue ici qu'à l'âge de vingt-huit ans. Parfois, si tu ne connais pas un endroit, tu peux voir des choses qui échappent aux gens du cru. Rappelle-toi aussi que Romer est le premier Anglais que j'ai vraiment connu… que j'ai très bien connu », a-t-elle ajouté, et j'ai senti les souffrances du passé se ranimer derrière les souvenirs. Elle m'a fixée de son regard clair, comme si elle me défiait de réfuter ce qu'elle allait dire. « Et connaissant Lucas Romer comme je le connaissais, discutant avec lui, vivant avec lui, l'observant, j'ai été frappée de découvrir combien il est aussi simple – et peut-être parfois plus naturel – de haïr ce pays que de l'aimer. » Elle a souri d'un air entendu, un peu contrit. « Quand je l'ai vu ce soir-là : Lucas Romer, Lord Mansfield, avec sa Bentley, son maître d'hôtel, sa maison dans Knightsbridge, son club, ses relations, sa réputation… » Elle m'a regardée. « Je me suis dit : voilà sa vengeance. Il avait tout : tout ce qui paraissait le plus désirable – argent, réputation, estime, style, classe – le titre. C'était un "lord", nom d'un chien. Il ne cessait pas de rire. De rire tout le temps de tout le monde. À chaque minute de la journée, tandis que son chauffeur le conduisait à son club, ou à la Chambre des lords, ou pendant qu'il était dans son salon de Knightsbridge, il rigolait. » Elle a fait une grimace résignée. « C'est

pourquoi j'ai su – absolument, sans le moindre doute – qu'il se tue-
rait cette nuit-là. Mieux valait mourir acclamé, être affectueusement
remémoré, admiré, respecté. S'il y avait un au-delà, il continuerait à
se marrer en regardant de là-haut tous les politiciens et dignitaires
venus lui rendre hommage lors de la messe en sa mémoire. Cher
vieux Lucas, chic type, le sel de la terre, un gentleman anglais pur jus.
Tu dis que j'ai gagné : Romer aussi a gagné.

– Jusqu'à ce que Rodrigo publie son bouquin. Ça va provoquer
une explosion de premier ordre.

– Il faut que nous en parlions un de ces prochains jours, a-t-elle
coupé d'un ton sévère. Cette affaire ne m'enchante pas du tout, pour
te dire la vérité. »

Nous avons retrouvé Jochen ; il lui a donné son dessin – celui d'un
hôtel, a-t-il expliqué, plus beau que le Ritz – et nous avons embarqué
tout son fourbi dans la voiture.

« Ah, oui, ai-je dit, une chose qui me trotte dans la tête. Je n'arrête
pas d'y penser. Ça paraît idiot mais... à quoi ressemblait-il, mon
oncle Kolia ? »

Elle s'est redressée. « Oncle Kolia », a-t-elle répété, comme si elle
vérifiait l'expression, en savourait l'étrangeté. Puis j'ai vu ses yeux
se plisser, tenter de retenir les larmes. « Il était tout à fait merveilleux,
a-t-elle répliqué avec une fausse vivacité, il t'aurait beaucoup plu. »

Je me suis demandé si j'avais gaffé en lui parlant de lui à ce
moment précis, mais ma curiosité avait été sincère. J'ai poussé
Jochen dans la voiture et je m'y suis installée moi-même.

J'ai baissé la vitre, désireuse de la rassurer une dernière fois.

« Tout va bien, Sal. C'est fini, terminé. Tu n'as plus besoin de t'en
faire. »

Elle nous a envoyé un baiser et puis elle est rentrée à l'intérieur.

Nous venions juste de franchir le portail quand Jochen a annoncé :
« Je crois que j'ai laissé mon chandail dans la cuisine. » J'ai arrêté la
voiture et je suis descendue. Je suis revenue dans la maison et j'ai
poussé la porte d'entrée en criant gaiement : « Ce n'est que moi ! »
J'ai traversé jusqu'à la cuisine. Le chandail de Jochen gisait par terre
sous une chaise. Je me suis baissée pour le ramasser. Ma mère devait
être dans le jardin.

J'ai jeté un œil par la fenêtre et j'ai fini par la repérer, à demi cachée par le grand cytise à côté du portail de la haie. Ses jumelles braquées sur le bois, elle les promenait lentement d'un point à l'autre. Au-delà du pré, les grands chênes houleux ne cessaient de se battre avec le vent, tandis que ma mère persistait à chercher entre leurs troncs, dans l'obscurité des broussailles, les signes d'un guetteur en train de l'épier, décidé à la surprendre inattentive, détendue, insouciante. Et je l'ai alors compris : c'était précisément ce qu'elle ne serait jamais. Ma mère continuerait pour l'éternité de regarder en direction du bois de la Sorcière, comme elle le faisait à présent, attendant et s'attendant que quelqu'un vienne l'emporter. De la cuisine, je l'ai observée, pendant que, les yeux fixés au-delà du pré, elle s'obstinait à pister sa Némésis, et j'ai pensé, soudain, qu'il en est ainsi de nos vies à tous – que c'est là le seul et unique facteur qui s'applique à nous tous, qui nous fait ce que nous sommes, notre mortalité commune, notre humanité commune. Un jour quelqu'un viendra nous emporter : pas besoin d'avoir été un espion pour le pressentir. Ma mère poursuivait sa veille, les yeux fixés sur les arbres au-delà du pré.

Et les arbres dans le bois obscur continuaient de remuer et de ployer sous le vent, les taches de soleil chassées par les ombres des nuages de glisser sur le champ, l'herbe blonde et haute de se courber et d'onduler, presque vivante, pareille à la fourrure ou à la toison d'un animal géant, peignée, animée en permanence par la brise – et ma mère de surveiller, d'attendre.

# Note sur le contexte historique
## de *La Vie aux aguets*

*La Vie aux aguets* est, bien entendu, une œuvre de fiction, mais une grande partie de son contenu est fondée sur des fait réels – des faits peu connus néanmoins.

Très peu de temps après être devenu, en mai 1940, Premier ministre de l'Angleterre, et son pays se retrouvant seul à faire face à la puissance de l'Allemagne nazie, Winston Churchill se fixa une tâche suprême : persuader les États-Unis de se joindre à la guerre en Europe en tant qu'allié de la Grande-Bretagne.

On oublie aujourd'hui, en cette époque de la prétendue « relation privilégiée », à quel point, en 1940-1941, cet objectif était rude et improbable. Prêt à aider la Grande-Bretagne, le président Roosevelt se heurtait à un Congrès complètement anti-interventionniste et à une population bien décidée à ne pas aller se battre de nouveau en Europe. Les sondages indiquaient régulièrement que 80 % des Américains étaient opposés à la guerre. De plus, une anglophobie considérable, pour ne pas dire violente, régnait aux États-Unis.

En conséquence, le gouvernement britannique décida qu'une campagne de persuasion était nécessaire pour changer le cours de cette grande marée de l'opinion publique. En 1940, avec la complicité du gouvernement américain, un bureau fut établi à New York sous l'appellation inodore de British Security Coordination (BSC). La BSC devint bientôt une vaste organisation d'opérations clandestines, employant à son apogée quelque trois mille personnes travaillant à partir de deux étages du Rockefeller Center. Leur tâche était simple : amener par tous les moyens les Américains à changer d'idée quant à leur ralliement au conflit européen, et engager une guérilla politique contre les non-interventionnistes ou les organisations perçues comme anti-anglaises ou pro-nazies, tels l'America First Committee ou le German-American Bund.

C'est à ces fins que la BSC instillait de la propagande pro-britannique dans les journaux américains, passait des informations en avant-première aux éditorialistes célèbres, manipulait les nouvelles diffusées par les radios, harcelait les ennemis politiques au Congrès et dans l'industrie, et répandait de méchants bruits sur les buts et intentions de l'Allemagne nazie. Le *Washington Post* décrivait récemment les activités de la BSC comme un « magistral programme d'action clandestine – sans doute le plus efficace de l'histoire ».

Une bonne partie de *La Vie aux aguets* se déroule sur cette toile de fond. Lucas Romer, le maître espion, est un personnage clé de la BSC. Eva Delectorskaya travaille sur le terrain, contrôle deux stations de radio, dissémine de fausses nouvelles dans les agences de presse et les journaux américains. Tout ceci était pratiqué couramment aux États-Unis par les Britanniques avant Pearl Harbour. L'histoire des fausses cartes, exposant les ambitions nazies dans les Amériques du Sud et centrale, est parfaitement authentique. Même si Roosevelt, J. Edgar Hoover et le FBI connaissaient l'existence de la BSC, ils n'avaient à coup sûr aucune idée véritable de l'échelle ni du cynisme manipulateur de ses opérations. Hoover commença à s'inquiéter de la taille de la BSC vers la fin de 1941, mais l'attaque du Japon sur Pearl Harbour rendit ses soucis superflus. Quelques jours plus tard, Hitler déclarait unilatéralement la guerre aux États-Unis et le rêve de Churchill devenait réalité. La Grande-Bretagne avait désormais son allié tout-puissant – la guerre contre l'Allemagne pouvait être gagnée, à coup sûr. Mais il s'en était fallu de peu. Si les Japonais n'avaient pas attaqué, ou si l'étendue des opérations clandestines de la BSC et ses manipulations de l'information avaient été révélées (selon le plan de Lucas Romer), alors l'opinion publique américaine, plus isolationniste que jamais, se serait opposée avec plus de ferveur encore à toute intervention. En l'occurrence, pour l'Angleterre, ce sont les Japonais et Hitler qui finalement – et ironiquement – firent la différence.

Si l'histoire des opérations secrètes de la BSC aux États-Unis est, depuis quelques années, mieux connue des historiens de la Seconde Guerre mondiale et des spécialistes des affaires de renseignements, elle demeure, à mon avis, presque totalement ignorée du monde en général. En fait, elle constitue encore une sorte d'embarras historico-politique. Ainsi que le *Washington Post* le remarquait : « Comme tant d'autres opérations des services secrets, celle-ci comportait une délicieuse ambiguïté morale. Les Britanniques utilisèrent des méthodes impitoyables pour atteindre leurs buts, et, à l'aune des standards du temps de paix, certaines de leurs activités peuvent paraître scandaleuses. Pourtant, elles furent pratiquées pour la cause de l'Angleterre contre les nazis, et, en amenant l'Amérique à l'intervention, les espions britanniques ont aidé à gagner la guerre. »

*William Boyd*

# Table

RÉALISATION : CURSIVES À PARIS
IMPRESSION : S.N. FIRMIN-DIDOT AU MESNIL-SUR-L'ESTRÉF (EURE)
DÉPÔT LÉGAL : FÉVRIER 2007. N° 87232 (83275)
IMPRIMÉ EN FRANCE